基礎からの
サーブレット
/JSP

第5版

松浦健一郎
司 ゆき
［著］

プログラマの
種シリーズ
SE必修！

本書に関するお問い合わせ

この度は小社書籍をご購入いただき誠にありがとうございます。小社では本書の内容に関するご質問を受け付けております。本書を読み進めていただきます中でご不明な箇所がございましたらお問い合わせください。なお、お問い合わせに関しましては下記のガイドラインを設けております。恐れ入りますが、ご質問の際は最初に下記ガイドラインをご確認ください。

ご質問の前に

小社Webサイトで「正誤表」をご確認ください。最新の正誤情報をサポートページに掲載しております。

▶ **本書サポートページ**

`URL` https://isbn2.sbcr.jp/21698/

上記ページの「正誤情報」のリンクをクリックしてください。なお、正誤情報がない場合、リンクをクリックすることはできません。

ご質問の際の注意点

・ご質問はメール、または郵便など、必ず文書にてお願いいたします。お電話では承っておりません。

・ご質問は本書の記述に関することのみとさせていただいております。従いまして、○○ページの○○行目というように記述箇所をはっきりお書き添えください。記述箇所が明記されていない場合、ご質問を承れないことがございます。

・小社出版物の著作権は著者に帰属いたします。従いまして、ご質問に関する回答も基本的に著者に確認の上回答いたしております。これに伴い返信は数日ないしそれ以上かかる場合がございます。あらかじめご了承ください。

ご質問送付先

ご質問については下記のいずれかの方法をご利用ください。

▶ **Webページより**

上記のサポートページ内にある「お問い合わせ」をクリックすると、メールフォームが開きます。要綱に従って質問内容を記入の上、送信してください。

▶ **郵送**

郵送の場合は下記までお願いいたします。

〒106-0032
東京都港区六本木2-4-5
SBクリエイティブ　読者サポート係

はじめに

　本書ではサーブレットとJSPを学びます。本書を読むことで、サーブレット/JSPとデータベースを利用したWebアプリケーションの構築が可能になります。Webアプリケーションのプログラミングで使われることが多い、MVCやDAOなどのデザインパターンについても学べます。

　本書はJava言語の文法と基本的なAPIについて学んだ方におすすめです。サーブレット/JSP/データベースについては、全く予備知識がなくても大丈夫です。

　本書はWindows/macOS/Linuxに対応しています。Windowsでは、開発環境にテキストエディタとターミナル、そしてTomcatを使います。開発環境とサンプルを簡単にインストールできるダウンロードファイルを用意しましたので、ぜひお使いください。本書の付録では、統合開発環境のEclipseを使用する方法や、macOS/Linuxにおける開発の方法も解説しています。

　本書は次のような3パート、26章から構成されています。

■ Part1 基礎知識編（Chapter01 〜 10）

　最初にWebの仕組みや、サーブレット/JSPとは何かを学びます。次に開発環境をインストールして、実際にプログラミングを行います。このパートを読むと、HTMLのフォームから送信されたデータを取得して処理する、基本的なWebアプリケーションが作れるようになります。

■ Part2 応用編（Chapter11 〜 22）

　サーブレットに関する知識を深めた後に、Javaからデータベースを操作する方法や、JavaBeansを使ってデータを管理する方法を学びます。また、属性を使ってデータを保存したり、サーブレットとJSPの間でデータを受け渡す方法も学びます。JSPに関連する機能として、アクションタグ/EL/JSTLについても学びます。このパートを読むと、データベースを活用し、サーブレットとJSPを連携させた、本格的なWebアプリケーションが作れるようになります。

■ Part3 実践編（Chapter23 〜 26）

　MVCやDAOなどのデザインパターンを学び、Webアプリケーションに適用します。そして実践的な例として、ログイン機能とショッピングサイトを作成します。最後に、作成したWebアプリケーションをアーカイブファイルにまとめたり、公開したりする方法を学びます。このパートを読むと、実際のWebアプリケーション開発に取り組むための準備が整います。

■ 付録（Appendix01 〜 03）

　Appendix01では、Eclipseを使ってサーブレット/JSPの開発を行う方法を解説します。Appendix02では、サーブレット/JSPの開発中に起こる色々なトラブルへの対処法を紹介します。Appendix03では、macOS/Linuxにおける本書の利用方法を説明します。

本書を読み進むにつれて、より便利な機能が使えるようになるとともに、より簡潔にプログラムを書けるようになっていきます。各章の最後には練習問題も用意したので、学んだ内容を確認する際にお使いください。

色々なWebアプリケーションの構築に対応できる知識を提供するために、本書にはかなり多くの情報を掲載しています。以下のようにお読みいただくと、短時間で効果的に、本書の内容を習得していただけます。

■ 暗記するのではなく、理解する

各種の機能について、クラス名やメソッド名、引数の構成などは忘れても大丈夫です。機能の働きや仕組み、代表的な用途を理解することに注力してみてください。

■ 機能の存在を知り、詳細は必要なときに調べる

どんな機能があるのかを、何となく知っておくことは有用です。実際に使うときに、解説やサンプルを使って、機能の詳細を見直してみてください。

■ Java言語の知識を活用する

サーブレット/JSPの各機能で、クラス/インタフェース/継承といったJava言語の文法がどのように使われているのかに着目すると、理解が深まるとともに、記憶しやすくなります。

本書を通じて、サーブレット/JSPを使ったWebアプリケーションの構築技術を楽しく学んでいただき、開発や研究にご活用いただけることを、心より願っています。

松浦 健一郎　司 ゆき

プロフィール

■ 松浦 健一郎（まつうら けんいちろう）

東京大学工学系研究科電子工学専攻修士課程修了。研究所において並列コンピューティングの研究に従事した後、フリーのプログラマ＆ライター＆講師として活動中。企業や研究機関向けにソフトウェア、ゲーム、ライブラリ等を受注開発したり、遠隔配信や動画も含む研修の講師を務めたりしている。司 ゆきと共著でプログラミングやゲームに関する著書多数。

■ 司 ゆき（つかさ ゆき）

東京大学理学系研究科情報科学専攻修士課程修了。大学では人工知能（自然言語処理）を学ぶ。研究機関や企業向けのソフトウェア開発や研究支援、ゲーム開発、書籍や研修用テキストの執筆、論文や技術記事の翻訳、翻訳書の技術監修、学校におけるプログラミングの講師を行う。

Contents

Part01 基礎知識編

Contents

Contents

Contents

Contents

Contents

Part03　実践編

Contents

Contents

Part

01

基礎知識編

Chapter

01 サーブレット／JSPとは

本章ではサーブレットとは何か、JSPとは何かを学びます。サーブレット/JSPに関連して、ブラウザとWebサーバ、リクエストとレスポンス、静的Webページと動的Webページ、Webコンテナ、アプリケーションサーバといった概念についても学びます。

01-01 | Webの基礎知識

インターネットなどのネットワークを通じて、私たちは日常的にWebを利用しています。Web（ウェブ）は正式にはWorld Wide Web（ワールド・ワイド・ウェブ）と呼びますが、本書では簡潔にWebと呼ぶことにします。

皆さんは普段、どんなWebサイトを利用していますか。Webサイトとは、Web上で何らかのサービスや情報を提供するための場所です。検索サイト、ニュースサイト、ショッピングサイトなど、いろいろなサービスを提供するWebサイトがあります。皆さんの会社や学校にも、きっとWebサイトがあるでしょう。これらのWebサイトは、会社や学校に関する情報を提供します。

一般にWebサイトは、複数のWebページから構成されています。Webページは、Web上で公開することができる文書です。Webページを作成するにはHTML（HyperText Markup Language）を使います。なお、本書ではWebページのことを、簡単にページと呼ぶ場合があります。

■ WebブラウザとWebサーバ

Webブラウザは、Webサイトの閲覧に欠かせないソフトウェアです。Webブラウザは、ネットワークを通じて取得したWebページを、画面に表示します。Webブラウザの例としては、Chrome、Safari、Edge、Firefoxなどの製品があります。本書ではWebブラウザのことを、簡単にブラウザと呼ぶことにします。

一方のWebサーバは、Webサイトの公開に必要なソフトウェアです。Webサーバは、Webページのデータを管理しています。ブラウザから要求を受けると、Webサーバはネットワークを通じてデータを提供します。Webサーバの例としては、Apache、Nginx、IIS(Internet Information Services)、などの製品があります。

次の図はブラウザとWebサーバの関係です。ユーザとブラウザがいる側のことを**クライアントサイド**、Webサーバがいる側のことを**サーバサイド**と呼ぶことがあります。

Fig | ブラウザとWebサーバ

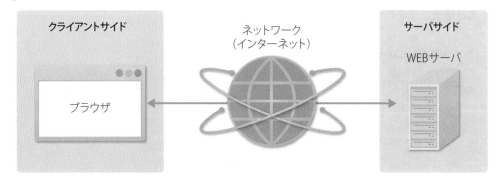

リクエストとレスポンス

　私たちがブラウザを操作すると、ブラウザはネットワークを通じて、Webサーバにデータを要求します。この要求のことを**リクエスト**と呼びます。

　Webサーバはリクエストを受け取ると、要求されたデータを、ネットワークを通じてブラウザに送信します。この応答のことを**レスポンス**と呼びます。

Fig | リクエストとレスポンス

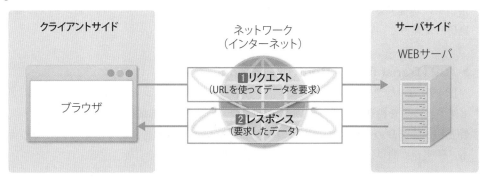

　リクエストとレスポンスは、HTTP（HyperText Transfer Protocol）と呼ばれる通信プロトコルに基づいて行われます。**通信プロトコル**とは、ネットワーク上で通信を行うための取り決めのことです。複数のコンピュータやソフトウェアが、共通の通信プロトコルを使用することによって、コンピュータ間やソフトウェア間で通信することが可能になります。

　また、ブラウザが要求するデータはURL（Uniform Resource Locator）を使って指定します。URLはWeb上にあるデータやサービスを指定するための文字列です。

通信プロトコルの階層

　ネットワークで使用される通信プロトコルには、HTTP以外にも多くの種類があります。

ある通信プロトコルを利用して、別の通信プロトコルが構築されているため、通信プロトコル群は階層を形成しています。

Fig | 通信プロトコルの階層

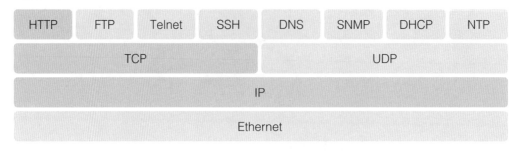

サーブレットやJSPのプログラミングを学ぶにあたって、ぜひ知っておきたい通信プロトコルは、IP、TCP、HTTPです。IPを利用してTCPが構築され、TCPを利用してHTTPが構築されています。

▶ IP (Internet Protocol)

パケットと呼ばれる小容量のデータを送受信するための通信プロトコルです。パケットが通信相手に到着するかどうかは保証されません。また、複数のパケットを送受信する場合には、送信した順番と到着する順番は、必ずしも一致しません。

▶ TCP (Transmission Control Protocol)

IPを利用した通信プロトコルです。パケットが到着したかどうかを確認したり、必要に応じてパケットを再送信したり、到着したパケットの順番を調整したりすることによって、信頼性と利便性を高めています。複数のパケットを使わないと送受信できない大容量のデータでも、確実かつ簡単に送受信することができます。

▶ HTTP

TCPを利用して、Webにおけるデータの転送を行う通信プロトコルです。ブラウザとWebサーバの間でデータを送受信するために使います。実際のインターネットでは、HTTPの安全性を高めたHTTPS (HyperText Transfer Protocol Secure) という通信プロトコルが広く使われています。本書では、サーブレットやJSPの学習が主な目的なので、特別な設定が不要で簡単に利用できるHTTPを使います。

HTTPはWebの中核となる通信プロトコルであり、TCPとIPはインターネットの中核となる通信プロトコルです。TCPとIPは、もともと一体で開発されたプロトコルで、両者をあわせてTCP/IP (ティシーピー・アイピー) と呼ぶことがあります。

サーブレットやJSPは、HTTPを利用して通信を行います。サーブレットは、HTTP以外の通信プロトコル上でも動作するような設計になっていますが、実際に使われているのはHTTPを利用するサーブレットがほとんどです。本書でも、HTTPを利用するサーブレットの開発方法を学びます。

01-02 │ 動的なWebページとWebアプリケーション

普段、何気なく見ているWebページですが、レスポンスとして返すHTMLの生成方法により、静的ページと動的ページの2つに分類することができます。

静的なWebページ

静的なWebページとは、ユーザの違いやユーザの操作によって内容が変化しないページのことです。例えば、ニュースサイトに掲載された記事のページや、会社や学校の紹介ページなどの多くは、静的Webページです。これらのページは、異なるユーザがページを閲覧しても内容が変わりません。また、ユーザが何か操作をすることによって、ページの内容が変化するわけでもありません。ページの作成者が内容を変更しない限り、いつも同じ内容です。

静的Webページは、次のような仕組みで実現することができます。サーバサイドに、Webページのデータをファイルとして配置しておきます。WebページはHTMLを使って記述するので、このデータはHTMLファイルです。

ブラウザがWebサーバに対してWebページをリクエストすると、WebサーバはHTMLファイルをそのままレスポンスとしてブラウザに返します。ブラウザは受け取ったHTMLファイルを解釈して、画面にWebページを表示します。

HTMLファイルの内容は固定されています。リクエストに応じてHTMLファイルの内容を変化させる、ということはできません。同じWebページをリクエストすると、いつも同じ内容のHTMLファイルがレスポンスとして返ってきます。

Fig │ 静的なWebページ

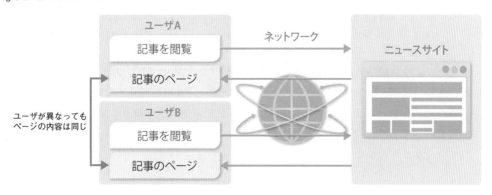

動的なWebページ

　一方、動的なWebページとは、ユーザの操作によって内容が変化するページのことです。検索サイトが表示する検索結果のページや、ショッピングサイトにおけるカートのページなどは、動的Webページの例です。

　検索結果のページについて、詳しく考えてみましょう。たとえば「プログラミング」というキーワードを検索すると、プログラミングに関するページの一覧が表示されます。一方「ネットワーク」を検索すると、ネットワークに関するページの一覧が表示されます。ユーザが入力したキーワードに応じて、検索結果のページが変化します。

　キーワードは無数にあるうえに、複数のキーワードを組み合わせることもできます。したがって、あらゆる入力に対する検索結果を静的なWebページとしてあらかじめ作成しておくことは、現実的ではありません。入力したキーワードに応じて、検索結果のページをその場で新しく生成する仕組みが必要です。

　その仕組みの実現には、次のようにプログラムを利用します。まず、リクエストを受け取ったWebサーバが、サーバサイドに設置されたプログラムを実行します。このとき、リクエストに含まれるデータ(たとえば検索キーワード)がプログラムに渡され、プログラム側ではそのデータを使って処理を行い、HTMLをその場で生成してレスポンスとして返します。処理の過程でデータベースやファイルを操作して、必要な情報を取得したり保存したりする場合もあります。

Fig |　動的なWebページ

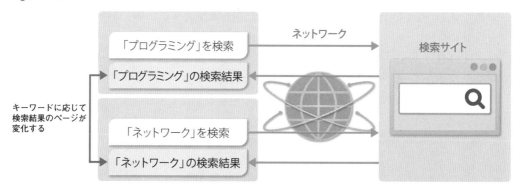

　上記のような動的Webページを生成する仕組みを、Webアプリケーションと呼びます。先ほどの例でいえば、検索サイトそのものをアプリケーションに見立てているわけです。

　Webアプリケーションは、いろいろなプログラミング言語を使って開発することができます。本書で解説するサーブレットとJSPはJavaを使いますが、PHPやRuby、Pythonなどで構築されているサイトも少なくありません。

01-03 | サーブレットとアプリケーションサーバ

サーブレットやJSPは、Jakarta EE（後述）という仕様に従ってプログラムを記述します。これらのプログラムを実行するには、Webサーバに加えて、Webコンテナと呼ばれるソフトウェアが必要です。

WebコンテナはWebサーバと連携して動作します。ブラウザがサーブレットのURLを開くと、WebサーバはWebコンテナを呼び出します。Webコンテナはサーブレットのクラスファイルを読み込んで、サーブレットを実行します。また、Javaのサーバサイドアプリケーションを実行する、WebサーバやWebコンテナなどの機能を含むサーバは、Jakarta EEアプリケーションサーバと呼ばれます。

ブラウザからのリクエストは、WebサーバとWebコンテナを介して、サーブレットに渡されます。サーブレットはリクエストを解析し、レスポンスを生成します。レスポンスはWebコンテナとWebサーバを介して、ブラウザに送信されます。ブラウザはレスポンスを受信し、画面に表示します。

Fig | サーブレットの実行

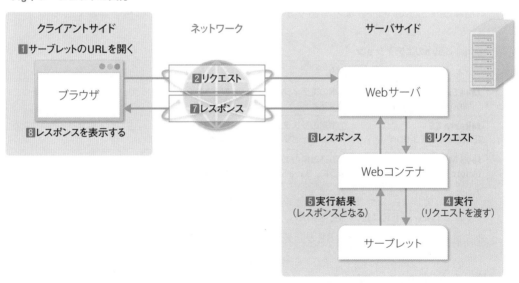

一度起動したサーブレットは、処理が終わっても、終了せずにそのまま実行を続けます。同じサーブレットに対して再度リクエストが届いたときには、起動済みのサーブレットを再利用します。そのため、多数のリクエストを効率よく処理することができます。

本書ではアプリケーションサーバとしてTomcat（「トムキャット」と読みます）を使います。TomcatはApache Software Foundationが開発しているソフトウェアで、WebサーバとWebコンテナの機能を兼ね備えています。Tomcatのインストール方法と使用方法は、Chapter02で解説します。

01-04 │ Javaのエディションとバージョン

Javaにはエディションとバージョンという概念があります。サーブレットやJSPによる開発にはどのエディションが必要なのか、そしてどのバージョンを選択すればよいのかを、学んでおきましょう。

■ Javaのエディション

Javaには3つのエディションがあり、Jakarta EEはそのうちの1つです。開発の対象に応じて、エディションを使い分けます。Jakarta EEは、以前はJava EEと呼ばれていました。Java EEが2017年にOracle（オラクル社）からEclipse Foundation（エクリプス財団）に寄贈された後、Oracleが所有する「Java」の商標を避けて、Jakarta EEに改称されています。なお、Java（ジャワ）はインドネシアを構成する島の一つで、Jakarta（ジャカルタ）はその島にあるインドネシアの首都です。本書で学ぶサーブレットとJSPの仕様は、Jakarta EEに含まれています。Jakarta EEに含まれるWebアプリケーションを作るための仕様は、サーブレットやJSPだけではなく、EJB（Jakarta Enterprise Beans、以前はEnterprise JavaBeans）やJSF（Jakarta Server Faces、以前はJava Server Faces）などもありますが、これらはTomcatでは利用できません。

Table │ Javaのエディション

エディション	解説
Java SE (Standard Edition)	標準のエディション。Javaでプログラミングを行うための基本的な機能が提供されています。
Jakarta EE (Enterprise Edition)	企業用のシステムを開発するためのエディション。主にサーバサイドで動作するプログラムを記述するための機能が提供されています。
Java ME (Micro Edition)	組み込み用のエディション。CPUが低速な環境や、メモリが少ない環境でも動作するように、Java SEよりも機能が削減されています。

また、Jakarta EEはJava SEを利用して構築されています。そのため、サーブレットやJSPによる開発を行う際には、Java SEの開発環境であるJDKも必要です。

■ Javaのバージョン

Java SE、Jakarta EE（Java EE）にはそれぞれ別のバージョンがあります。また、サーブレット/JSPの仕様にもバージョンがあります。これらのバージョンを次ページの表にまとめます。

Java EEの時代（表の2017年以前）は、先にJava SEのバージョンが上がり、続いてJava EEのバージョンが上がっていました。Jakarta EEの時代（表の2019年以後）は、Java SEとは異なるペースでバージョンアップされています。なお、Java SEのLTS（Long-Term Support）とは、長期に渡ってサポートするバージョンのことです。

Table | Javaのバージョン

年	Java SE	Jakarta/Java EE	サーブレット/JSP
1996	1.0		
1997	1.1		
1998	1.2		
1999		1.2	2.2/1.1
2000	1.3		
2001		1.3	2.3/1.2
2002	1.4		
2003		1.4	2.4/2.0
2004	5		
2006	6	5	2.5/2.1
2009	6	3.0/2.2	
2011	7		
2013	7	3.1/2.3	
2014	8(LTS)		
2017	9	8(Java EE)	4.0/2.3
2018	10, 11(LTS)		
2019	12, 13	8(Jakarta EE)	4.0/2.3
2020	14, 15	9	5.0/3.0
2021	16, 17(LTS)	9.1	5.0/3.0
2022	18, 19	10	6.0/3.1
2023	20, 21(LTS)		

　バージョンが上がると、一般に新しいクラスやメソッドが追加されますが、逆に以前のメソッドが非推奨(deprecated)になることもあります。古いバージョンで開発したプログラムの多くは、新しいバージョンでも動作しますが、非推奨のメソッドを使っている場合などには、動作に支障が出る場合があります。本書では、改訂時点で最新のJava SE 21とJakarta EE 10を組み合わせて使います。

　Java SEやJava EEの過去のバージョンには、1.2のようなバージョン番号の他に、J2SEやJ2EEといった名称が付いていました。1.2にバージョンが上がったときに、機能が大きく変わったことをアピールするため、これらの名称が導入されましたが、単純に1.2のようなバージョン番号で区別するとわかりやすいでしょう。

01-05 │ JSPとは

JSP（ジェイエスピー）はJakarta Server Pagesの略です。以前はJavaServer Pagesと呼ばれていました。サーブレットとJSPの違いは、プログラムの記法です。

典型的なサーブレットは、Webページを出力するJavaプログラムです。Javaプログラムの中に、レスポンスとして出力するHTMLが埋め込まれたような構造になります。

一方のJSPは、出力するHTMLの中に、Javaプログラムが埋め込まれたような構造をしています。特別なタグの内部に、Javaプログラムを記述します。タグとは、HTMLやJSPにおいて文書の構造や書式などを表現するための記法です。

Fig │ サーブレットとJSPの構造の違い

最初はサーブレットだけが使われていたのですが、出力するHTMLが多いと、プログラムが読みにくく、書きにくくなるという問題が発生しました。サーブレットの中にHTMLを大量に埋め込むことになるためです。

このような問題に対処するために、JSPが作られました。HTMLが多く、Javaプログラムが少ない場合には、JSPの方が向いています。一方、Javaプログラムが多く、HTMLが少ない場合には、サーブレットの方が向いています。実際のWebアプリケーションでは、サーブレットとJSPを組み合わせて使用します。処理が主体の部分はJavaプログラムが多くなるので、サーブレットを使います。出力が主体の部分は、HTMLが多くなるので、JSPを使います。

■ JSPの実行

JSPは次ページの図のような仕組みで実行されます。ブラウザがJSPファイルのURLを開くと、WebコンテナはJSPファイルからサーブレットのプログラムを生成し、コンパイルして、サーブレットとして実行します。以後はサーブレットと同様です。JSPから生成したサーブレットは、リクエストを解析し、レスポンスを生成します。レスポンスはWebコンテナとWebサーバを介してブラウザに送信されます。ブラウザは、受信したレスポンスを画面に表示します。

JSPからサーブレットへの変換やコンパイルは、JSPファイルが更新されたときだけ行われます。JSPファイルが更新されない限り、JSPはサーブレットと同程度の効率で動作します。

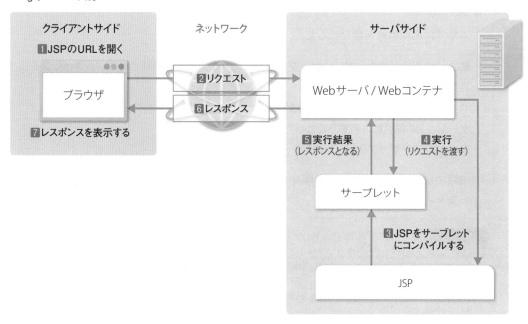

Fig | JSPの実行

 代表的なJakarta EEアプリケーションサーバ

本書で使用するTomcat以外の、よく使われているアプリケーションサーバを紹介します。

・WildFly

Red Hatが開発しているオープンソースのアプリケーションサーバです。以前はJBoss Application Server（または簡潔にJBoss）と呼ばれていました。商用版のJBoss Enterprise Application Platformもあります。

https://www.wildfly.org/

・Jetty

Eclipse Foundationが開発しているオープンソースのアプリケーションサーバです。Tomcatと同様に、WebサーバとWebコンテナの機能を持ちます。

https://www.eclipse.org/jetty/

・Glassfish

Sun Microsystemsがプロジェクトを開始し、Oracleが出資した後に、現在はEclipse Foundationに所属しているオープンソースのアプリケーションサーバです。

https://glassfish.org/

・Oracle Weblogic Server

BEA Systemsが開発し、現在はOracleが開発している商用のアプリケーションサーバです。

https://www.oracle.com/java/weblogic/

▶ まとめ

本章では次の事柄を学びました。

- ・ 動的Webページを生成するには、プログラムにリクエストを解析させて、レスポンスを出力させる必要があります。
- ・ サーブレットとJSPは、Javaで動的Webページを生成するための仕組みです。Webアプリケーションの開発に活用することができます。
- ・ Webコンテナやアプリケーションサーバの一例が、本書で使用するTomcatです。

　次章ではサーブレット/JSPの開発を行うために、Tomcatなどの必要なソフトウェアをインストールします。

練習問題 次の事柄について、特徴と仕組みを説明してください。

- ・静的Webページ
- ・動的Webページ
- ・サーブレット
- ・JSP

解答例

　静的Webページと動的Webページの違い、サーブレットとJSPの違いについて、ぜひ整理しておいてください。

・静的Webページ

　ユーザの操作によって内容が変化しないWebページです。サーバサイドに、Webページのデータをファイルとして配置することによって実現されています。

・動的Webページ

　ユーザの操作によって内容が変化するWebページです。サーバサイドに配置されたプログラムを実行し、実行結果をブラウザに送信することによって実現されています。

・サーブレット

　サーバサイドで動作するJavaプログラムです。Webコンテナまたはアプリケーションサーバが、サーバサイドに配置されたサーブレットのクラスを実行します。

・JSP

　サーブレットと同様に、サーバサイドで動作するJavaプログラムです。HTMLの中にJavaプログラムが埋め込まれたような構造をしています。Webコンテナまたはアプリケーションサーバが、JSPをサーブレットに変換してコンパイルし、サーブレットとして実行します。

02 開発環境の準備

本章ではサーブレットとJSPの開発を行うための環境を準備します。ここではWindowsに対して、Java開発環境のJDK、アプリケーションサーバのTomcat、データベースのH2をインストールし、必要な設定を行います。また、Tomcatを起動する方法についても学びます。macOS/Linuxをお使いの場合は、本章とあわせてAppendix03もご覧ください。

02-01 | 本書における開発環境

サーブレットとJSPの開発を行うために、本書では次のようなソフトウェアを使います。各ソフトウェアのバージョンは本書執筆時の最新版です。本書のサンプルプログラムは、下記バージョンのソフトウェアで動作を確認しています。使用したOSはWindows 11、macOS 13、Ubuntu 22.04です。

Table | 本書の開発環境

ソフトウェア名	本書における用途	バージョン
テキストエディタ	各種ファイルの編集	―
JDK	Javaプログラムのコンパイル	21
Tomcat	Webアプリケーションの実行	10.1
H2 Database Engine	データベースの管理	2.1

Windowsの場合、テキストエディタを除くソフトウェアは、すべて本書のダウンロードファイルに収録しています。ダウンロードファイルに収録されたバージョンよりも、新しいバージョンのソフトウェアを利用したい場合のために、各ソフトウェアの入手先もあわせて説明します。ただしバージョンが異なると、一部の設定方法や操作方法が本書の解説とは異なる場合がありますので、ご注意ください。

■ テキストエディタ

テキストエディタを選ぶときには、ファイルを保存する際の文字エンコーディングとして、UTF-8(BOMなし)が指定できるテキストエディタを選択してください。UTF-8(BOMなし)は、UTF-8Nと呼ばれることもあります。

▶ 文字エンコーディング

コンピュータの内部で文字を数値で表現する方法のことです。文字エンコーディングには複数の種類があります。本書では、JavaプログラムやHTMLファイルなど、すべてのファイルを保存する際にUTF-8という文字エンコーディングを使用します。

▶ BOM (Byte Order Mark)

UTF-8などのUnicodeに関連する文字エンコーディングにおいて、データの形式や並び順を示すためのマークです。ファイルにBOMを付加するかどうかは選択することができます。JavaプログラムやHTMLファイルなどは、BOMを付加すると適切に処理することができないため、BOMなしを選択する必要があります。なおUnicode（ユニコード）とは、世界で使われている多種多様な文字を表現できる文字コード（→P.54）の規格です。

UTF-8（BOMなし）に対応する無償のテキストエディタとしては、たとえば以下の製品があります。Windowsに標準で付属する「メモ帳」も使用できます。

TeraPad

https://tera-net.com/

サクラエディタ

https://sakura-editor.github.io/

Visual Studio Code

https://code.visualstudio.com/

▮ Tomcat

Chapter01で解説したとおり、TomcatはApache Software Foundationが開発しているアプリケーションサーバで、サーブレットやJSPを使ったWebアプリケーションを実行するために使います。オープンソースであり、無料で利用することが可能です。本書とは異なるバージョンのTomcatを使用したい場合には、Apache Tomcatのサイトから入手できます。

Apache Tomcat

https://tomcat.apache.org/

Fig | Apache Tomcatのページ

　Tomcatにはいくつものバージョンがあり、サポートするサーブレット/JSPのバージョンが、次のように異なります。

Table | Tomcat/サーブレット/JSPのバージョン

Tomcat	サーブレット	JSP
10.1	6.0	3.1
10.0	5.0	3.0
9.0	4.0	2.3
8.5	3.1	2.3
8.0	3.1	2.3

　本書では改定時点の最新バージョン (10.1) を利用します。一方、稼働中のWebアプリケーションを拡張したり修正したりする際には、古いバージョンを利用することもあるでしょう。古いバージョンを使用する場合には、本書で紹介している一部の機能が使えない場合や、設定方法が異なる場合がありますので、ご注意ください。

■ H2 Database Engine

　H2はThomas Mueller氏により開発された、高速軽量のデータベース管理システムです。ソースコードはすべてJavaで書かれており、Javaとの相性が抜群です。プログラムサイズも2.5MB程度しかなく、インストールも簡単です。H2の最新版は以下のURLからダウンロードすることができます。

H2 Database Engine

https://www.h2database.com/html/main.html

Fig | H2 Database Engineのページ

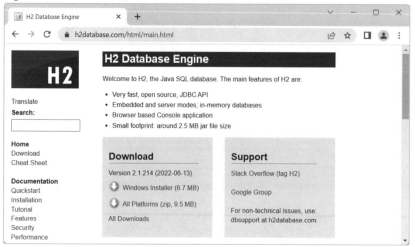

このH2に関しては、P.181であらためて紹介します。

02-02 | 開発環境の構築

　本書に必要な開発環境とサンプルプログラムを一括して入手していただけるように、1つの
ダウンロードファイル（download.zip）にまとめました。下記のサポートページからダウンロー
ドしてください。

開発環境のダウンロード

https://www.sbcr.jp/product/4815621698/

　ダウンロードファイルはZIP形式で圧縮されています。エクスプローラでdownload.zipファ
イルを開くと、内部に次の図のようなフォルダがあります。
　エクスプローラでworkフォルダをコピーして、作業がしやすい場所（Cドライブの直下やデ
スクトップなど）に貼り付けてください。ここではCドライブの直下に貼り付けたとして、以
後の説明を続けます。操作が終わったら、フォルダとファイルの構成が以下のようになってい
ることを、エクスプローラを使って確認してください。

Fig | work フォルダの内容

```
C:¥
 └ work
      ├ h2 ··············· H2 Database Engine（データベース管理システム）
      ├ jdk ·············· JDK（Java開発環境）
      ├ sample ··········· 本書のサンプルプログラム
      ├ tomcat ··········· Tomcat（アプリケーションサーバ）
      ├ h2.bat ··········· H2を起動するためのバッチファイル
      ├ start.bat ········ 環境変数を設定し、コマンドプロンプトを起動するためのバッチファイル
      ├ tomcat.bat ······· Tomcatを起動するためのバッチファイル
      ├ h2.sh ············ H2を起動するためのスクリプト（macOS/Linux用）
      ├ src.sh ··········· ソースファイルのフォルダに移動するためのスクリプト（macOS/Linux用）
      └ tomcat.sh ········ Tomcatを起動するためのスクリプト（macOS/Linux用）
```

　サーブレット/JSPのサンプルはsample¥bookフォルダに収録しました。本書ではサンプルを1個ずつ入力していきますが、全てのサンプルをまとめて実行してみたい場合は、sample¥bookフォルダの内容を、tomcat¥webapps¥bookフォルダに上書きでコピーしてください。サーブレットの実行方法はChapter03で、JSPの実行方法はChapter07で解説します。

JDKのインストール

　JDK（Java Development Kit）はJavaの開発環境です。サーブレットやJSPを実行するためのライブラリはTomcatに含まれているのですが、Javaプログラムのコンパイルや実行を行うためには、JDKが必要です。

　JDKにはいくつかの製品がありますが、本書ではOpenJDKというオープンソースの製品を使います。OpenJDKはWindows/macOS/Linuxに対応していて、いずれも無料で利用できます。

OpenJDK

https://openjdk.org/

Fig | OpenJDKのページ

　本書のダウンロードファイルには、Windows用のOpenJDKが含まれています。ダウンロードファイルのjdkフォルダ以下に展開済みなので、Windowsで本書をお使いの場合には、別途JDKをインストールする必要がありません。

　macOS/Linuxで本書をお使いの場合には、別途JDKのインストールが必要です。ここでAppendix03を参照して、JDKのインストールと動作確認を実施してください。

▌ JDKの入手

　もし、本書とは異なるバージョンのOpenJDKを使いたい場合は、以下のサイトから入手可能です。以下は本書と同じOpenJDK 21のダウンロードページですが、他のバージョンについては、ページ左上の「GA Releases」にリンクが掲載されています。

OpenJDKのダウンロード

https://jdk.java.net/21

Fig | OpenJDKのダウンロードページ

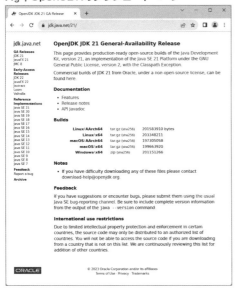

　Windows用のOpenJDKを入手するには、「Builds」の「Windows/x64」の欄にある「zip」を
クリックして、ZIP形式のファイルをダウンロードします。ダウンロードしたファイルをエク
スプローラで開くと、「jdk-○.○.○」(○の部分はバージョン番号)という名前のフォルダがあ
ります。このフォルダをコピーし、本書のダウンロードファイルのworkフォルダ以下に貼り
付けて、フォルダ名を「jdk」に変更すれば、インストールは完了です。元のjdkフォルダは、
あらかじめ削除しておいてください。

02-03 │ 環境変数の設定

　環境変数とは、OS上で動作するプログラムの設定情報を保持するための仕組みです。ここ
では、インストールしたソフトウェアを使用するために設定が必要な環境変数について説明し
ます。後ほど、環境変数をまとめて簡単に設定する方法を紹介しますので、1つ1つ手動で設
定する必要はありません。

■ 設定すべき環境変数

　まず、Tomcatを使用するために必要な環境変数は次のとおりです。

Table | Tomcatに必要な環境変数

環境変数	設定値
JAVA_HOME	C:¥work¥jdk
CATALINA_HOME	C:¥work¥tomcat
CATALINA_OPTS	-Dfile.encoding=UTF-8

▶ JAVA_HOME

JDKのパスです。本書のダウンロードファイル以外のJDKを使う場合には、JDKをインストールしたフォルダに合わせて変更する必要があります。

▶ CATALINA_HOME

Tomcatのパスです。Tomcatを別途インストールした場合は、このパスを書き換える必要があります。

▶ CATALINA_OPTS

Tomcatの動作を設定します。本書では、Tomcatが使用する文字エンコーディングをUTF-8に設定することによって、Tomcatによる文字の入出力が適切に行われるようにします。

また、Javaプログラムをコンパイルするために必要な環境変数は次のとおりです。

Table | コンパイルに必要な環境変数

環境変数	設定値
PATH	%JAVA_HOME%¥bin;%PATH%
CLASSPATH	%CATALINA_HOME%¥lib¥servlet-api.jar

%環境変数%のように環境変数を%で囲むと、その環境変数の内容を利用して、他の環境変数を設定することができます。PATHの設定にはJAVA_HOMEとPATH自体を、CLASSPATHの設定にはCATALINA_HOMEを利用します。

▶ PATH

PATHにフォルダのパスを追加すると、そのフォルダにあるファイルについて、コマンドプロンプトでファイル名だけを入力して実行することができます。つまり、フォルダの入力を省略することが可能です。本書ではJDKに含まれるコマンド（javacコマンドなど）を、ファイル名だけで実行するために、JDKのパスを追加します。

▶ CLASSPATH

Javaプログラムのコンパイルや実行に使用するクラスを設定します。本書では、サーブレットに必要なクラスが含まれているservlet-api.jarファイルを指定します。このファイルはC:¥work¥tomcat¥libフォルダにあります。

■ 環境変数を設定するバッチファイル

設定が必要な環境変数が多いので、手動で設定するのは大変です。そこで本書では、バッチ

ファイルを使うことにします。バッチファイルとは、Windowsのコマンドプロンプトで実行するコマンドを記述しておき、まとめて実行することができるファイルです。

本書で用意したバッチファイルはC:¥work¥start.batです。エクスプローラでC:¥work¥start.batをダブルクリックしてください。これまでに説明した環境変数を設定したうえで、以下の2つのウィンドウが開きます。

Fig | start.batの実行

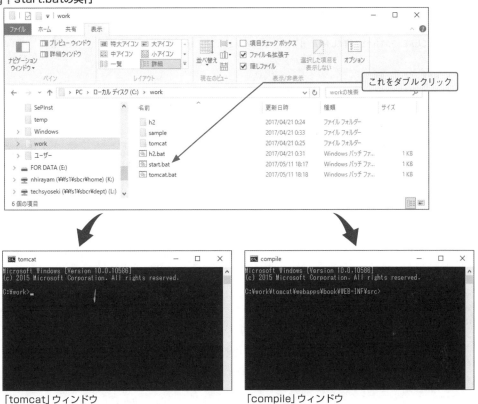

「tomcat」ウィンドウ　　　　　　　　　　　　　「compile」ウィンドウ

本書では、これらのウィンドウを「tomcat」ウィンドウ、および「compile」ウィンドウと呼びます。

▶ tomcatウィンドウ

Tomcatを起動するためのコマンドプロンプトです。カレントフォルダはC:¥workです。

▶ compileウィンドウ

Javaプログラムをコンパイルするためのコマンドプロンプトです。カレントフォルダはC:¥work¥tomcat¥webapps¥book¥WEB-INF¥srcです。コンパイルの作業がしやすいように、Javaソースファイルを配置するsrcフォルダをカレントフォルダにしています。

start.batの内容は以下のとおりです。このバッチファイルの内容は、サーブレットやJSPの理解には深く関わらないので、参考程度にご覧いただければ十分です。

List | 02-01 start.bat

```
set JAVA_HOME=%~dp0jdk
set CATALINA_HOME=%~dp0tomcat                      1
set CATALINA_OPTS=-Dfile.encoding=UTF-8

set PATH=%JAVA_HOME%¥bin;%PATH%
set CLASSPATH=%CATALINA_HOME%¥lib¥servlet-api.jar  2

start "tomcat"
start "compile" /d %CATALINA_HOME%¥webapps¥book¥WEB-INF¥src  3
```

1はTomcatに必要な環境変数の設定です。本書のダウンロードファイル以外のJDKやTomcatを使用する場合には、JAVA_HOMEやCATALINA_HOMEに設定する値を、使用するJDKやTomcatをインストールしたフォルダにあわせて変更してください。

2はコンパイルに必要な環境変数の設定です。

3はコマンドプロンプトの起動です。「tomcat」ウィンドウと「compile」ウィンドウを開きます。画面サイズの小さいノートパソコンなどで作業する場合は、「/max」オプションを付けると、コマンドプロンプトのウィンドウサイズが最大化されます。

02-04 | 動作確認をしよう

ソースファイルのコンパイルやTomcatの起動が正常にできるかどうか、動作確認をしておきましょう。

■ Javaコマンドの実行

以下の確認作業は、どちらのウィンドウで実施してもかまいませんが、ここでは「compile」ウィンドウで行っています。太字の部分が入力するコマンドです。もし正しい結果が表示されない場合には、2つのウィンドウを閉じてから、開発環境の構築（→P.16）を再度行ってください。

Fig | javaコマンドとjavacコマンドの実行

```
C:¥work¥tomcat¥webapps¥book¥WEB-INF¥src>java -version
openjdk version "21" 2023-09-19
OpenJDK Runtime Environment (build 21+35-2513)
OpenJDK 64-Bit Server VM (build 21+35-2513, mixed mode, sharing)

C:¥work¥tomcat¥webapps¥book¥WEB-INF¥src>javac -version
javac 21
```

Tomcatの起動

　本書のダウンロードファイルを使用した場合には、TomcatはC:¥work¥tomcatにインストールされています。Tomcatのフォルダは以下のような構造になっています。

tomcat	
bin	起動や停止を行うためのコマンドを含むフォルダ
conf	設定ファイルを含むフォルダ
lib	TomcatやWebアプリケーションに必要なクラスやJARファイルを配置するフォルダ
logs	ログファイルを出力するフォルダ
temp	一時ファイルを出力するフォルダ
webapps	Webアプリケーションを配置するフォルダ
work	Webアプリケーションの一時ファイルを出力するフォルダ

　libフォルダに配置するJAR（Java ARchive）ファイルは、Java用の圧縮ファイルです。複数のクラスファイルを1つのファイルにまとめるときなどに使います。

　Tomcatの起動と停止は、binフォルダに含まれるコマンド（Windowsの場合にはバッチファイル）で行います。起動の場合は、コマンドプロンプトからcatalina runというコマンドを実行しますが、この他に文字エンコーディングの設定なども必要です。

　Tomcatを簡単に起動するために、本書ではtomcat.batというバッチファイルを用意しました。「tomcat」ウィンドウで次のコマンドを実行してください。

Fig | Tomcatの起動

```
C:¥work>tomcat
```

　もしJavaやTomcatに関して、Windowsのファイアウォールに関するダイアログが表示され

たら、JavaやTomcatによる通信を許可してください。

　Tomcatが起動すると、コマンドプロンプトに起動メッセージが表示されます。

Fig | Tomcatの起動画面

　Tomcatの起動に成功した場合には、起動メッセージの最後に、「Server startup in 1812 ms」のように、起動に要した時間がミリ秒単位で表示されます。

　もしTomcatが起動しない場合には、「tomcat」ウィンドウと「compile」ウィンドウを閉じて、start.batの起動からやり直してみてください。また、誤って「tomcat」ウィンドウや「compile」ウィンドウをたくさん開いてしまったときには、一度すべてのウィンドウを閉じてから、start.batを起動してください。

　tomcat.batの内容は次のようになっています。

List | 02-02 tomcat.bat

```
chcp 65001 ··························· 1
tomcat¥bin¥catalina run ··········· 2
```

　1はコードページの設定です。コードページは文字の集合を表す概念です。ここでは文字エンコーディングのUTF-8に対応する、コードページ65001を指定します。コードページを設定することによって、Tomcatが出力するメッセージを適切に表示できるようになります。

　2はTomcatの起動です。catalina runコマンドを使います。

Tomcatのページを表示する

　前述のとおり、TomcatはWebサーバの機能も持っています。これも動作確認しておきましょう。Tomcatを動作させたままにして、ブラウザで次のページを開いてください。

```
http://localhost:8080/
```

Tomcatのトップページが表示されれば成功です。

Fig | Tomcatのトップページ

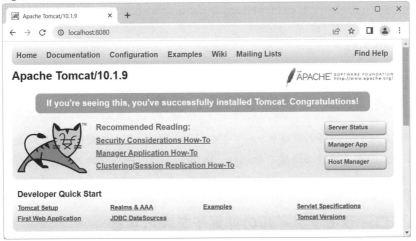

Tomcatのページを開くときのURL (http://localhost:8080/) には、次のような意味があります。

▶ http

HTTPという通信プロトコル (→P.3) を用いて、URLが指すリソース (ファイルなど) を取得することを表します。

▶ localhost

現在ブラウザが動作しているコンピュータのことです。Tomcatのページを開くためには、Tomcatが動作しているコンピュータをURLで指定する必要があります。ここではTomcatがブラウザと同じコンピュータで動作しているので、localhostを指定しています。

▶ 8080

ポート番号です。ポート番号とは、ネットワークの出入口に付けられた番号です。Tomcatは8080番のポートを使います。8080番は、ブラウザやWebサーバが通常使う番号ではないため、明示的に指定する必要があります。

■ Tomcatの停止

次にTomcatを停止してみます。「tomcat」ウィンドウをアクティブにして、Ctrl+Cを入力してください。Ctrl+Cキーは、コマンドプロンプトにおいて実行中のコマンド (バッチファイル) を停止するための操作です。停止メッセージの後に、プロンプトに戻れば成功です。

本書では使用しませんが、binフォルダのstartup.batとshutdown.batを使って、Tomcatの起動と停止を行う方法もあります。本書でcatalina runコマンドを使うのは、Tomcatの起動中に何か問題が起きたときに、startup.batよりもcatalina runの方が、Tomcatのエラーメッセージを確認しやすいためです。

02-05 │ 覚えておくと便利な設定と操作

これからサーブレットとJSPのプログラミングを行ううえで、覚えておくと便利な設定と操作を紹介します。設定や操作の詳細な手順は、Windowsのバージョンごとに異なるので、Webなどでご確認ください。

■ エクスプローラでファイルの拡張子を表示する

エクスプローラの設定によっては、ファイルを表示するときに拡張子を表示しません。プログラミングの際には、ファイルの種類を区別する必要がよく生じるので、拡張子が表示されていた方が便利です。

Fig │ 拡張子の表示

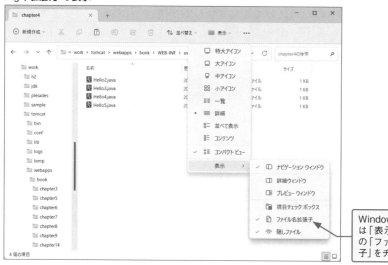

■ 拡張子の関連付け

サーブレットとJSPのプログラミングを行う際には、「.java」の拡張子を持つソースファイルを頻繁に開くことになります。「.java」のファイルを開いたときには、テキストエディタが起動するように関連付けておくと便利です。

■ ウィンドウを切り替える

　サーブレットとJSPのプログラミングでは、Javaプログラムの編集にはテキストエディタを、コンパイルにはコマンドプロンプトを、実行にはブラウザを使います。ウィンドウの切り替えが素早くできると、作業効率がよくなります。

　Alt＋Tabキーを使うと、ウィンドウの切り替えができます。マウスを使って切り替えるよりも、ずっと素早く操作できるので、ぜひ使ってみてください。

■ ウィンドウを大きくしておく

　テキストエディタやコマンドプロンプトなどのウィンドウは、できるだけ大きくしておきましょう。プログラムを入力したり、メッセージを読んだりしやすくなります。

　画面サイズが小さい場合は、ウィンドウを最大化するのもよいでしょう。複数のウィンドウを並べるのは、2つのウィンドウの内容を比較するときなどの特別な場合だけにして、通常は1つのウィンドウだけを画面全体に表示しておきます。そして、Alt＋Tabキーでウィンドウを切り替えながら作業を進めます。

　なお、ウィンドウの最大化もキー操作で行うのが便利です。Alt＋Spaceキーを押してからXキーを押します。

■ ブラウザでページを更新する

　サーブレットとJSPの開発においては、プログラムの実行結果をブラウザで何度も確認します。プログラムを変更した後に、実行結果がどのように変化したのかを確認するには、ブラウザが表示しているページを更新します。

　ページを更新するには、ブラウザの更新ボタンをクリックするか、F5キーまたはCtrl＋Rキーを入力します。このキー操作は覚えておくのがおすすめです。キー操作でページを更新すれば、キーボードとマウスの間で手を移動する必要がなくなり、作業の効率が上がります。

 Tomcat起動時の問題に対処する方法

　Tomcatの起動に失敗した場合には、「Server startup in ○○ms」のような起動時間は表示されずに、「C:¥work」のようなプロンプトに戻ってきます。この場合には、コマンドプロンプトに表示されたメッセージを参考に、問題を解決する必要があります。メッセージは何行にも渡ることが多いので、コマンドプロンプトをスクロールさせて内容を確認します。

　Tomcatの起動に失敗する、よくある原因の1つは、すでに別のTomcatが動作していることです。この場合には、メッセージに「java.net.BindException: Address already in use: bind」のようなエラー（例外）が含まれています。Tomcatの動作に必要なネットワークの資源（ポート番号など）を、別のTomcatがすでに使用していることがエラーの原因です。問題を解決するには、別のTomcatを停止させてから、新しいTomcatを起動します。

Tomcatの起動に成功しても、Webアプリケーションが実行できない場合があります。ブラウザで「http://localhost:8080/」は開けるのに、WebアプリケーションのURLを開くと「404エラー」(→P.34)が表示されてしまうような場合です。この場合は、Webアプリケーションの配備(サーバ上で実行可能な状態にすること)に失敗している可能性があります。

配備に失敗した場合には、起動時のメッセージに「Webアプリケーションディレクトリ C:¥work¥tomcat¥webapps¥○○を配備中のエラーです」のようなエラーが含まれています。よくある原因の1つは、複数のサーブレットを同じURLに割り当ててしまうことです。この場合は「The servlets named [△] and [□] are both mapped to the url-pattern […] which is not permitted」のようなメッセージを見つけて、サーブレットの△と□を別々のURLに割り当てるように、ソースファイルや設定ファイル(web.xml)を修正します。

▸ まとめ

本章では次の事柄を学びました。

- サーブレット/JSPの開発には、TomcatやJDKなどのソフトウェアを利用します。
- JDKやTomcatを使うためには、環境変数の設定が必要です。
- Tomcatの起動、ページの表示、停止を行いました。
- 設定や操作の工夫で、プログラミングの作業効率が上がります。

次章ではいよいよ、Tomcatを使ってサーブレットを実行します。

練習問題 Tomcatが起動していて、ブラウザでTomcatのトップページを表示している状態から始めます。Tomcatを停止した後に、Tomcatのトップページが表示されなくなることを確認してください。次にTomcatを起動した後に、再びページが表示されるようになることを確認してください。以上の手順を、マウスを使わずにキーボードだけで実行してみてください。

解答例

以下の手順で操作します。

① [Alt]+[Tab]キーでtomcatウィンドウに切り替えて、[Ctrl]+[C]キーを入力します。Tomcatの停止に成功すると、C:¥work>というプロンプトが表示されます。
② [Alt]+[Tab]キーでブラウザに切り替えて、[F5]キーか[Ctrl]+[R]キーでページを更新します。Tomcatのトップページは表示されなくなっているはずです。
③ [Alt]+[Tab]キーでtomcatウィンドウに切り替えて、tomcat [Enter]と入力します。Tomcatの起動メッセージが表示されます。
④ [Alt]+[Tab]キーでブラウザに切り替えて、[F5]キーか[Ctrl]+[R]キーでページを更新します。Tomcatのトップページが再び表示されるはずです。

マウスを使わずにキーボードだけで操作することができましたか。手がキーボードから離れることを避けると、キーボードを多用するプログラミングの作業を、効率的に進めることができます。

03 サーブレットの コンパイルと実行

　本章では最初にWebアプリケーションのフォルダ構成を学び、テキストファイルやHTMLファイルを配置して、ブラウザで表示してみます。次にサーブレットのコンパイルと実行の方法を学び、実際にサーブレットを動かします。

03-01 ｜ Webアプリケーションのフォルダ構成

　Chapter01で解説したように、サーブレットやJSPを動かすにはアプリケーションサーバを使います。アプリケーションサーバにとって、サーブレットやJSPはWebアプリケーションの一部です。Webアプリケーションを動かすには、アプリケーションサーバが決めたフォルダに、サーブレット、JSP、HTMLなどのファイルを配置する必要があります。

　Webアプリケーションのフォルダ構成のうち、Jakarta EE（→P.8）が定めている範囲については、Jakarta EEに準拠したアプリケーションサーバならばどの製品でも共通ですが、それ以外は製品によって違いもあります。

　本書では、Webアプリケーションのフォルダ構成、配置場所、配置方法、設定ファイルなどについては、Tomcatの場合について解説します。

■ webappsフォルダ

　Tomcatの場合には、tomcatフォルダ以下にあるwebappsフォルダに、Webアプリケーションを配置します。webappsフォルダ以外に配置することもできますが、追加の設定が必要になるので、特に理由がなければwebappsフォルダに配置するのが簡単です。

　webappsフォルダ以下に、Webアプリケーションのフォルダを作成します。Webアプリケーションごとに別々のフォルダを作成することで、複数のWebアプリケーションを配置することができます。

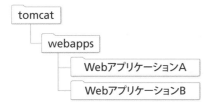

　本書ではbookという名前のWebアプリケーションを作成しますが、本書の開発環境では、あらかじめwebappsフォルダ以下にbookフォルダを作成してあります。エクスプローラを使って、bookフォルダが存在することを確認してください。

Fig | webappsフォルダの内容

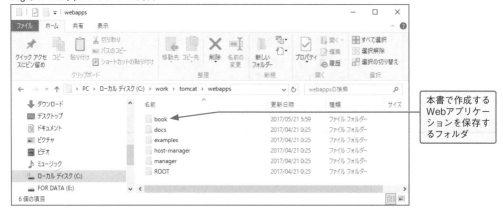

　フォルダの階層が深いので、以後はtomcatとwebappsを省略して、book以下のフォルダ構成を示します。

03-02 ｜ コンテキストとは

　個々のWebアプリケーションのことを、**コンテキスト**と呼ぶことがあります。コンテキストという言葉には、文脈や状況という意味があります。

　コンピュータの分野では、実行しているプログラムの内部状態のことを、コンテキストと呼びます。もしAndroidアプリの作成経験があるなら、コンテキストという言葉をたくさん目にしたことでしょう。

　アプリケーションサーバにおけるコンテキストという言葉は、少し広い意味に使われています。実行中のWebアプリケーションの内部状態をコンテキストと呼ぶだけではなく、実行中かどうかに関わらず、Webアプリケーションのことをコンテキストと呼ぶことがあります。

■ コンテキストパス

　コンテキストに関連して、**コンテキストパス**という概念があります。コンテキストパスとは、個々のWebアプリケーションを表すパスのことです。

　コンテキストパスは、Webアプリケーション名の前に/を付けた、

/Webアプリケーション名

のような文字列です。たとえばbookアプリケーションの場合、コンテキストパスは/bookです。

　サーバのURLにコンテキストパスを付加すると、WebアプリケーションのURLになります。サーバのURLが「http://localhost:8080」のとき、bookアプリケーションのURLは次のとおりです。

```
http://localhost:8080/book
```

■ コンテキストルート

　WebアプリケーションのURLに対して、さらにパスを付加することで、Webアプリケーション内のリソース（ファイルなど）を指定します。たとえば、chapter3フォルダ内のhello.htmlというファイルのURLは、WebアプリケーションのURLに/chapter3/hello.htmlというパスを付加して、次のように記述します。

```
http://localhost:8080/book/chapter3/hello.html
```

　パスの中でも/は特別で、コンテキストルートと呼ばれます。**コンテキストルートはWebアプリケーションにおける最上位のパス**です。bookアプリケーションのコンテキストルートを指すURLは、次のとおりです。

```
http://localhost:8080/book/
```

　サーバのURL、コンテキストパス、コンテキストルート、リソースのURLの関係を以下に整理します。

Fig | URLの構成

■ 絶対URLと相対URL

　Windowsのフォルダ階層における絶対パスと相対パスの概念は、URLにもあります。絶対パスと同様に、最上位の階層を起点とするURLのことを、絶対URLと呼びます。相対パスと同様に、最上位以外の階層を起点とするURLのことを、相対URLと呼びます。相対URLについてはより細かい分類があり、ドキュメント相対URLとサイトルート相対URLがあります。

▶① 絶対URL

httpやhttpsといったURLスキームから始まるURLは、絶対URLです。URLスキームは、URLが示すリソース（ファイルなど）を取得するための手段を表します。たとえばhttpならば、HTTPを使った通信によって、目的のリソースが得られることを表しています。たとえば先ほどのhttp://localhost:8080/book/chapter3/hello.htmlは、URLスキームから始まるので絶対URLです。

▶② ドキュメント相対URL

URLスキームから始まらないURLは、相対URLです。相対URLのうち、/から始まらないURLはドキュメント相対URLと呼ばれます。ドキュメント相対URLは、そのURLが記述されたドキュメント（HTMLファイルやJSPファイル）を起点として、フォルダやファイルのURLを示します。たとえばchapter3/hello.htmlは、URLスキームからも/からも始まらないので、ドキュメント相対URLです。

▶③ サイトルート相対URL

相対URLのうち、先頭が/から始まるURLは、サイトルート相対URLと呼ばれます。サイトルート相対URLは、そのURLが記述されたドキュメントが配置されているサイトの最上位（サーバのURL）を起点として、フォルダやファイルのURLを示します。たとえば/book/chapter3/hello.htmlは、/から始まるのでサイトルート相対URLです。

HTMLファイルやJSPファイルの中に、リンク（<a>タグ）やフォーム（<form>タグ）を記述する際には、他のファイルをURLで指定します。この場合には、上記のいずれの方法でURLを記述するのかを検討する必要があります。本書では主にドキュメント相対URLを使います。ドキュメント相対URLは、上記の3種類の中で最も短く記述できることが多いためです。

03-03 ｜ テキストファイルとHTMLファイルの作成

Webアプリケーション内にファイルを作成して、ブラウザで表示してみましょう。サーブレットはコンパイルが必要なので、最初は簡単なテキストファイルやHTMLファイルを作成してみます。

本書では、作成するファイルをChapterごとに分類するために、各Chapterのフォルダを作成することにします。

■ テキストファイルの作成

まず、エクスプローラでchapter3フォルダを作成し、次にその中にhello.txtというテキストファイルを作成してください。なお、bookフォルダの中にはすでにWEB-INFというフォルダありますが、これについては後述します。

book
　　chapter3 ┄┄┄┄ これらを作成する
　　　　hello.txt

hello.txtの内容を次のように編集します。「Hello!」と書いてあるだけのテキストファイルです。

List | 03-01 hello.txt

```
Hello!
```

hello.txtを保存したら、ブラウザで表示してみましょう。Chapter02で解説した手順にしたがって、Tomcatを起動してください（→P.23）。そしてブラウザで次のURLを開きます。

```
http://localhost:8080/book/chapter3/hello.txt
```

フォルダやファイルを正しく作成できていれば、ブラウザに「Hello!」と表示されるはずです。

Fig | hello.txtをブラウザで表示

hello.txtをブラウザで直接開いたのではなく、アプリケーションサーバに対してファイルを要求していることに注意してください。ブラウザがhello.txtをアプリケーションサーバにリクエストすると、アプリケーションサーバはhello.txtをレスポンスとして返します。ブラウザは受け取ったhello.txtを画面に表示します。

　ローカルディスク上のパスとURLの関係にも注目してください。hello.txtは、bookアプリケーション内の次のようなパスに配置しました。

chapter3¥hello.txt

　bookアプリケーションのコンテキストルートを指すURLは、次のとおりです。

http://localhost:8080/book/

　上記のURLにhello.txtのパスを付加すると、hello.txtのURLになります。パスの区切りは¥から/に変えます。

http://localhost:8080/book/chapter3/hello.txt

📓 404エラー

　存在しないファイルのURLをブラウザで開くと、エラー画面が表示されます。たとえば、存在しないhello.docファイルのURLを、ブラウザで開いてみてください。

http://localhost:8080/book/chapter3/hello.doc

　次のような「HTTPステータス404」という画面が表示されます。これは存在しないファイルがリクエストされたときに、Tomcatが生成するエラーページです。

Fig｜存在しないファイルをブラウザで表示

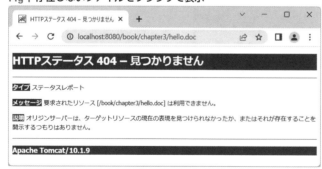

HTTPステータス404というのは、HTTPが定めている**ステータスコード**の一種です。ステータスコードは、Webサーバがブラウザにレスポンスの意味を伝えるために使う番号です。404はURLで指定したファイルが見つからないときや、アクセス権がないときに使われます。

本書でサーブレットやJSPを作成する過程では、ときどき404エラーが表示されることがあるでしょう。この場合には、以下が正しいかどうかを確認してみてください。

・作成したファイルのファイル名
・作成したファイルを配置したフォルダ
・ブラウザに入力したURL

▌ HTMLファイルの作成

実際のWebアプリケーションでは、テキストファイルよりもHTMLファイルを使うことが一般的です。そこで今度は、HTMLファイルを作成してみましょう。chapter3フォルダ内に、hello.htmlというファイルを作成してください。

hello.htmlをテキストエディタで開き、次のように編集します。

List | 03-02 hello.html

```
<!DOCTYPE html>
<html>
<head>
<meta charset="UTF-8">
<title>Servlet/JSP Samples</title>
</head>
<body>
Hello!
</body>
</html>
```

hello.htmlを保存したら、ブラウザで次のURLを開きます。

```
http://localhost:8080/book/chapter3/hello.html
```

ブラウザには「Hello!」と表示されます。

Fig | hello.htmlをブラウザで表示

Fig | hello.htmlをブラウザで表示

> HTMLの場合は、ブラウザのデフォルトのスタイルが適用されるため、少し表示が変わる

ウェルカムファイル

　URLでファイルを指定するのではなく、フォルダを指定すると、何が起こるのでしょうか。たとえば、次のURLをブラウザで開いてみてください。

```
http://localhost:8080/book/
```

　本書の環境では404エラーが表示されます。

　フォルダに特別な名前のファイルを配置しておくと、URLでフォルダを指定したときに、ブラウザでそのファイルを表示することができます。このようなファイルのことをウェルカムファイルと呼びます。Tomcatでは、以下のような名前のファイルがウェルカムファイルとして扱われます。

```
index.html
index.htm
index.jsp
```

　ウェルカムファイルを作成してみましょう。bookフォルダに、index.htmlというファイルを作成します。

```
book
  └─ chapter3
  └─ index.html ◀········· このファイルを作成
```

　index.htmlをテキストエディタで開き、次のように編集します。実はこのファイルは、hello.htmlのメッセージを「Hello!」から「Welcome!」に変えただけなので、hello.htmlをコピーして編集すると、楽に作成することができます。

List | 03-03 book¥index.html

```
<!DOCTYPE html>
<html>
<head>
<meta charset="UTF-8">
<title>Servlet/JSP Samples</title>
</head>
<body>
Welcome!
</body>
</html>
```

index.htmlを保存したら、ブラウザで「http://localhost:8080/book/」を開いてみてください。

Fig | ウェルカムファイルの表示

　URLで指定しているのはファイルではなく、フォルダであることに注意してください。フォルダを指定しているのに、フォルダ内のファイルであるindex.htmlが表示されます。もちろんフォルダではなく、「http://localhost:8080/book/index.html」のようにファイルを指定しても、同様にウェルカムファイルが表示されます。

　ウェルカムファイルの仕組みは広く使われています。多くのWebサイトでは、ファイルではなくフォルダを指定しても、404エラーになることはなく、何らかのページが表示されます。なお、ウェルカムファイルのことをデフォルトファイルと呼ぶこともあります。

03-04 ｜ サーブレットのフォルダ

　今度はサーブレットを作成してみましょう。まずはサーブレットを配置するためのフォルダを確認します。

　サーブレットはJavaプログラムなので、ソースファイル(拡張子.java)とクラスファイル(拡張子.class)が必要です。サーブレットを作成するには、テキストエディタでソースファイルを記述します。次に、ソースファイルをjavacコマンドなどでコンパイルして、クラスファイルを生成します。ここまでは通常のJavaアプリケーションを作成する場合と同じです。

　サーブレットの場合に注意が必要なのは、**クラスファイルを配置するフォルダが決められて**いることです。Webアプリケーションのフォルダ以下に**WEB-INF**フォルダを作成し、さらに**classes**フォルダを作成して、ここにクラスファイルを配置します。

　一方、ソースファイルの配置場所には決まりがありません。サーブレットを実行するために使うのはクラスファイルだけで、ソースファイルは使わないためです。

　本書ではクラスファイルとソースファイルの対応をわかりやすくするために、クラスファイルを配置するclassesフォルダの隣に、ソースファイルを配置するsrcフォルダを作成してあります。エクスプローラを使って、WEB-INFフォルダ以下にclassesフォルダとsrcフォルダが存在することを確認してください。

03-05 | サーブレットの作成

　いよいよサーブレットを作成しますが、ここではコンパイルと実行の手順のみを解説し、プログラムの内容については、次のChapter04で学びます。

　作成するのは、テキストを出力するサーブレットです。サーブレットのURLを開くと、画面に「Hello!」というメッセージと、現在の日時が表示されます。

Fig | サンプルの実行画面

　現在の日時を表示しているのは、サーブレットらしさを出したかったからです。決まったメッセージを表示するだけならば、サーブレットを使わなくても、先ほどのようにメッセージを書いたテキストファイルやHTMLファイルをWebサーバに配置するだけで実現できます。しかし現在の日時のように、実行するたびに表示を変化させるためには、サーブレットのようなプログラムが必要です。

　ここで作成するサーブレットでは、ブラウザでページを更新するたびに、表示される日時が変化します。ぜひ実際に試してみてください。

■ プログラムの作成

本章で作成するソースファイルを配置するフォルダを作成します。

本章で作成するクラスはchapter3パッケージに属するので、chapter3フォルダが必要です。WEB-INF¥srcフォルダ以下に、chapter3フォルダを作成し、その中にHello.javaを作成してください。

Hello.javaをテキストエディタで開き、次のプログラムを入力してください。

List | 03-04 Hello.java

```java
package chapter3;

import java.io.IOException;
import java.io.PrintWriter;
import jakarta.servlet.ServletException;
import jakarta.servlet.http.HttpServlet;
import jakarta.servlet.http.HttpServletRequest;
import jakarta.servlet.http.HttpServletResponse;
import jakarta.servlet.annotation.WebServlet;

@WebServlet(urlPatterns={"/chapter3/hello"})
public class Hello extends HttpServlet {

    public void doGet (
        HttpServletRequest request, HttpServletResponse response
    ) throws ServletException, IOException {
        PrintWriter out=response.getWriter();
        out.println("Hello!");
        out.println(new java.util.Date());
    }

}
```

入力を簡単にするために、import文をまとめてもかまいません。たとえば、

```java
import jakarta.servlet.http.HttpServlet;
import jakarta.servlet.http.HttpServletRequest;
import jakarta.servlet.http.HttpServletResponse;
```

のようなjakarta.servlet.httpパッケージに関するimport文は、

```java
import jakarta.servlet.http.*;
```

のようにまとめられます。本書でもプログラムを簡潔にするために、まとめる場合があります。

■ サーブレットのコンパイル

　サーブレットを実行するために、コンパイルの作業を行いましょう。コンパイルにはjavac
コマンドを使いますが、srcフォルダでコンパイルする場合のコマンドラインオプションは次
のようになります。

```
javac -encoding utf-8 -d ..¥classes -sourcepath . chapter3¥Hello.java
```

　オプションの意味を確認しておきましょう。

Table | javacのコマンドラインオプション

オプション	解説
-encoding utf-8	ソースファイルの文字エンコーディングを指定します。本書ではutf-8 (UTF-8) を使います
-d ..¥classes	クラスファイルを出力するフォルダを、相対パスを使って指定しています。..は、現在のフォルダ (src) の上位のフォルダ (WEB-INF) を指します
-sourcepath .	ソースファイルが存在するフォルダを指定します。.は、現在のフォルダ (src) を指します。-sourcepathオプションを指定することで、依存関係があるソースファイルを、まとめてコンパイルすることができます
chapter3¥Hello.java	ソースファイルを指定します。相対パスを使って、chapter3フォルダのHello.javaファイルを指定しています

　上記のようにコンパイルのためのコマンドは長いので、毎回入力するのは大変です。そこで
本書では、srcフォルダにcompile.batというバッチファイルを用意しておきました。ファイル
の内容は次のとおりです。

List | 03-05 compile.bat

```
javac -encoding utf-8 -d ..¥classes -sourcepath . %*
```

　このバッチファイルを使うと、コマンドプロンプトから次のように入力するだけで、プログ
ラムをコンパイルすることができます。

compile ファイル名

　compile.bat内の%*と書かれた部分に、指定したファイル名が挿入されて、実行されます。
start.batにより開いた「compile」ウィンドウで、次のように入力すればコンパイルされます。
前回と同じく太字部分が入力する箇所です。

Fig | コンパイルの実行

```
C:\work\tomcat\webapps\book\WEB-INF\src>compile chapter3EHello.java

C:\work\tomcat\webapps\book\WEB-INF\src>javac -encoding utf-8 -d ..\classes
-sourcepath . chapter3\Hello.java

C:\work\tomcat\webapps\book\WEB-INF\src>
```

コンパイルに成功すると、コマンドプロンプトに戻ります。ソースファイル(Hello.java)を
コンパイルすると、クラスファイル(Hello.class)が生成され、classes\chapter3フォルダ内に
配置されます。クラスファイルが正しく生成されているかどうかを、エクスプローラで確認し
てみてください。

Fig | 作成されたクラスファイル

なお「compile」ウィンドウで「compile_all」を実行すると、全てのソースファイルをコンパイ
ルします。また「clean」を実行すると、全てのクラスファイルを削除します。

■ コンパイルエラーへの対処

ソースファイルに文法上の間違いがあると、コンパイル時にエラーが発生します。たとえば、

```
public class Hello extends HttpServlet {
```

と記述するべきところを、

```
public class Hello extends HttpServlett {
```

のように誤って記述したとします(HttpServletの後に余計なtが付いています)。コンパイルを
行うと、次のように表示されます。

Fig｜コンパイルエラーが表示された場合

```
C:¥work¥tomcat¥webapps¥book¥WEB-INF¥src>compile chapter3EHello.java

chapter3¥Hello.java:13: エラー ： シンボルを見つけられません
public class Hello extends HttpServlett {
                                  ^
   シンボル: クラス HttpServlett
エラー1個

C:¥work¥tomcat¥webapps¥book¥WEB-INF¥src>
```

　エラーメッセージを頼りに、ソースファイルを修正してください。エラーメッセージの1行目にファイル名と行番号が表示されるので、エラーの箇所がわかります。上記の場合は、Hello.javaの13行目でエラーが発生しています。

　ソースファイルを修正したら、保存した後に、コマンドプロンプトで再びコンパイルしましょう。

■ 実行

　コンパイルに成功したら、プログラムを実行してみましょう。tomcatウィンドウとブラウザを使います。

　Tomcatが起動していたら、tomcatウィンドウで Ctrl + C キーを入力して、いったん停止してください。次にtomcat.batを実行して、Tomcatを再び起動します。

　Tomcatが起動したら、ブラウザで次のURLを開いてください。

```
http://localhost:8080/book/chapter3/hello
```

　P.38のようにメッセージと日時が表示されたら成功です。日時に関しては、実行したときの日時が表示されるため、実行例とは異なる表示になります。

03-06 ｜ サーブレットの自動リロード

　サーブレットの開発中には、不具合を修正したり、機能を追加したりなどと、ソースファイルに繰り返し変更を加えることになるでしょう。サーブレットに加えた変更の結果を確認するには、アプリケーションサーバにサーブレットをリロードさせる必要があります。サーブレットのリロードとは、実行中のサーブレットをいったん終了し、サーブレットのファイルを読み込み直してから、再び実行することです。Chapter01で解説したように、起動したサーブレットは実行を続けるので、リロードを行わないと変更が反映されないためです。

Tomcatの場合には、Tomcatを再起動することによって、サーブレットをリロードすることができます。しかし、サーブレットに変更を加えるたびにTomcatを再起動するのでは、手間がかかりますし、再起動の時間もかかります。

そこで、Tomcatの自動リロード機能を使うことにします。サーブレットに変更を加えたことをTomcatが自動的に検出して、リロードを行います。

■ META-INFフォルダとcontext.xml

自動リロードを利用するには、META-INFというフォルダ内に、context.xmlという設定ファイルを記述します。META-INFフォルダは、Webアプリケーションの設定ファイルを配置するフォルダです。context.xmlファイルは、Webアプリケーションの設定ファイルの一種です。ここで紹介する自動リロードの設定や、Chapter14で紹介するデータベースの設定に使います（→P.197）。

bookフォルダ以下に、META-INFフォルダを作成し、その中に以下のような内容のcontext.xmlを作成してください。

List | 03-06 context.xml

```
<Context reloadable="true"/>
```

開発中に自動リロードを使うと、サーブレットに変更を加えたときに、Tomcatが変更後のサーブレットを自動的に読み込んでくれるので便利です。一方、正式にWebアプリケーションを運用する際には、自動リロードを使わないことが推奨されています。自動リロードを実現するために、Tomcatがファイルの更新を監視するので、低速になる可能性があるためです。

開発中に限定して、自動リロードを利用するとよいでしょう。開発が完了したら、context.xmlのreloadable="true"の部分を、reloadable="false"に変更すれば、自動リロードを無効にすることができます。

■ 自動リロードの確認

先ほどのHello.java（→P.39）を使って、自動リロードを実際に利用してみましょう。
Hello.javaの、

```
out.println("Hello!");
```

という行を、

```
out.println("Hello Servlet!");
```

に書き換えてください。「Hello!」というメッセージを、「Hello Servlet!」に変更します。

　Hello.javaを保存したら、先ほどと同じ方法でコンパイルします。

　サーブレットをコンパイルすると、クラスファイルが更新されます。本書のように自動リロードを設定した場合には、Tomcatがクラスファイルの更新を自動的に検出して、リロードを行います。更新の検出とリロードには、数秒程度の時間がかかることがあります。コンパイルが終了した後に、Tomcatのコマンドプロンプトを見ていると、

... このコンテキストの再ロードが完了しました

のようなメッセージが出現します。このメッセージは、Tomcatがアプリケーションをリロードしたことを示します。

　上記のメッセージが出現したら、ブラウザで先ほどと同じURLを開いてください。すでに開いているときには、F5キーやCtrl+Rキーを入力して、ページを更新してください。次のように、メッセージが「Hello Servlet!」に変化したら成功です。

Fig｜再度開くとメッセージが変化する

　リロードが行われる前にURLを開くと、サーブレットへの変更が反映される前のページが表示されてしまいますので注意しましょう。また、サーブレットを変更したにもかかわらず、Tomcatがリロードを行わない場合があります。もし、待っていてもリロードが行われない場合には、Tomcatを再起動してみてください。

　ただし、この自動リロードについては1つ注意点があります。それは上記のようにすでに存在するクラスファイルのソースを書き換えて再コンパイルしたときは問題ありませんが、新しいソースファイルをコンパイルしたときは働かないということです。その場合はTomcatを再起動しないと、新しいクラスファイルをTomcatが認識できません。

META-INFとWEB-INFの違い

META-INFとWEB-INFは、どちらもWebアプリケーションにおいて特別な役割を持つフォルダです。これらのフォルダの下にあるファイルは、ブラウザからURLを指定して開くことはできません。したがって、設定ファイル、クラスファイル、ソースファイルの内容は、Webアプリケーションのユーザには見えません。

なぜMETA-INFとWEB-INFという2つのフォルダが用意されているのでしょうか。実は、これらのフォルダには由来の違いがあります。

META-INFフォルダは、JARファイルにおいて設定ファイルを配置するためのフォルダです。JAR（Java ARchive）とは、Javaにおいて複数のファイルを1つのファイルにまとめるための機能です。JARはWebアプリケーション特有の機能ではなく、Javaにおいて広く使われています。

Webアプリケーションにおいては、JARから派生したWAR（Web application ARchive）という形式を使います。WebアプリケーションにMETA-INFフォルダがあるのは、WARにもJARと同様にMETA-INFフォルダが必要なためです。なお、WARについてはChapter26で解説します。

一方のWEB-INFフォルダは、Webアプリケーションにおいてユーザには見せたくないファイルを配置するためのフォルダです。WEB-INFフォルダ以下のファイルは、URLを指定して開くことができません。ユーザにファイルの内容を不用意に覗かれてしまう心配がないので、クラスファイルなどを配置するのに好都合です。

▶ まとめ

本章では次の事柄を学びました。

- tomcat¥webappsフォルダ内に、Webアプリケーションのフォルダを作成します。
- Webアプリケーションのフォルダ内に、WEB-INF¥classesフォルダを作成して、クラスファイルを配置します。
- Webアプリケーションのフォルダ内に、テキストファイルやHTMLファイルを配置し、ブラウザを使って表示しました。
- サーブレットのコンパイルと実行の方法を学び、メッセージと日時を表示するサーブレットを動かしました。

次章ではサーブレットプログラムの内容について学びます。

04 サーブレットの基本

本章では前章で作成したサンプルを題材に、サーブレットプログラムの構造を学びます。また、日本語のテキストを出力するサーブレットや、HTMLを出力するサーブレットを作成します。日本語やHTMLを出力するには、文字エンコーディングやMIMEタイプについて知る必要があります。

04-01 | サーブレットの基本とHttpServletクラス

サーブレットはJavaプログラムの一種なので、一般的なJavaプログラミングの知識が活用できます。基本的なJavaプログラミングの知識があれば、後はサーブレット特有のプログラミング手法を覚えれば、サーブレットを作成することができます。

前章では、初めてのサーブレット（Hello.java）を作成して実行しました。本章では、このHello.javaを題材に、サーブレットプログラムの基本について学びます。

List | 04-01 Hello.java（再掲）

```java
package chapter3;

import java.io.IOException;
import java.io.PrintWriter;
import jakarta.servlet.ServletException;
import jakarta.servlet.http.HttpServlet;
import jakarta.servlet.http.HttpServletRequest;
import jakarta.servlet.http.HttpServletResponse;
import jakarta.servlet.annotation.WebServlet;

@WebServlet(urlPatterns={"/chapter3/hello"})            1
public class Hello extends HttpServlet {                2

    public void doGet (
        HttpServletRequest request, HttpServletResponse response    3
    ) throws ServletException, IOException {
        PrintWriter out=response.getWriter();          4
        out.println("Hello!");
        out.println(new java.util.Date());             5
    }
}
```

　サーブレットはjakarta.servlet.http.HttpServletクラスのサブクラスとして宣言します（**2**）。HttpServletクラスは、HTTPを使ったサーブレットの基本的な機能を提供するクラスです。「HTTPを使ったサーブレット」と表現したのは、前述のとおり、サーブレットはHTTP以外を使うことも想定された設計になっているためです。

　サーブレットのクラスはpublicクラスにします。サーブレットをpublicクラスにするのは、パッケージの外部にあるアプリケーションサーバが、サーブレットのクラスを使用するためです。

　そして、HttpServletを継承したクラスでは、doGet、もしくはdoPostメソッドをオーバーライドし、その中に行いたい処理を記述します。これらのメソッドの機能については後述しますが、注意していただきたいのは、これらのメソッドはプログラマが実行するものではなく、アプリケーションサーバがしかるべきタイミングで自動で実行するものだということです。実際、前ページの例でも宣言したのはdoGetメソッドだけで、mainメソッドはありません。

　何らかのフレームワークを使ってアプリを開発したことがある人にとっては常識ですが、入門書でJavaを勉強したばかりの人には、実行するためのコードを書かないメソッドは奇異に映ることでしょう。しかし、実行をアプリケーションサーバ側に任せることで、実行のタイミングなどをプログラマが記述する必要がなくなるので、開発がかなり楽になります。

　このようなアプリケーションサーバ側で実行されるメソッドは他にもたくさんありますので、サーブレットのプログラムを書くためには、サーブレットAPIについて知ることが重要になります。

Jakarta EEのドキュメント

　Jakarta EEの公式ドキュメントは以下のページで公開されています。Jakarta EEに関する正確な情報が欲しいときには、これらを閲覧するとよいでしょう。

Jakarta EEドキュメント（Jakarta EE 10）

https://jakarta.ee/specifications/platform/10/

Jakarta EE APIリファレンス（Jakarta EE 10）

https://jakarta.ee/specifications/platform/10/apidocs/

Fig | Jakarta EEのAPIリファレンス

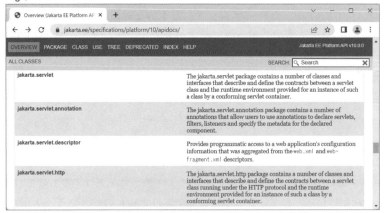

04-02 | サーブレットのURL

　サーブレットを実行するには、サーブレットに対応付けたURLをブラウザで開きます。たとえば、Hello.javaのサーブレットは、次のようなURLを開くことによって実行します。

```
http://localhost:8080/book/chapter3/hello
```

　ブラウザでURLを開くと、URLがアプリケーションサーバに送信されます。アプリケーションサーバはURLを解釈して、URLに対応するサーブレットを起動します。

　Chapter03のサーブレットの場合、ソースファイル名はHello.javaで、クラスファイル名はHello.classです。サーブレットを呼び出すための上記のURLは、いずれのファイル名とも異なります。このようにサーブレットは、実際のファイル名とは異なるURLで呼び出すことが一般的です。

　サーブレットのURLを設定するには、WebServletアノテーションを使う方法と、web.xmlという設定ファイルを使う方法があります。Hello.javaではWebServletアノテーションを使用していますが、web.xmlを使う方法についてはP.58で解説します。

■ WebServletアノテーション

　Hello.javaでは、jakarta.servlet.annotation.WebServletアノテーションを使って、サーブレットのURLを指定しています（**1**）。このアノテーションはサーブレットAPIに含まれるものなので、明示的にインポートする必要があります。次のような書式で使います。

書式 **WebServletアノテーション**

@WebServlet(urlPatterns={"URLパターン"})

WebServletアノテーションを記述する場所は、**サーブレットのクラス宣言の直前**です。

WebServletアノテーションは、サーブレットが作られた当初から存在した機能ではなく、サーブレットのバージョン3.0から導入された機能です。WebServletアノテーション以前は、web.xmlにサーブレットのURLを必ず記述しなければなりませんでした。

URLパターンにはいくつかの指定方法がありますが、最初に覚えたいのは、コンテキストルート（→P.31）からのパスを記述する方法です。

■のURLパターンは、次のようになっています。

```
/chapter3/hello
```

先頭にある/は、bookアプリケーションのコンテキストルートです。以降はコンテキストルート以下のパスを記述していますが、最後の「hello」の部分には任意の名前を指定できます。

たとえば「hello」を「test」に変更して、コンパイルし直した後、次のURLにアクセスしてみてください。

```
http://localhost:8080/book/chapter3/test
```

先ほどと同じくHello.classが実行されることが確認できます。

■ ワイルドカードによる指定

URLパターンには、ワイルドカードと呼ばれる記号(*)を使うことができます。ワイルドカードを使うと、指定したパターンに対応する複数のURLを、同一のサーブレットで処理することが可能です。ワイルドカードを使ったURLパターンには、次のようなものがあります。

▶ /フォルダ/*

先頭部分が合致するURLに対応します。たとえば、bookアプリケーションにおいて「/test/*」というURLパターンを指定すると、先頭部分がhttp://localhost:8080/book/test/であるすべてのURLを処理することができます。

対応するURLの例：

```
http://localhost:8080/book/test/hello
http://localhost:8080/book/test/hello.jsp
```

```
http://localhost:8080/book/test/sub/welcome
...
```

　単に「/*」というパターンを指定すると、Webアプリケーション内のすべてのURLを処理することができます。

▶ *.拡張子

　末尾の拡張子が合致するURLに対応します。たとえば、bookアプリケーションにおいて*.actionというURLパターンを指定すると、拡張子が.actionであるすべてのURLを処理することができます。

対応するURLの例：

```
http://localhost:8080/book/search.action
http://localhost:8080/book/database/insert.action
...
```

04-03 ｜ リクエストとレスポンス

　次はサーブレットが行う処理について学びましょう。一般的なサーブレットの処理は、リクエストに対してレスポンスを返すことです。

　ブラウザとサーバ(Webサーバやアプリケーションサーバ)の間でやりとりされるリクエストの形式は、Chapter01で学んだようにHTTPに基づいています(→P.3)。HTTPで使えるリクエストには複数の種類がありますが、ブラウザでサーブレットのURLを開いたときに使われるのは、GETリクエストと呼ばれるものです。

　GETリクエストはHTTPの中でも最も基本的なリクエストです。サーバに対して、ファイルなどのリソース(資源)を要求するために使います。具体的には、次の場合にGETリクエストを使います。

・ブラウザにURLを直接入力した場合。
・リンク(HTMLの<a>タグ)を選択した場合。
・method属性にgetを指定したフォーム(HTMLの<form>タグ)、またはmethod属性を省略したフォームを送信した場合。

　よく使用するリクエストとしては、GETリクエストの他に、POSTリクエストがあります。POSTリクエストに関してはChapter05で説明します。

■ doGetメソッドのオーバーライド

ブラウザでサーブレットのURLを開くと、ブラウザはアプリケーションサーバにGETリクエストを送信します。GETリクエストを受け取ったアプリケーションサーバは、HttpServletクラスのdoGetメソッドを呼び出します。プログラム側では、このメソッドをオーバーライドして、レスポンスの内容を設定する処理を記述します（Hello.javaの**3**）。

Fig | doGetメソッドの呼び出し

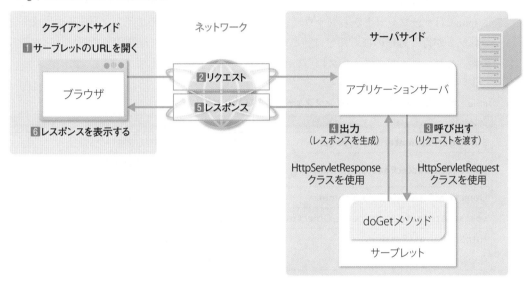

doGetメソッドの宣言は、次のようになっています。

```
public void doGet(HttpServletRequest request, HttpServletResponse response)
        throws ServletException, IOException
```

■ doGetメソッドの引数

doGetメソッドには、次のような2つの引数がありますが、これらはアプリケーションサーバ側でインスタンス化されてから渡されます。

HttpServletRequest request

リクエストを取得するために使う引数です。この引数はjakarta.servlet.http.HttpServletRequestインタフェースのオブジェクトです。アプリケーションサーバはこの引数に対して、ブラウザから受け取ったリクエストに関する情報を設定します。

HttpServletResponse response

　レスポンスを生成するために使う引数です。この引数はjakarta.servlet.http.HttpServlet
Responseインタフェースのオブジェクトです。アプリケーションサーバはこの引数に対して、
サーブレットがレスポンスを生成するために必要な情報を設定します。サーブレットがこの引
数を利用して生成したレスポンスは、アプリケーションサーバが受け取って、ブラウザに送信
します。

　HttpServletRequestはブラウザからサーブレットへのリクエスト（要求）を、HttpServlet
Responseはサーブレットからブラウザへのレスポンス（応答）を表すインタフェースです。サー
ブレットが行う処理のほとんどは、これら2つのオブジェクトを操作することによって実現し
ます。これらのインタフェースについて、主なメソッドを示します。

Table | HttpServletRequestインタフェースの主なメソッド

メソッド	機能
String **getParameter**(String name)	リクエストパラメータを取得します（→P.69）
void **setCharacterEncoding**(String env)	リクエストパラメータを取得する際の文字エンコーディングを指定します（→P.70）
Object **getAttribute**(String name)	指定した名前の属性を取得します（→P.260）
void **setAttribute**(String name, Object o)	指定した名前の属性を保存します（→P.260）
HttpSession **getSession**()	セッションを取得または作成します（→P.260）
Cookie[] **getCookies**()	クッキーの一覧を取得します（→P.276）

Table | HttpServletResponseインタフェースの主なメソッド

メソッド	機能
PrintWriter **getWriter**()	レスポンスの出力ストリームを取得します（→P.53）
void **setContentType**(String type)	レスポンスの文字エンコーディングとMIMEタイプを指定します
void **addCookie**(Cookie cookie)	レスポンスにクッキーを追加します（→P.276）

■ doGetメソッドの例外

　doGetメソッドの場合、メソッドを呼び出すのはアプリケーションサーバなので、発生した
例外はアプリケーションサーバに通知されます。例外が発生すると、Tomcatの場合はエラー
メッセージをレスポンスとして出力するので、ブラウザの画面にエラーメッセージが表示され
ます。

　doGetメソッドが通知する例外は、次の2種類です。

jakarta.servlet.ServletException

サーブレットの実行に関して問題が起こったことを示します。サーブレットに関連する機能を利用したときに発生することがあります。一方、サーブレットで何か問題が起きたことを知らせるために、throw文でServletExceptionを発生させるという使い方もできます。

java.io.IOException

入出力処理に関して問題が起こったことを示します。IOExceptionはサーブレットに特有の例外ではなく、一般のJavaプログラムでも使う例外です。サーブレットにおいては、レスポンスを生成する際などに発生することがあります。

なお、doGetメソッドの他に、doPostメソッドもあります。doPostメソッドは、POSTリクエストを処理するためのメソッドです。doPostメソッドとPOSTリクエストに関しては、Chapter05で説明します。

04-04 | レスポンスの生成

次にdoGetメソッド内の処理について説明します。ここではリクエストを取得して、レスポンスを生成します。サーブレットには、レスポンスを生成するための出力ストリームが提供されます。この出力ストリームは、doGetメソッドの引数の1つであるHttpServletResponseインタフェースの、getWriterメソッドを使って取得します。

▍getWriterメソッド
宣　言 ： PrintWriter **getWriter**() throws IOException
機　能 ： レスポンスを出力するためのPrintWriterオブジェクトを返します。

Hello.javaの**4**では、このメソッドによりPrintWriterオブジェクトを変数に取得しています。

```
PrintWriter out=response.getWriter();
```

レスポンスを出力するには、PrintWriterクラスが提供するメソッドを使います。PrintWriterクラスには出力用のメソッドがいくつも用意されていますが、最初に覚えたいのはprintlnメソッドです。

▍printlnメソッド
宣　言 ： public void **println**(String x)
機　能 ： 末尾に改行を付加して、文字列を出力します。

5 では 4 の変数を使って、「Hello!」の文字列と現在の日時をレスポンスとして出力しています。出力したレスポンスは、アプリケーションサーバを経由してブラウザに送信されます。

```
out.println("Hello!");
out.println(new java.util.Date());
```

04-05 | 日本語の出力

「Hello!」というメッセージを出力するサーブレットができたので、今度は「こんにちは！」という日本語のメッセージを出力するサーブレットを作ってみましょう。この場合、println メソッドの引数を日本語にしただけでは文字化けが起こってしまうので、文字エンコーディングについて考慮しなければなりません。

■ 文字エンコーディングとは

文字エンコーディングについて学びましょう。最初に、文字コード、文字セット、文字エンコーディングという似通った概念を表す言葉について説明します。

文字コード ： コンピュータの内部では、文字を数値で表現しています。個々の文字に対して割り当てられた特定の数値のことを、文字コードと呼びます。

文字セット ： コンピュータで扱う文字の集まりのことを、文字セット、もしくは文字集合と呼びます。

文字エンコーディング ： 文字セットに対してどのように文字コードを割り当てるのかという方式のことを、文字エンコーディングと呼びます。

文字エンコーディングにはいくつもの方式があります。方式が異なると、同じ文字に対して割り当てる数値が変わります。したがって、文字を扱うときには、使用する文字エンコーディングを正しく指定しないと、いわゆる「文字化け」と呼ばれる現象が起きてしまいます。

英数字の場合には、利便性のために、文字エンコーディングが異なっても同じ数値が割り当てられていることがあります。そのため、英数字だけを扱っている限りは、文字エンコーディングを意識しなくても正しく処理できる場合があります。しかし、日本語の文字などを扱うときには、文字エンコーディングを正しく指定することが必須です。

よく使われる文字エンコーディングには、次のようなものがあります。

Table | 主な文字エンコーディング

エンコーディング名	解説
ISO-8859-1	アルファベットの文字エンコーディングです
Shift_JIS	日本語のWindows環境などで使われる文字エンコーディングです
Windows-31J	Shift_JISを拡張した文字エンコーディングです。Windowsにおける標準の文字エンコーディングです
EUC-JP	日本語のUNIX環境などで使われる文字エンコーディングです
UTF-8	Unicodeに関連する文字エンコーディングの1つです
ISO-2022-JP	日本語のメールなどで使われる文字エンコーディングです。JISエンコーディングとも呼ばれます

　なお、文字エンコーディングと文字コードという言葉は、同じ意味で使われることがあります。たとえばShift_JISのことを、シフトJISエンコーディングと呼んだり、シフトJISコードと呼んだりします。本書では文字エンコーディングという言葉を使います。

文字エンコーディングの指定

　サーブレットで文字エンコーディングを指定するには、HttpServletResponseインタフェースのsetContentTypeメソッドを使います。

setContentTypeメソッド
宣　言 ： void **setContentType**(String type)
機　能 ： レスポンスの文字エンコーディングとMIMEタイプを指定します。

　たとえば、文字エンコーディングにUTF-8を使用してテキストを出力する場合には、次のようにsetContentTypeメソッドを呼び出します。

```
response.setContentType("text/plain; charset=UTF-8");
```

　charset=UTF-8の部分が、文字エンコーディングの指定です。
　text/plainの部分は、プレーンテキスト（書式情報のない単純なテキスト）を指定しています。text/plainやtext/htmlのような記法のことを、MIMEタイプと呼びます。MIMEはMultipurpose Internet Mail Extensionの略です。MIMEはもともと、メールでいろいろな形式のデータを扱うための規格ですが、Webでも利用されています。主なMIMEタイプには次のようなものがあります。

Table | 主なMIMEタイプ

ファイル形式	拡張子の例	MIMEタイプ
テキスト	.txt	text/plain
HTML文書	.htm .html	text/html
XML文書	.xml	text/xml
CSS	.css	text/css
JavaScript	.js	text/javascript
GIF画像	.gif	image/gif
JPEG画像	.jpg .jpeg	image/jpeg
PNG画像	.png	image/png
MP3音声	.mp3	audio/mpeg
MPEG動画	.mpg .mpeg	video/mpeg
MP4動画	.mp4	video/mp4
Word文書	.doc	application/msword
Excel文書	.xls	application/vnd.ms-excel
PDF文書	.pdf	application/pdf

　setContentTypeメソッドの呼び出しは、getWriterメソッドでレスポンスの出力ストリームを取得する前に行います。doGetメソッドの最初などで行うとよいでしょう。

日本語を出力するサーブレット

　日本語でメッセージを出力するサーブレットを作成してみましょう。

　WEB-INF¥srcフォルダ以下にchapter4フォルダを作成し、その中にHello2.javaというファイル名でソースファイルを作成してください。

　ファイルを保存する際には、文字エンコーディングをUTF-8（BOMなし）にすることを忘れないようにしてください。

List | 04-02 Hello2.java

```
package chapter4;

import java.io.IOException;
import java.io.PrintWriter;
import jakarta.servlet.ServletException;
import jakarta.servlet.http.HttpServlet;
```

```java
import jakarta.servlet.http.HttpServletRequest;
import jakarta.servlet.http.HttpServletResponse;
import jakarta.servlet.annotation.WebServlet;

@WebServlet(urlPatterns={"/chapter4/hello2"})
public class Hello2 extends HttpServlet {

    public void doGet (
        HttpServletRequest request, HttpServletResponse response
    ) throws ServletException, IOException {

        response.setContentType("text/plain; charset=UTF-8"); ···········1

        PrintWriter out=response.getWriter();
        out.println("Hello!");
        out.println("こんにちは！"); ····················2
        out.println(new java.util.Date());
    }

}
```

1ではsetContentTypeメソッドを用いて、MIMEタイプと文字エンコーディングを設定します。ここではUTF-8のプレーンテキストを指定しています。

2では「こんにちは！」の文字列を出力しています。

■ コンパイルと実行

次のような手順でプログラムをコンパイルして、実行してみてください。Tomcatを再起動するのを忘れると、404エラーが表示されるので注意しましょう。

① 「compile」ウィンドウでソースファイルをコンパイルします。

compile chapter4¥Hello2.java

② 「tomcat」ウィンドウでTomcatを再起動してから、以下のURLをブラウザで開きます。

http://localhost:8080/book/chapter4/hello2

Fig | Hello2の実行結果

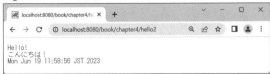

■ プログラムをUTF-8で保存しないと

プログラム（Javaソースファイル）をコンパイルしたときに、次のようなコンパイルエラーが発生するかもしれません。

エラー : この文字は、エンコーディングutf-8にマップできません

プログラムを保存するときに、文字エンコーディングをUTF-8（BOMなし）にしないと、このエラーが発生することがあります。エラーを解消するには、プログラムをテキストエディタで開き、文字エンコーディングにUTF-8（BOMなし）を指定して、保存し直してください。

04-06 | web.xmlを使う

今度は、HTMLを出力するサーブレットを作成しましょう。プログラムの内容はプレーンテキストを出力する場合とほとんど同じですが、ここではサーブレットのURLをweb.xmlで指定してみます。

■ web.xmlとは

web.xmlはWebアプリケーションの動作設定を行うファイルです。サーブレットのURLや初期化パラメータ（→P.284）を記述できるほか、フィルタ（→P.140）の各種設定を行うこともできます。サーブレットのバージョン2.5以前では、web.xmlにサーブレットのURLを記述することが必須でしたが、3.0からWebServletアノテーションでも設定できるようになりました。

どちらを使うべきかは、どのようなWebアプリケーションを作るかによって決まります。本書のサンプルのように小さなアプリケーションの場合は、WebServletアノテーションを使った方が記述が簡単になるので、ほとんどのサンプルでそうしています。しかし、内部にたくさんのサーブレットを持つようなアプリケーションでは、各サーブレットとURLの関係を一覧できるweb.xmlを使った方が管理が楽になる場合があります。また、初期化パラメータの読み出しなども、通常はweb.xmlを使います。

■ web.xmlの作成

web.xmlはXML形式のファイルです。XML（eXtensible Markup Language）は、<と>で囲まれたタグを用いてデータの構造を表現する言語です。同様にタグを用いるHTMLによく似ています。ここではサーブレットのURLを指定するための記述についてのみ解説します。

web.xmlはWEB-INFフォルダの直下に配置する必要があります。ここでは、次のような内容のweb.xmlを作成してください。

List | 04-03 web.xml

```xml
<?xml version="1.0" encoding="UTF-8"?>
<web-app xmlns="https://jakarta.ee/xml/ns/jakartaee"
    xmlns:xsi="http://www.w3.org/2001/XMLSchema-instance"
    xsi:schemaLocation="https://jakarta.ee/xml/ns/jakartaee
    https://jakarta.ee/xml/ns/jakartaee/web-app_6_0.xsd"
    version="6.0">

<servlet>
    <servlet-name>hello3</servlet-name>
    <servlet-class>chapter4.Hello3</servlet-class>
</servlet>
<servlet-mapping>
    <servlet-name>hello3</servlet-name>
    <url-pattern>/chapter4/hello3</url-pattern>
</servlet-mapping>

</web-app>
```

1と**2**の部分はすべてのweb.xmlに共通な部分です。これを手入力するのは大変なので、以下のweb.xmlからコピーしてくるといいでしょう。

C:¥work¥tomcat¥webapps¥ROOT¥web.xml

ただし、ここで1つ注意することがあります。ROOTフォルダ内にあるweb.xmlのweb-app要素（**1**）の最後には、metadata-completeという属性が記述されており、これが以下のようにtrueに設定されていると、**サーブレットやフィルタのアノテーションが無効になります**。そのため、WebServletアノテーションやWebFilterアノテーション（→P.143）を用いてURLを設定したサーブレットやフィルタを、実行することができなくなります。

```
metadata-complete="true"
```

本書ではアノテーションとweb.xmlを併用しますので、List04-03のようにmetadata-complete属性を削除してください。

3の部分が、サーブレットのURLを設定している部分です。各要素内に記述するものは、

次のような意味を持っています。

```
<servlet>
    <servlet-name>サーブレット名</servlet-name>
    <servlet-class>クラス</servlet-class>
</servlet>
<servlet-mapping>
    <servlet-name>サーブレット名</servlet-name>
    <url-pattern>URLパターン</url-pattern>
</servlet-mapping>
```

▶ サーブレット名

web.xmlの中で、サーブレットを指定するための名前です。servlet要素とservlet-mapping要素に、同じ名前を記述します。

▶ クラス

サーブレットのクラスを、パッケージ名.クラス名の形式で指定します。

▶ URLパターン

サーブレットを呼び出すURLを指定します。記法はWebServletアノテーションと同じで、コンテキストルート (→P.31) からのパスを記述します。

■ プログラムの作成と実行

次のプログラムを入力して、chapter4フォルダにHello3.javaというファイル名で保存してください。

src
└ chapter4
   └ Hello3.java ◀········ このファイルを作成

List | 04-04 Hello3.java

```java
package chapter4;

import java.io.IOException;
import java.io.PrintWriter;
import jakarta.servlet.ServletException;
import jakarta.servlet.http.HttpServlet;
import jakarta.servlet.http.HttpServletRequest;
import jakarta.servlet.http.HttpServletResponse;
```

```
public class Hello3 extends HttpServlet {                                        1

    public void doGet (
        HttpServletRequest request, HttpServletResponse response
    ) throws ServletException, IOException {
        response.setContentType("text/html; charset=UTF-8");                      2
        PrintWriter out=response.getWriter();

        out.println("<!DOCTYPE html>");
        out.println("<html>");
        out.println("<head>");
        out.println("<meta charset='UTF-8'>");                                    3
        out.println("<title>Servlet/JSP Sample Programs</title>");
        out.println("</head>");
        out.println("<body>");

        out.println("<p>Hello!</p>");
        out.println("<p>こんにちは！</p>");                                         4
        out.println("<p>"+new java.util.Date()+"</p>");

        out.println("</body>");
        out.println("</html>");                                                   5
    }

}
```

　このサンプルではweb.xmlを使用していますので、1のクラス宣言の前にはWebServletアノテーションを記述していません。

　HTMLの場合には、setContentTypeメソッドの引数にMIMEタイプとしてtext/htmlを指定します（2）。

　3～5がHTMLを出力している部分です。本書ではHTMLについて詳しく解説しませんが、ここでは「Hello!」と「こんにちは！」と現在の日時を、段落を変えながら表示しています。

　3と5の出力は、本書の多くのサーブレットに共通しています。プログラムを簡潔にするために、後ほど共通の処理をメソッドにまとめます。

■ コンパイルと実行

① 「compile」ウィンドウでソースファイルをコンパイルします。

compile chapter4¥Hello3.java

② Tomcatを再起動してから、以下のURLをブラウザで開きます。

http://localhost:8080/book/chapter4/hello3

Fig | HTMLを出力するサーブレット

このように、web.xmlを使う場合はひと手間必要になるため、本書では基本的にアノテーションを使用していきます。複数のフィルタを適用する際や、初期化パラメータを読み込む際など、web.xmlを使う必要性が高い場面については、web.xmlを使用します。

---

 web.xmlも自動リロードの対象となる

P.42で、サーブレットのソースファイルをコンパイルし直すと、Tomcatが自動リロードを行うと説明しました。実はweb.xmlを変更した場合も、自動リロードの対象となります。たとえばweb.xml内でサーブレットのURLを変更すると、Tomcatを再起動しなくても、新しいURLが反映されます。

04-07 | HTMLを出力する処理の整理

前述のとおり、HTMLファイルの先頭と末尾の出力は、多くのサーブレットで共通に行います。このような共通の処理をまとめると、プログラムを簡潔にすることができます。共通の処理をまとめる方法はいろいろありますが、簡単なのはメソッドにまとめる方法です。HTMLファイルの先頭を出力する処理と末尾を出力する処理を、それぞれメソッドにまとめてみましょう。

Pageクラスの作成

srcフォルダ以下に、toolフォルダを作成してください。そして、次のプログラムを入力して、toolフォルダにPage.javaというファイル名で保存してください。

List | 04-05 Page.java

```
package tool; ──────────── 1

import java.io.PrintWriter;
```

```java
public class Page {

    public static void header(PrintWriter out) {
        out.println("<!DOCTYPE html>");
        out.println("<html>");
        out.println("<head>");
        out.println("<meta charset='UTF-8'>");
        out.println("<title>Servlet/JSP Sample Programs</title>");
        out.println("</head>");
        out.println("<body>");
    }

    public static void footer(PrintWriter out) {
        out.println("</body>");
        out.println("</html>");
    }
}
```

このPageクラスはtoolというパッケージの中に作成し（**1**）、2つのクラスメソッドを宣言します。

先頭を出力する処理は、**2**のheaderメソッドにまとめます。引数として受け取ったPrintWriterオブジェクトを使ってレスポンスを出力します。

末尾を出力する処理は、同様にfooterメソッドにまとめてあります（**3**）。

なお、このクラスは、次のサンプルをコンパイルするときに一緒にコンパイルされますので、ソースを作成するだけでかまいません。

Column **printlnメソッドのオーバーロード**

PrintWriterクラスのprintlnメソッドはいろいろな型の引数でオーバーロードされています。intやdoubleといったプリミティブ型（基本データ型）のほか、Objectを引数にすることもできます。本書のサンプルにおいて、現在の日時（java.util.Dateオブジェクト）を表示する際には、Objectを引数にとるprintlnメソッドを使っています。このprintlnメソッドは、java.lang.StringクラスのvalueOfメソッドで、オブジェクトを文字列に変換した後に出力します。

■ プログラムの作成と実行

では、先ほど作成したPageクラスを使って、Hello3.javaと同じ処理を簡略化して作成しましょう。次のプログラムを入力して、chapter4フォルダにHello4.javaというファイル名で保存してください。

```
src
  └ chapter4
      └ Hello4.java ◀········· これを作成する
```

List | 04-06 Hello4.java

```java
package chapter4;

import tool.Page;                                          ■1
import java.io.IOException;
import java.io.PrintWriter;
import jakarta.servlet.ServletException;
import jakarta.servlet.http.HttpServlet;
import jakarta.servlet.http.HttpServletRequest;
import jakarta.servlet.http.HttpServletResponse;
import jakarta.servlet.annotation.WebServlet;

@WebServlet(urlPatterns={"/chapter4/hello4"})
public class Hello4 extends HttpServlet {

    public void doGet (
        HttpServletRequest request, HttpServletResponse response
    ) throws ServletException, IOException {
        response.setContentType("text/html; charset=UTF-8");
        PrintWriter out=response.getWriter();

        Page.header(out);                                  ■2

        out.println("<p>Hello!</p>");
        out.println("<p>こんにちは！</p>");
        out.println("<p>"+new java.util.Date()+"</p>");

        Page.footer(out);                                  ■3
    }
}
```

■1では先ほど作成したPageクラスをインポートしています。そして■2と■3では、Pageクラスのクラスメソッドを使ってHTMLの共通部分を出力しています。

Hello3.java（→P.60）と比較すると、HTMLの先頭と末尾の出力処理をPageクラスに追い出したので、プログラムが簡潔になりました。本体の出力処理が見やすくなっています。

以降はこのPageクラスを利用してサンプルを記述していきますが、HTMLを出力する処理があまり長くなると、プログラムが読みにくくなります。そのような場合には、Chapter07で学ぶJSPを活用するのが有効です。

■ コンパイルと実行

① 「compile」ウィンドウでソースファイルをコンパイルします。

compile chapter4¥Hello4.java

② 「tomcat」ウィンドウでTomcatを再起動してから、以下のURLをブラウザで開きます。

http://localhost:8080/book/chapter4/hello4

実行結果はHello3.javaと同じです。

▶ まとめ

本章では次の事柄を学びました。

- サーブレットのクラスは、HttpServletクラスのサブクラスとして宣言します。
- HttpServletクラスのdoGetメソッドをオーバーライドして、サーブレットが行う処理を記述します。
- リクエストの取得には、HttpServletRequestインタフェースを使います。
- レスポンスの出力には、HttpServletResponseインタフェースを使います。
- レスポンスを出力する際には、setContentTypeメソッドを用いて、MIMEタイプや文字エンコーディングを適切に設定する必要があります。
- サーブレットのURLを設定するには、WebServletアノテーションを使う方法と、web.xmlを使う方法があります。

次章ではサーブレットでリクエストパラメータを処理する方法について学びます。

練習問題 HTMLを出力するHello4.java（→P.64）を参考に、次のようなメッセージと現在の日時を表示するサーブレットを作成してください。

●練習問題のサーブレット

サーブレットのソースファイルは、WEB-INF¥src¥chapter4フォルダにHello5.javaというファイル名で保存してください。また実行のためのURLは、次のように設定します。

`http://localhost:8080/book/chapter4/hello5`

解答例

List | Hello5.java

```java
package chapter4;

import tool.Page;
import java.io.IOException;
import java.io.PrintWriter;
import jakarta.servlet.ServletException;
import jakarta.servlet.http.HttpServlet;
import jakarta.servlet.http.HttpServletRequest;
import jakarta.servlet.http.HttpServletResponse;
import jakarta.servlet.annotation.WebServlet;

@WebServlet(urlPatterns={"/chapter4/hello5"})                              ■1
public class Hello5 extends HttpServlet {

    public void doGet (
        HttpServletRequest request, HttpServletResponse response
    ) throws ServletException, IOException {
        response.setContentType("text/html; charset=UTF-8");
        PrintWriter out=response.getWriter();
        Page.header(out);

        out.println("<p>Congraturations!</p>");
        out.println("<p>おめでとう！</p>");                                  ■2
        out.println("<p>"+new java.util.Date()+"</p>");

        Page.footer(out);
    }
}
```

　■1はURLの指定です。WebServletアノテーションを使って、サーブレットを実行するためのURLを指定します。ここでは/chapter4/hello5と記述します。
　■2はレスポンスの出力です。「Congraturations!」と「おめでとう！」というメッセージ、そして現在の日時を出力します。

サーブレットによる
リクエストの処理

本章ではサーブレットでリクエストを利用する方法を学びます。テキストボックスに対する入力を、リクエストパラメータとしてサーブレットから取得し、メッセージを表示したり、計算を実行したりします。

05-01 | HTMLを使った入力画面

ブラウザからアプリケーションサーバに対するリクエストには、ブラウザ上でユーザが入力したデータを付加して送信することができます。この付加されたデータのことを**リクエストパラメータ**と呼びます。

たとえば検索サイトには、検索キーワードを入力するためのテキスト入力欄が配置されています。入力したキーワードは、リクエストパラメータとして、リクエストとともにアプリケーションサーバに送信されます。

リクエストパラメータは、次のような形式になっています。

リクエストパラメータ名=値

検索サイトの場合、リクエストパラメータは、たとえば「keyword=検索する文字列」のようになります。リクエストパラメータ名はプログラマが任意に設定できます。

■ ここで作成するサンプルの動作

最初に、ここで作成するサンプルの動作について解説します。このサンプルは、フォームを設置したHTMLファイルとサーブレットの、2つのファイルで構成されます。フォームに名前を入れると、サーブレットに渡されて「こんにちは、○○○さん」と表示されます。

Fig | サンプルの実行画面

「確定」ボタンをクリックしたときに、ブラウザはリクエストを送信します。リクエストには、リクエストパラメータとしてテキストボックスに入力した名前が付加されており、それはアプリケーションサーバを経由してサーブレットに渡ります。リクエストパラメータ名はuserとしましょう。

サーブレットはリクエストパラメータとして入力した名前を受け取り、「こんにちは、○○さん！」というメッセージの生成に使います。

Fig | リクエストパラメータ

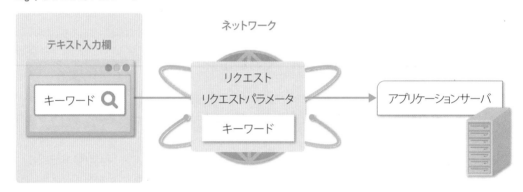

入力用のHTMLファイルの作成

まず入力用のHTMLファイルを作成します。bookフォルダ以下に、chapter5フォルダを作成し、その中に以下のような内容のgreeting.htmlを作成してください。ファイルを保存する際には、文字エンコーディングをUTF-8にするのを忘れないようにしましょう。

List | 05-01 greeting.html

```html
<!DOCTYPE HTML>
<html>
<head>
<meta charset="UTF-8">
<title>Servlet/JSP Samples</title>
</head>
<body>

<p>お名前を入力してください。</p>
<form action="greeting" method="get">        ①
<input type="text" name="user">              ②
```

```
<input type="submit" value="確定">
</form>

</body>
</html>
```

　HTMLのフォームは<form>タグを使って作成します（**1**）。action属性にはこのフォームの送信先を指定しますが、ここでは後で作成するサーブレットへリクエストを送信するので、サーブレットのURLを指定します。ここでは「greeting」としておきます。

　また、method属性にはHTTPリクエストの種類を指定します。Chapter04で、主要なHTTPリクエストにはGETとPOSTがあると説明しました（→P.50）。通常、フォームの送信にはPOSTを使用しますが、ここではリクエストパラメータの確認のために、あえてGETを使用します。GETを使用する場合は「get」と指定するか、もしくはmethod属性そのものを省略します。

　2の<input>タグは、名前入力用のテキストボックスを表示します。このテキストボックスにユーザが入力した文字列がリクエストパラメータの値となり、name属性の内容がリクエストパラメータの名前になります。「確定」ボタンを押した時にリクエストとともに送信されるリクエストパラメータは、次のような形式になります。

user=入力された文字列

05-02 | リクエストパラメータを取得するサーブレット

　フォームを配置したWebページを作成することができました。今度は、送信されたリクエストパラメータを受け取るサーブレットを作成しましょう。テキストボックスで入力した名前を、サーブレットでリクエストパラメータとして受け取り、メッセージを表示します。

■ リクエストパラメータの取得方法

　リクエストパラメータを取得するには、HttpServletRequestインタフェースのgetParameterメソッドを使います。

▎getParameterメソッド

宣　言 ： String **getParameter**(String name)
機　能 ： 引数で指定した名前を持つリクエストパラメータの値を取得します。

注意しなければならないのは、このメソッドの戻り値がString型であるということです。たとえばリクエストパラメータとして渡されたものが50のような数値であっても、このメソッドで取得した時点で文字列になります。あらためて数値として使用したい場合は、型変換が必要です（→P.79）。

getParameterメソッド以外にも、リクエストパラメータを取得するためのメソッドがあります。HttpServletRequestインタフェースには、リクエストパラメータに関して次のようなメソッドが用意されています。

Table | HttpServletRequestインタフェースの主なメソッド（リクエストパラメータ関連）

メソッド	機能
String **getParameter**(String name)	引数に指定した名前のリクエストパラメータを取得します。指定した名前が存在しない場合はnullを返します
String[] **getParameterValues**(String name)	引数に指定した名前のリクエストパラメータに、複数の値がある場合は、このメソッドを利用して取得します。指定した名前が存在しない場合はnullを返します（→P.91）
Enumeration<String> **getParameterNames**()	リクエストパラメータの名前の一覧を取得します（→P.94）

■ リクエストの文字エンコーディング

Chapter04では、レスポンスを出力する際に、文字エンコーディングの指定が必要だということを学びました（→P.52）。実はリクエストを取得する際にも、文字エンコーディングの指定が必要です。ブラウザがリクエストパラメータを送信する際の文字エンコーディングと、サーブレットがリクエストパラメータを取得する際の文字エンコーディングが一致していないと、日本語では文字化けの問題が発生します。

リクエストパラメータを取得する際の文字エンコーディングを指定するには、HttpServletRequestインタフェースのsetCharacterEncodingメソッドを使います。

▌setCharacterEncodingメソッド

宣　言 ： void **setCharacterEncoding**(String env)
機　能 ： throws UnsupportedEncodingException
リクエストパラメータを取得する際の文字エンコーディングを指定します。

引数には、P.55の表で紹介した文字エンコーディングの名前を指定します。

setCharacterEncodingメソッドは、リクエストパラメータを取得する前、つまりgetParameterメソッドを使用する前に呼び出す必要があります。getParameterメソッドは、setCharacterEncodingメソッドで指定された文字エンコーディングを使用するからです。

リクエストパラメータを取得するサーブレット

名前を取得してメッセージを表示するサーブレットを作成しましょう。srcフォルダ以下にchapter5フォルダを作成し、その中に以下の内容のGreeting.javaを作成してください。

src
chapter5
Greeting.java
……… これらを作成する

List | 05-02 Greeting.java

```java
package chapter5;

import tool.Page;
import java.io.IOException;
import java.io.PrintWriter;
import jakarta.servlet.ServletException;
import jakarta.servlet.http.HttpServlet;
import jakarta.servlet.http.HttpServletRequest;
import jakarta.servlet.http.HttpServletResponse;
import jakarta.servlet.annotation.WebServlet;

@WebServlet(urlPatterns={"/chapter5/greeting"})
public class Greeting extends HttpServlet {

    public void doGet (
        HttpServletRequest request, HttpServletResponse response
    ) throws ServletException, IOException {
        response.setContentType("text/html; charset=UTF-8");
        PrintWriter out=response.getWriter();

        request.setCharacterEncoding("UTF-8");         ……… ■1
        String user=request.getParameter("user");      ……… ■2

        Page.header(out);
        out.println("<p>こんにちは、"+user+"さん！</p>");   ……… ■3
        Page.footer(out);
    }
}
```

リクエストパラメータを含むリクエストは、doGetメソッドの引数requestとして渡されます。■1ではsetCharacterEncodingメソッドを使って、文字エンコーディングにUTF-8を指定します。次に、getParameterメソッドでリクエストパラメータの値を取得し、変数userに保存します（■2）。リクエストパラメータ名は、P.68の■2で指定したname属性の値「user」です。

■3はメッセージの出力です。変数userを使って、名前を含んだメッセージを表示しています。

① 「compile」ウィンドウでソースファイルをコンパイルします。

compile chapter5¥Greeting.java

② 「tomcat」ウィンドウでTomcatを再起動してから、以下のURLをブラウザで開きます。

http://localhost:8080/book/chapter5/greeting.html

③ テキストボックスに何か文字列を入力して、「確定」ボタンをクリックします。

■ リクエストパラメータの確認

greeting.htmlにおいてフォームを送信したときに、ブラウザのアドレスバーに表示されているURLに注目してください。たとえば、テキストボックスに「松浦健一郎」と入力して「確定」ボタンをクリックすると、サーブレットのアドレスバーには次のURLが表示されます。

Fig｜アドレスバーの表示

URLの最後に付加されている「user=松浦健一郎」がリクエストパラメータです。?はURLにリクエストパラメータを付加するための記号です。GETリクエストの場合、リクエストパラメータはこのようにURLの末尾に付加されて、ブラウザからWebアプリケーションに渡されます。リクエストパラメータがユーザに見えてしまうのは、セキュリティ上は好ましくないのですが、ここではリクエストパラメータを確認するために、あえてGETリクエストを使用しました。より安全にリクエストパラメータを送信したい場合は、後ほど説明するPOSTリクエストを使います（→p.74）。

GETリクエストの場合は、HTMLのフォームを使わずに、ブラウザにリクエストパラメータ付きのURLを直接入力しても、サーブレットにリクエストパラメータを渡すことができます。たとえば、以下のURLを直接ブラウザに入力してみてください。

```
http://localhost:8080/book/chapter5/greeting?user=servlet
```

URLを入力してページを開くと、次のような結果が得られます。

こんにちは、servletさん！

なお、複数のリクエストパラメータが渡されるときは、各リクエストパラメータが&で連結されます。たとえばフォームにユーザー名を入力するテキストボックス「user」と、パスワー

ドを入力するテキストボックス「password」がある場合、リクエストパラメータは次のような
形式になります。

user=松浦健一郎&password=servlet123

 URLエンコード

実はURLには日本語を含めることができません。URLにそのまま含めることができるのは、英数字と一
部の記号だけです。そこで、ブラウザは次の規則にしたがってURLの文字列を変換してから、アプリケー
ションサーバに送信します。この変換のことをURLエンコードと呼びます。

- ・ 半角の英数字（A-Z, a-z, 0-9）と一部の記号（*, -, ., @, _）はそのまま送信します。
- ・ 半角スペースは「+」に変換します。
- ・ その他の文字は「%16進数2桁の文字コード」に変換します。

ブラウザでgreeting.htmlを開き、日本語の「ひぐぺん工房」という文字列を入力して、「確定」ボタンを
クリックしてみてください。多くのブラウザは、URLにそのまま「ひぐぺん工房」の文字列を表示しますが、
これはユーザが読みやすいように、ブラウザが変換して表示しています。

http://localhost:8080/book/chapter5/greeting?user=ひぐぺん工房

上記のURLをコピーして、テキストエディタに貼り付けてみてください。以下のように、URLエンコー
ドされたURLを確認できます。「user=」の後に続く文字列が、URLエンコードされた「ひぐぺん工房」です。

http://localhost:8080/book/chapter5/greeting?user=%E3%81%B2%E3%81%90%E3%81%BA%E3%82%93
%E5%B7%A5%E6%88%BF

URLエンコードされた文字列を元の文字列に変換することを、URLデコードと呼びます。URLエンコー
ド時の文字エンコーディングと、URLデコード時の文字エンコーディングは、一致している必要があります。
通常、文字エンコーディングにはUTF-8が使われます。

■ フォームから見たサーブレットのURL

このサンプルのように、HTMLファイルからサーブレットへリクエストパラメータを送る
場合、<form>タグのaction属性にサーブレットのURLを指定する必要があります。このとき
HTMLファイルとサーブレットでは、URLと実際のフォルダ階層の関係が異なるので、注意
が必要です。

今回作成したHTMLファイル（greeting.html）とサーブレット（Greeting.class）の、実際のフォ
ルダ階層は次のようになっています。

HTMLファイルのURLは、実際のフォルダ階層から決まります。greeting.htmlのURLは次のとおりです。

```
http://localhost:8080/book/chapter5/greeting.html
```

一方、サーブレットのURLは、WebServletアノテーションやweb.xmlで決まります。Greeting.classのURLは以下のようになります。

```
http://localhost:8080/book/chapter5/greeting
```

実際のフォルダ階層は異なりますが、URL上はHTMLファイル（greeting.html）とサーブレット（Greeting.class）が同じ階層にある（ように見える）ため、<form>タグのaction属性には「greeting」とだけ指定しました。もし、greeting.htmlがbookの直下（コンテキストルート）にある場合は、action属性を「chapter5/greeting」とする必要があります。

05-03 | POSTリクエストによるリクエストパラメータの送信

今度は、POSTリクエストを使ってフォームの内容を送信し、サーブレットでリクエストパラメータを受け取ってみましょう。基本的な動作は先ほどのサンプルと同じです。

■ 入力画面のHTMLファイル

次のHTMLファイルを入力し、chapter5フォルダにgreeting2.htmlとして保存してください。

List | 05-03 greeting2.html

```html
<!DOCTYPE HTML>
<html>
<head>
<meta charset="UTF-8">
<title>Servlet/JSP Samples</title>
</head>
<body>

<p>お名前を入力してください。</p>
<form action="greeting2" method="post">  ...........................❶
<input type="text" name="user">
<input type="submit" value="確定">
</form>

</body>
</html>
```

　POSTリクエストを使用する場合は、<form>タグのmethod属性に「post」を指定します。また、送信先のサーブレットの名前はgreeting2とします（❶）。先ほどのgreeting.htmlとの違いはこの部分だけです。

POSTリクエストとdoPostメソッド

　GETリクエストに比べて、POSTリクエストには次のような利点があります。

・大きなサイズのデータを送信することができる
・送信したデータがユーザから見えにくい

　GETリクエストの場合、リクエストパラメータはURLの末尾に付加されますが、POSTリクエストではリクエストの一部として送信されるため、ユーザからは見えにくくなります。また、URLに付加できる文字数には制限があるので、フォームの送信には、一般にGETリクエストよりもPOSTリクエストが使用されます。
　ブラウザからWebサーバに送信されるリクエストは、次のようなテキストデータです。これはPOSTリクエストの場合です。

```
POST /book/chapter5/greeting2 HTTP/1.1
Host: localhost:8080
Connection: keep-alive
Content-Length: 11
...
user=higpen
```

リクエストの末尾に、リクエストパラメータが含まれていることに注目してください。上記の例では、リクエストパラメータ名はuser、値はhigpenです。

サーブレットにおいては、GETリクエストをdoGetメソッドで処理するのと同様に、POSTリクエストはdoPostメソッドをオーバーライドして処理します。引数や例外の構成は、doGetメソッドとまったく同じです。

▌ POSTリクエストを処理するサーブレット

では、名前を取得してメッセージを表示するサーブレットを作成しましょう。次のプログラムを入力し、chapter5フォルダにGreeting2.javaとして保存してください。

src
　chapter5
　　Greeting2.java ◀............. このファイルを作成

List | 05-04 Greeting2.java

```java
package chapter5;

import tool.Page;
import java.io.IOException;
import java.io.PrintWriter;
import jakarta.servlet.ServletException;
import jakarta.servlet.http.*;
import jakarta.servlet.annotation.WebServlet;

@WebServlet(urlPatterns={"/chapter5/greeting2"})  ·············· 2
public class Greeting2 extends HttpServlet {

    public void doPost (
        HttpServletRequest request, HttpServletResponse response    1
    ) throws ServletException, IOException {
        response.setContentType("text/html; charset=UTF-8");
        PrintWriter out=response.getWriter();

        request.setCharacterEncoding("UTF-8");
        String user=request.getParameter("user");

        Page.header(out);
        out.println("<p>こんにちは、"+user+"さん！</p>");
        Page.footer(out);
    }
}
```

doGetメソッドがdoPostメソッドに変わったこと（**1**）と、WebServletアノテーションのURLパターンが変わったこと（**2**）以外は、Greeting.javaと同じ内容です。

■ コンパイルと実行

① 「compile」ウィンドウでソースファイルをコンパイルします。

compile chapter5¥Greeting2.java

② 「tomcat」ウィンドウでTomcatを再起動してから、以下のURLをブラウザで開きます。

http://localhost:8080/book/chapter5/greeting2.html

③ テキストボックスに何か文字列を入力して、「確定」ボタンをクリックします。

実行結果は先ほどのサンプルとまったく同じですが、今度はURLにリクエストパラメータが付加されていないことを確認してください。

Fig｜実行結果

いろいろなリクエストメソッド

ここまで解説したように、HTTPのリクエストにはGETやPOSTといった複数の種類があります。この種類のことをリクエストメソッドと呼びます。リクエストメソッドはGETやPOST以外にも、次のような種類があります。

Table｜HTTPプロトコルのリクエストメソッド

リクエストメソッド	サーブレットのメソッド	機能
GET	doGet	コンテンツの取得、情報の送信
POST	doPost	情報の送信
HEAD	doHead	ヘッダ部分の取得
PUT	doPut	コンテンツの作成と更新
DELETE	doDelete	コンテンツの削除
OPTIONS	doOptions	オプションの一覧を取得
TRACE	doTrace	ループバックの起動

通常のWebアプリケーションで使用するのは、GETおよびPOSTが大部分です。サーブレットを開発する際には、doGetかdoPostのいずれかをオーバーライドします。1つのサーブレットでGETとPOSTの両方を処理する場合には、doGetとdoPostの両方をオーバーライドすることも可能です。

05-04 | 数値の取得

Googleなどの検索サイトには、入力した数式の計算結果を表示してくれる機能があります。また、数値と単位を入力すると、他の単位に変換してくれる機能もあります。このように、入力した数値を使って計算を行うサーブレットを作ってみましょう。

ここではショッピングサイトのカートを模して、単価と個数を入力すると、合計金額を計算して表示するサーブレットにします。また、ユーザが数値以外を入力したり、空欄のまま送信したりすると、数値の入力を促すエラーメッセージを表示します。

Fig | 作成するサンプルの動作

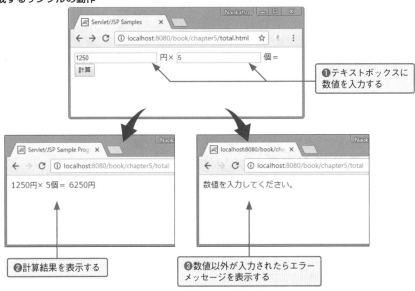

▌ HTMLファイルの作成

入力用のフォームを設置したHTMLファイルを作成しましょう。次のHTMLファイルを入力し、chapter5フォルダにtotal.htmlとして保存してください。

List | 05-05 total.html

```
<!DOCTYPE HTML>
<html>
<head>
<meta charset="UTF-8">
<title>Servlet/JSP Samples</title>
</head>
<body>

<form action="total" method="post">            1
<input type="text" name="price">               2
円×
<input type="text" name="count">               3
個=
<input type="submit" value="計算">
</form>

</body>
</html>
```

　このフォームではPOSTリクエストを使い、送信先は「total」というURLのサーブレットとします（**1**）。

　2は単価を入力するテキストボックス、**3**は個数を入力するテキストボックスです。それぞれのname属性は「price」、「count」とします。つまり、このフォームからは2つのリクエストパラメータが送信されることになります。

■ 計算を行うサーブレット

　total.htmlで入力された数値を取得して計算を行うサーブレットを作成します。前述のとおり、リクエストパラメータを取得するためのgetParameterメソッド（→P.69）の戻り値はString型なので、計算を行うためには数値型に変換する必要があります。これにはIntegerクラスのparseIntメソッドを使いましょう。

　またフォームで数値以外が入力された場合は、parseIntメソッドがNumberFormatExceptionをスローしますので、これをキャッチしてエラー処理を行いましょう。

　次のプログラムを入力し、chapter5フォルダにTotal.javaとして保存してください。

src
　chapter5
　　Total.java ◀············ このファイルを作成

List | 05-06 Total.java

```java
package chapter5;

import tool.Page;
import java.io.IOException;
import java.io.PrintWriter;
import jakarta.servlet.ServletException;
import jakarta.servlet.http.*;
import jakarta.servlet.annotation.WebServlet;

@WebServlet(urlPatterns={"/chapter5/total"})
public class Total extends HttpServlet {

    public void doPost (
        HttpServletRequest request, HttpServletResponse response
    ) throws ServletException, IOException {
        response.setContentType("text/html; charset=UTF-8");
        PrintWriter out=response.getWriter();

        try {                                          ■1
            request.setCharacterEncoding("UTF-8");
            int price=Integer.parseInt(request.getParameter("price"));  ⌐
            int count=Integer.parseInt(request.getParameter("count"));  ⌐■2

            Page.header(out);
            out.println(price+"円×");
            out.println(count+"個=");
            out.println(price*count+"円");            ■4
            Page.footer(out);
        } catch (NumberFormatException e) {
            out.println("数値を入力してください。");       ■3
        }
    }
}
```

　このプログラムでは、数値以外が入力された場合はエラー処理を行うので、計算する処理全体をtry～catch文で囲みます（**1**）。

　2ではリクエストパラメータ「price」と「count」からgetParameterメソッドで値を取り出し、これらの値をIntegerのクラスメソッドであるparseIntに渡してint型に変換してから、変数に代入しています。

　2で数値に変換できない場合はNumberFormatExceptionがスローされるので、**3**ではそれをキャッチして「数値を入力してください。」というメッセージを出力します。

　無事に数値に変換できた場合は**4**で計算を行い、結果を出力します。

■ コンパイルと実行

① 「compile」ウィンドウでソースファイルをコンパイルします。

compile chapter5¥Total.java

② 「tomcat」ウィンドウでTomcatを再起動してから、以下のURLをブラウザで開きます。

http://localhost:8080/book/chapter5/total.html

③ テキストボックス単価と個数を入力して、「計算」ボタンを選択してください。

 Column HttpServletRequestとServletRequestの継承関係

　本章で説明したgetParameterメソッドは、実はHttpServletRequestインタフェースがServlet Requestインタフェースから継承したメソッドです。同様に、getParameterValuesメソッドや getParameterNamesメソッドも、ServletRequestから継承したメソッドです。ServletRequestは HttpServletRequestのスーパーインタフェースです。

　ServletRequestは、HTTPのような特定のプロトコルに依存せずに、リクエストに関する情報を扱うためのインタフェースです。HttpServletRequestは、HTTPによるリクエストに特化したインタフェースです。

　レスポンスに関するインタフェースにも、リクエストの場合と似た関係があります。ServletResponseインタフェースはプロトコルに依存しない機能を提供し、それを継承したHttpServletResponseインタフェースはHTTPに特化した機能を提供します。

　継承されたメソッドについて、本書では継承元のクラスやインタフェースを示さない場合があります。たとえばgetParameterメソッドの場合、HttpServletRequestオブジェクトを使って呼び出すので、ServletRequestのメソッドと紹介するよりも、HttpServletRequestのメソッドであると紹介した方が、説明が簡潔になると考えたためです。

🔖 まとめ

　本章では次の事柄を学びました。

- GETリクエストはdoGetメソッド、POSTリクエストはdoPostメソッドで処理します。
- リクエストパラメータを取得するには、getParameterメソッドを使います。
- リクエストパラメータの文字エンコーディングは、setCharacterEncodingメソッドで指定します。
- HTMLを使って、入力用のWebページを作成しました。
- リクエストパラメータとして文字列を取得して表示するサーブレットを作成しました。
- リクエストパラメータを数値に変換して計算するサーブレットを作成しました。

　次章ではテキストボックス以外のいろいろなフォーム部品を使う方法を学びます。

練習問題 単価と個数を入力するサンプルプログラム（→P.78）を参考に、単価と個数と送料を入力して、合計金額を表示するプログラムを作成してください。入力用のWebページはHTMLファイルで作成し、数値の取得と計算はサーブレットで行います。

Fig | サンプルの実行画面

❶単価、個数、送料を入力

❷合計金額を表示する

（1）HTMLファイルは、book¥chapter5フォルダにtotal2.htmlというファイル名で保存してください。
（2）サーブレットのソースファイルは、book¥WEB-INF¥src¥chapter5フォルダにTotal2.javaというファイル名で保存してください。

解答例

List | total2.html

```
<!DOCTYPE HTML>
<html>
<head>
<meta charset="UTF-8">
<title>Servlet/JSP Samples</title>
</head>
<body>

<form action="total2" method="post"> ·················· ■1
<input type="text" name="price">
円×
<input type="text" name="count">
個+送料
<input type="text" name="delivery"> ················ ■2
円=
<input type="submit" value="計算">
</form>

</body>
</html>
```

　HTMLファイルの<form>タグでは、action属性にtotal2と指定します（**１**）。これはサーブレット側のURLパターンと合わせておけば、別の文字列でもかまいません。
　送料を入力するテキストボックス（**２**）では、リクエストパラメータ名を「delivery」としています。

List | Total2.java

```java
package chapter5;

import tool.Page;
import java.io.IOException;
import java.io.PrintWriter;
import jakarta.servlet.ServletException;
import jakarta.servlet.http.*;
import jakarta.servlet.annotation.WebServlet;

@WebServlet(urlPatterns={"/chapter5/total2"})
public class Total2 extends HttpServlet {
    public void doPost (
        HttpServletRequest request, HttpServletResponse response
    ) throws ServletException, IOException {
        response.setContentType("text/html; charset=UTF-8");
        PrintWriter out=response.getWriter();

        try {
            int price=Integer.parseInt(request.getParameter("price"));
            int count=Integer.parseInt(request.getParameter("count"));
            int delivery=Integer.parseInt(
                    request.getParameter("delivery"));           ┈┈┈ ■１

            Page.header(out);
            out.println(price+"円×");
            out.println(count+"個+");
            out.println("送料"+delivery+"円=");         ┈┈┈┈┈┈ ■２
            out.println((price*count+delivery)+"円");   ┈┈┈┈┈┈ ■３
            Page.footer(out);
        } catch (NumberFormatException e) {
            out.println("数値を入力してください。");
        }
    }
}
```

　Total.javaとの違いは、送料もリクエストパラメータから取得し（**１**）、合計金額に足しているところ（**２**と**３**）だけです。

06 いろいろな
リクエストパラメータ

Chapter05ではテキストボックスに入力された文字列をリクエストパラメータとして受け取りましたが、フォームにはテキストボックス以外にもセレクトボックス、ラジオボタン、チェックボックス、テキストエリアなどの部品があります。ここでは、これらからリクエストパラメータを受け取る方法を学びましょう。

06-01 | さまざまなフォーム部品

セレクトボックスは複数の選択肢を表示します。選択されている項目だけを表示するので、選択肢の数が多い場合にも、少ないスペースで表示できることが利点です。

たとえばショッピングサイトでは、商品をカートに入れる際に、セレクトボックスを使って購入数を指定することができます。購入数を指定した後に、「カートに入れる」ボタンを選択すると、指定した数の商品がカートに入ります。

一方、ラジオボタンも複数の選択肢を表示しますが、すべての選択肢が常に表示されているので、ユーザが選択肢の内容を比較しやすいことが利点です。たとえばショッピングサイトでは、配送方法や支払い方法の選択などに、ラジオボタンを使うことがあります。

Chapter05で解説したテキストボックスとテキストエリアの違いは、複数行の文字列をユーザに入力させられることです。たとえば、商品のレビュー、問い合わせのメール、掲示板に書き込むメッセージなどを入力する際などに使います。

チェックボックスは、ある項目を選択するかしないかをユーザに指定させるものです。たとえば、広告のメールを配信するかどうかをユーザに指定させる際などに、チェックボックスを使うことがあります。

ここでは、上記4つの部品からリクエストパラメータを受け取り、その内容を表示するサーブレットを作ってみましょう。リクエストパラメータの取得方法はChapter05と同じですが、それぞれの部品から送信されるリクエストパラメータがどのような形式になっているかを理解しておく必要があります。

Fig | ここで作成するサンプルの動作

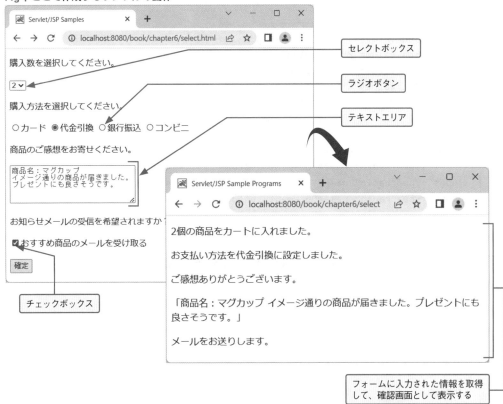

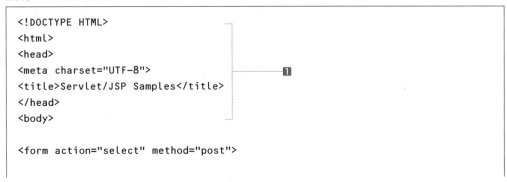

HTMLファイルの作成

まずフォームを配置したHTMLファイルを作成します。bookフォルダ以下に、chapter6フォルダを作成し、その中に次のselect.htmlを保存してください。

```
book
  chapter6
    select.html ........ これらを作成する
```

List | 06-01 select.html

```html
<!DOCTYPE HTML>
<html>
<head>
<meta charset="UTF-8">
<title>Servlet/JSP Samples</title>
</head>
<body>

<form action="select" method="post">
```
①

```
<p>購入数を選択してください。</p>
<select name="count">                                  2
    <option value="1">1</option>
    <option value="2">2</option>
    <option value="3">3</option>                       3
    <option value="4">4</option>
    <option value="5">5</option>
</select>


<p>購入方法を選択してください。</p>
<input type="radio" name="payment" value="カード" checked>カード
<input type="radio" name="payment" value="代金引換">代金引換
<input type="radio" name="payment" value="銀行振込">銀行振込          4
<input type="radio" name="payment" value="コンビニ">コンビニ


<p>商品のご感想をお寄せください。</p>
<p><textarea name="review" cols="30" rows="5">商品名：</textarea></p>    5


<p>お知らせメールの受信を希望されますか？</p>
<p><input type="checkbox" name="mail">おすすめ商品のメールを受け取る</p>     6


<p><input type="submit" value="確定"></p>
</form>


</body>
</html>                                                  7
```

　セレクトボックスは<select>タグの中に、選択肢となる各項目を<option>タグで記述します。このとき、<select>タグ（**2**）のname属性の値がリクエストパラメータの名前になり、選択された<option>タグ（**3**）のvalue属性の値がリクエストパラメータの値になります。たとえば「5」を選択した場合は「count=5」というリクエストパラメータが送信されます。

　ラジオボタンは、<input>タグのtype属性に「radio」を指定して作成します。name属性の値が同じものは1つのグループとして扱われ、グループから1つだけ選択することができます。**4**ではname属性に「payment」が指定してあり、これがリクエストパラメータの名前になります。そして、選択された<input>タグのvalue属性が、リクエストパラメータの値となります。たとえば「銀行振込」が選択された場合は、「payment=銀行振込」というリクエストパラメータが送信されます。

　テキストエリアは<textarea>タグで作成します。name属性の値がリクエストパラメータの名前となり、テキストエリアにユーザが入力した文字列がリクエストパラメータの値となります（**5**）。

　チェックボックスは<input>タグのtype属性に「checkbox」を指定して作成します。name属

性の値がリクエストパラメータの名前になるのは他の部品と同じですが、チェックされたときは「null以外」が、チェックされなかったときは「null」がリクエストパラメータの値となります。他の部品とは少し勝手が違うので注意してください。なお、ここでは「null以外」と書きましたが、具体的な値の形式については次節で解説します。

なお、■の先頭部分と、■の末尾部分は、本章におけるすべてのHTMLファイルに共通する部分です。そこで本章では、以後のHTMLファイルでは■と■の部分は掲載を省略します。HTMLファイルを入力する際には、最初のselect.htmlをコピーして、違っている部分だけを入力していただくことがおすすめです。

■ サーブレットの作成

select.htmlからリクエストパラメータを受け取るサーブレットを作成しましょう。Chapter05のサンプルと同じくgetParameterメソッド（→P.69）を使いますが、チェックボックスの処理だけは注意する必要があります。

前述のとおり、チェックボックスがチェックされなかったときは「null」が送信されるので、次のようにif文を使って処理を分岐します。

```
if (変数!=null) {
    チェックした場合の処理
} else {
    チェックしなかった場合の処理
}
```

WEB-INF¥srcフォルダ以下にchapter6フォルダを作成し、その中に次のSelect.javaを作成してください。

List | 06-02 Select.java

```
package chapter6;

import tool.Page;
import java.io.IOException;
import java.io.PrintWriter;
import jakarta.servlet.ServletException;
import jakarta.servlet.http.*;
import jakarta.servlet.annotation.WebServlet;


@WebServlet(urlPatterns={"/chapter6/select"})
```

```
public class Select extends HttpServlet {

    public void doPost (
        HttpServletRequest request, HttpServletResponse response
    ) throws ServletException, IOException {

        response.setContentType("text/html; charset=UTF-8");
        PrintWriter out=response.getWriter();

        request.setCharacterEncoding("UTF-8");
        String count=request.getParameter("count");
        String payment=request.getParameter("payment");          ■1
        String review=request.getParameter("review");
        String mail=request.getParameter("mail");

        Page.header(out);
        out.println("<p>"+count+"個の商品をカートに入れました。</p>");
        out.println("<p>お支払い方法を"+payment+"に設定しました。</p>");
        out.println("<p>ご感想ありがとうございます。</p>");          ■2
        out.println("<p>「"+review+"」</p>");
        if (mail!=null) {
            out.println("<p>メールをお送りします。</p>");
        } else {                                                  ■3
            out.println("<p>メールはお送りしません。</p>");
        }
        Page.footer(out);
    }
}
```

　基本的な構造はChapter05のサンプルと同じです。リクエストパラメータの値を
getParameterメソッドで取得し、レスポンスに出力します。

　select.htmlから送信されるリクエストパラメータの名前は、次のとおりです。

セレクトボックス：count
ラジオボタン　　：payment
テキストエリア　：review
チェックボックス：mail

　■1でそれぞれのリクエストパラメータを変数に取得し、■2ではその変数を使ってレスポンス
を出力しています。チェックボックスの処理だけは、チェックされなかったときは変数にnull
が格納されているので、変数がnullでないかどうかを調べて、出力するメッセージを変更しま
す（■3）。

■ コンパイルと実行

① 「compile」ウィンドウでソースファイルをコンパイルします。

compile chapter6¥Select.java

② 「tomcat」ウィンドウでTomcatを再起動してから、以下のURLをブラウザで開きます。

http://localhost:8080/book/chapter6/select.html

③ それぞれの部品で選択、および入力を行って、「確定」ボタンをクリックしてください。

06-02 | 複数のチェックボックス

　チェックボックスは、ラジオボタンと同じように複数配置することが可能ですが、ラジオボタンと違って複数選択することも可能です。たとえば、興味のあるジャンルを複数選択可能でユーザに指定させる場合などに、複数のチェックボックスを使うことがあります。

　複数のチェックボックスを使って入力した情報を、取得して表示するサーブレットを作ってみましょう。

Fig | 作成するサンプルの動作画面

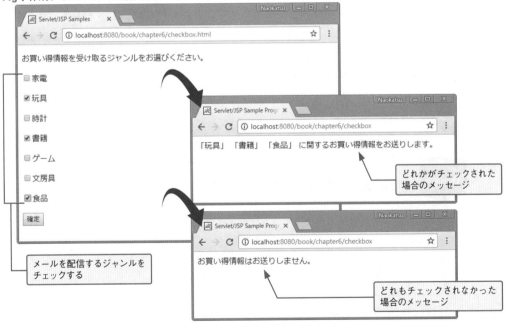

HTMLファイルの作成

次のHTMLファイルを入力し、chapter6
フォルダにcheckbox.htmlとして保存し
てください。

book

chapter6

checkbox.html ◀⋯⋯⋯⋯⋯ このファイルを作成

List | 06-03 checkbox.html（フォーム部分）

```
<p>お買い得情報を受け取るジャンルをお選びください。<p>
<form action="checkbox" method="post">
<p><input type="checkbox" name="genre" value="家電">家電</p>
<p><input type="checkbox" name="genre" value="玩具">玩具</p>
<p><input type="checkbox" name="genre" value="時計">時計</p>
<p><input type="checkbox" name="genre" value="書籍">書籍</p>
<p><input type="checkbox" name="genre" value="ゲーム">ゲーム</p>
<p><input type="checkbox" name="genre" value="文房具">文房具</p>
<p><input type="checkbox" name="genre" value="食品">食品</p>
<p><input type="submit" value="確定"></p>
</form>
```

複数のチェックボックスを配置してまとめて処理したい場合は、すべてのチェックボックス
のname属性に同じ値（ここでは「genre」）を設定し、value属性を指定します。このvalue属性の
値がリクエストパラメータの値になりますが、たとえば「家電」と「書籍」がチェックされたと
きは、次のように同じ名前を持つリクエストパラメータが複数送られることになります。

genre=家電

genre=書籍

Column <select>タグのmultiple属性

使用される頻度はチェックボックスより下がりますが、<select>タグにmultiple属性を指定しても、
複数選択可能なフォームを作成することができます。たとえばP.85のselect.htmlにおいて、<select>タ
グ部分を次のように変更すると、ドロップダウンメニューではなくリストとして表示されるようになり、
複数選択が可能になります。

```
<select name="count" multiple>
<option value="1">1</option>
<option value="2">2</option>
<option value="3">3</option>
<option value="4">4</option>
<option value="5">5</option>
</select>
```

サーブレットの作成

チェックボックスの入力を取得するサーブレットを作成します。複数のチェックボックスからの入力をまとめて受け取るには、getParameterメソッドではなく、getParameterValuesメソッドを使います。どちらもHttpServletRequestインタフェースのメソッドです。

getParameterValuesメソッド

宣　言： String() **getParameterValues**(String name)

機　能： 引数に指定した名前のリクエストパラメータに、複数の値がある場合は、このメソッドを利用して取得します。指定した名前が存在しない場合はnullを返します。

戻り値であるString型の配列には、チェックしたチェックボックスのvalue属性値が格納されます。たとえば「家電」と「書籍」をチェックした場合には、配列genreの各要素は次のようになります。

genre[0] ： "家電"
genre[1] ： "書籍"

次のプログラムを入力し、chapter6フォルダにCheckbox.javaとして保存してください。

List | 06-04 Checkbox.java

```java
package chapter6;

import tool.Page;
import java.io.IOException;
import java.io.PrintWriter;
import jakarta.servlet.ServletException;
import jakarta.servlet.http.*;
import jakarta.servlet.annotation.WebServlet;

@WebServlet(urlPatterns={"/chapter6/checkbox"})
public class Checkbox extends HttpServlet {

    public void doPost (
        HttpServletRequest request, HttpServletResponse response
    ) throws ServletException, IOException {
        response.setContentType("text/html; charset=UTF-8");
```

```
        PrintWriter out=response.getWriter();

        request.setCharacterEncoding("UTF-8");
        String[] genre=request.getParameterValues("genre");  ────────── 1

        Page.header(out);
        if (genre!=null) {
            for (String item : genre) {
                out.println("「"+item+"」");
            }
            out.println("に関するお買い得情報をお送りします。");   ────── 2
        } else {
            out.println("お買い得情報はお送りしません。");
        }
        Page.footer(out);
    }
}
```

1では、チェックボックスの状態をリクエストパラメータとして取得し、String型の配列 genreに保存します。getParameterValuesメソッドを使います。

2ではif文を使って、変数genreがnullかどうかに応じて分岐します。nullでない場合には、拡張for文を使って、チェックされた項目の一覧を表示します。nullの場合には、項目が1つも チェックされなかったときのメッセージを表示します。

■ コンパイルと実行

① 「compile」ウィンドウでソースファイルをコンパイルします。

compile chapter6¥Checkbox.java

② 「tomcat」ウィンドウでTomcatを再起動してから、以下のURLをブラウザで開きます。

http://localhost:8080/book/chapter6/checkbox.html

③ チェックボックスをチェックした場合と、しない場合の動作を確認してください。

■ リクエストパラメータとフォーム部品のまとめ

ここまでに解説した各フォーム部品の属性と、送信されるリクエストパラメータの名前、および値の関係をまとめておきます。

Table | フォーム部品とリクエストパラメータの関係

フォーム部品	リクエストパラメータ	
	名前	値
テキストボックス	\<input>タグのname属性	テキストボックスにユーザが入力した文字列
セレクトボックス	\<select>タグのname属性	選択された\<option>タグのvalue属性
ラジオボタン	\<input>タグのname属性	選択された\<input>タグのvalue属性
テキストエリア	\<textarea>タグのname属性	テキストエリアにユーザが入力した文字列
チェックボックス	\<input>タグのname属性	選択されたすべての\<input>タグのvalue属性

06-03 | パラメータ名の一覧を取得する

　Webアプリケーションの機能として、リクエストパラメータの一覧が必要になることはそれほどありませんが、デバッグなどの目的で必要になる場合があるので、方法を紹介しておきます。

　ここでは、フォームから送信されたリクエストパラメータの一覧を表示するサーブレットを作成してみましょう。

Fig | サンプルの実行画面

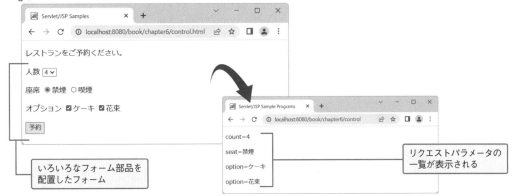

HTMLファイルの作成

　次のHTMLファイルを入力し、chapter6フォルダにcontrol.htmlとして保存してください。

List | 06-05 control.html（フォーム部分）

```
<form action="control" method="post">
<p>レストランをご予約ください。</p>

<p>
人数
<select name="count">
<option value="1">1</option>
<option value="2">2</option>
<option value="3">3</option>
<option value="4">4</option>
</select>
</p>

<p>
座席
<input type="radio" name="seat" value="禁煙" checked>禁煙
<input type="radio" name="seat" value="喫煙">喫煙
</p>

<p>オプション
<input type="checkbox" name="option" value="ケーキ">ケーキ
<input type="checkbox" name="option" value="花束">花束
</p>

<p><input type="submit" value="予約"></p>
</form>
```

このフォームから送信されるリクエストパラメータは、次のとおりです。

セレクトボックス：count
ラジオボタン ：seat
チェックボックス：option

■ パラメーター覧の取得方法

HttpServletRequestインタフェースのgetParameterNamesメソッドを使うと、リクエスト
パラメータ名の一覧を取得することができます。

▌getParameterNamesメソッド

宣 言 ： Enumeration<String> **getParameterNames**()
機 能 ： リクエストパラメータ名の一覧を取得します。

getParameterNamesメソッドの戻り値は、java.util.Enumeration<String>インタフェースのオブジェクトです。Enumerationオブジェクトに含まれる個々の要素を取得するには、次のような方法があります。

① Enumerationインタフェースのメソッドと、while文やfor文を組み合わせる。
② Enumerationオブジェクトをjava.util.ArrayListオブジェクトに変換し、拡張for文を適用する。

　ここでは②の方法を紹介します。java.util.Collectionsクラスのlistメソッドを使うと、EnumerationをArrayListに変換することができます。

▌listメソッド

宣　言 ： static <T> ArrayList<T> **list**(Enumeration<T> e)
機　能 ： EnumerationをArrayListに変換します。

Enumerationは、Javaが初期から提供していた比較的古い機能です。その後、ArrayListなどのコレクション機能が提供されて、主にコレクションが使われるようになりました。しかし古くからある機能の中には、今でもEnumerationを使っているものがあり、getParameterNamesメソッドもそうです。こういった機能が扱うEnumerationと、現在主に使われるコレクションとの間の橋渡しを行うのが、Collectionsクラスのlistメソッドです。

■ サーブレットの作成

　リクエストパラメータの一覧を取得するサーブレットを作成します。次のプログラムを入力し、chapter6フォルダにControl.javaとして保存してください。

src
└ chapter6
　└ Control.java ◀ ·········· このファイルを作成

List | 06-06 Control.java

```java
package chapter6;

import tool.Page;
import java.io.IOException;
import java.io.PrintWriter;
import jakarta.servlet.ServletException;
import jakarta.servlet.http.*;
import jakarta.servlet.annotation.WebServlet;
```

```
import java.util.Collections;
import java.util.List;

@WebServlet(urlPatterns={"/chapter6/control"})
public class Control extends HttpServlet {

    public void doPost (
        HttpServletRequest request, HttpServletResponse response
    ) throws ServletException, IOException {
        response.setContentType("text/html; charset=UTF-8");
        PrintWriter out=response.getWriter();

        Page.header(out);

        request.setCharacterEncoding("UTF-8");
        List<String> names=Collections.list(request.getParameterNames());  ┈┈ 1
        for (String name : names) {  ┈┈┈┈┈┈┈┈┈┈┈┈┈┈┈┈┈┈┈┈┈┈┈┈┈┈┈┈┈┈┈┈┈ 2
            String[] values=request.getParameterValues(name);  ┈┈┈┈┈┈┈┈ 3
            for (String value : values) {
                out.println("<p>"+name+"="+value+"</p>");  ┈┈┈┈┈┈┈┈┈┈ 4
            }
        }
        Page.footer(out);
    }
}
```

 1 では、getParametersNamesメソッドを使って、リクエストパラメータ名の一覧を取得し、それをlistメソッドに渡してArrayListに変換しています。

 2 の拡張for文では、**1** で取得したArrayListからリクエストパラメータ名を1つ1つ取り出し、それをgetParameterValuesメソッドに渡してリクエストパラメータの値を取得しています（**3**）。

 4 の拡張for文では、**2** と **3** で取得したリクエストパラメータの名前と値を、「リクエストパラメータ名=値」の形式で、レスポンスへ出力しています。

■ コンパイルと実行

① 「compile」ウィンドウでソースファイルをコンパイルします。

compile chapter6¥Control.java

② 「tomcat」ウィンドウでTomcatを再起動してから、以下のURLをブラウザで開きます。

http://localhost:8080/book/chapter6/control.html

③ それぞれの部品で選択、および入力を行って、「予約」ボタンをクリックしてください。

Column **<input>タグのtype属性**

<input>タグのtype属性としては、text/submit/radio/checkboxを紹介しました。このほかにも
type属性には、次のような値を指定することができます。

password：パスワード入力欄です（Chapter24で使用します）。
hidden：画面には表示されない隠しデータです。
month, week, date, time, datetime-local：日時の入力欄です。
url, email, tel：URL、メールアドレス、電話番号の入力欄です。
search、number、range、color：検索文字列、数値、範囲、色の入力欄です。

▶ まとめ

本章では次の事柄を学びました。

- getParameterメソッドを使うと、セレクトボックス、ラジオボタン、チェックボックス、
  テキストエリアからリクエストパラメータを取得することができます。
- getParameterValuesメソッドを使うと、複数選択されたチェックボックスの値を取得す
  ることができます。
- getParameterNamesメソッドを使うと、リクエストパラメータ名の一覧を取得すること
  ができます。

次章ではJSPの基礎について学びます。

練習問題 サンプルプログラムControl.javaを参考に、次のような動作を行う、レストランの予約ペー
ジを模したサーブレットを作成してください。HTMLフォームはbook¥chapter6フォルダのcontrol.
htmlをコピーして、同じフォルダにreserve.htmlとして作成します。そして、<form>タグのaction属
性を以下のように変更してください。

```
<form action="reserve" method="post">
```

また、サーブレットのソースファイルは、book¥WEB-INF¥src¥chapter6フォルダにReserve.javaとい
うファイル名で保存してください。

● サンプルの実行画面

❶人数、座席の種類、ケーキや花束の有無を入力する

❷予約の結果を表示する

解答例

List | Reserve.java

```
…省略…
@WebServlet(urlPatterns={"/chapter6/reserve"})
public class Reserve extends HttpServlet {
    public void doPost (
        HttpServletRequest request, HttpServletResponse response
    ) throws ServletException, IOException {
        response.setContentType("text/html; charset=UTF-8");
        PrintWriter out=response.getWriter();

        request.setCharacterEncoding("UTF-8");
        String count=request.getParameter("count");
        String seat=request.getParameter("seat");

        Page.header(out);
        out.println(count+"名様で"+seat+"席のご予約を承りました。");
        String[] values=request.getParameterValues("option");
        if (values!=null) {
            for (String value : values) out.println("「"+value+"」");
            out.println("をご用意いたします。");
        }
        Page.footer(out);
    }
}
```

❶ はリクエストパラメータの取得です。人数（count）と座席の種類（seat）を取得して、変数に保存します。

❷ はメッセージの出力です。countとseatを使って、人数と座席の種類に関するメッセージを出力します。次に、getParameterValuesメソッドと拡張for文を使って、オプションに関するチェックボックスの状態を取得し、選択されている項目を出力します。

Chapter

07 JSPの基本

本章ではJSPの基本を学びます。最初に、JSPがサーブレットに変換されて実行される仕組みや、JSPの利点について確認します。次に、ディレクティブ、スクリプトレット、式、宣言といった、JSPの基本的な記法を学びます。

07-01 | JSPの仕組み

最初にJSPの仕組みを確認しましょう。Chapter01で学んだように、JSPファイルとはHTMLの中にJavaのコードを埋め込んだものです。ただしコードを埋め込む際には、JSPの文法に則って記述する必要があります。

ブラウザがJSPファイルのURLを開くと、アプリケーションサーバはJSPファイルからサーブレットのプログラムを生成し、コンパイルして、サーブレットとして実行します。JSPから生成されたサーブレットは、リクエストを解析し、レスポンスを生成します。レスポンスはアプリケーションサーバを介してブラウザに送信され、表示されます。

Fig | JSPの実行

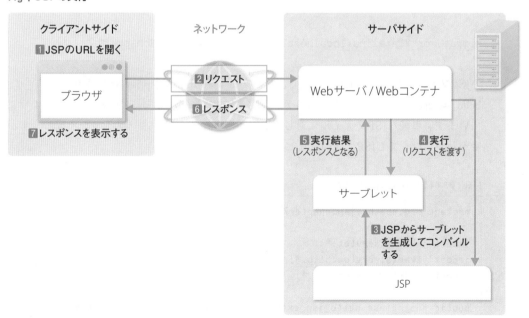

99

JSPからサーブレットへの変換とコンパイルについて、詳しい手順を確認しましょう。JSPファイル（〜.jsp）を、サーブレットのソースファイル（〜.java）に変換し、コンパイルしてクラスファイル（〜.class）を生成します。アプリケーションサーバは、このクラスファイルを読み込んで、サーブレットのインスタンスをメモリ上に生成します。

Fig | JSPからサーブレットへの変換

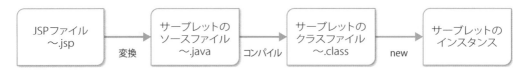

なお、サーブレットのクラスファイルはWEB-INF¥classesフォルダ内に配置しますが（→P.37）、JSPファイルから生成されたクラスファイルはアプリケーションサーバごとに異なるフォルダに配置されます。

生成されるファイルの場所

アプリケーションサーバは、JSPファイルからサーブレットのソースファイルとクラスファイルを生成します。Tomcatの場合には、これらのファイルをtomcat¥workフォルダ以下に配置します。

参考までに、本章（Chapter07）のJSPファイルから生成するファイルは、次のフォルダにあります。

tomcat¥work¥Catalina¥localhost¥book¥org¥apache¥jsp¥chapter7

JSPファイルの名前がhello.jspなら、このフォルダにhello_jsp.javaというソースファイルと、hello_jsp.classというクラスファイルが生成されます。hello_jsp.javaの内容は、以下のようになっています。単純なJSPファイルに対しても、かなり複雑なソースファイルを生成しますが、中身がわからなくてもJSPは使いこなせますので大丈夫です。

List | 07-01 hello_jsp.java（抜粋）

```
package org.apache.jsp.chapter7;

import jakarta.servlet.*;
import jakarta.servlet.http.*;
import jakarta.servlet.jsp.*;

public final class hello_jsp extends org.apache.jasper.runtime.HttpJspBase
    implements org.apache.jasper.runtime.JspSourceDependent,
```

```
            org.apache.jasper.runtime.JspSourceImports,
            org.apache.jasper.runtime.JspSourceDirectives {

  private static final jakarta.servlet.jsp.JspFactory _jspxFactory =
            jakarta.servlet.jsp.JspFactory.getDefaultFactory();
```

■ JSPの利点

　JSPはサーブレットに比べて、実行するのが簡単です。サーブレットを実行するには、サーブレットのソースファイルをコンパイルしたり、アプリケーションサーバ(Tomcat)を再起動したりといった作業が必要です。JSPの場合には、このような作業は不要です。JSPファイルのURLをブラウザで開けば、サーブレットへの変換やコンパイルは、アプリケーションサーバが自動的に行います。

　また、JSPは修正するのも簡単です。サーブレットを修正した場合には、ソースファイルを再コンパイルして、アプリケーションサーバにサーブレットをリロードさせる必要があります。JSPファイルを修正した場合には、このような作業は不要で、JSPファイルのURLをブラウザで開き直す(あるいは表示を更新する)だけで済みます。アプリケーションサーバが自動的にJSPファイルの修正を検出して、再コンパイルやリロードを行います。

07-02 | はじめてのJSP

　実際にJSPファイルを作成してみましょう。最初は「Hello!」「こんにちは！」と表示するだけの、非常に簡単なJSPファイルです。

Fig | 最初のJSPファイル

　bookフォルダの中にchapter7フォルダを作成し、その中に以下のような内容のhello.jspを作成してください。

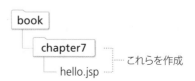

List | 07-02 hello.jsp

```jsp
<%@page contentType="text/html; charset=UTF-8" %> ⋯⋯⋯⋯⋯⋯⋯⋯⋯ ■1


<!DOCTYPE html>
<html>
<head>
<meta charset="UTF-8">
<title>Servlet/JSP Samples</title>
</head>
<body>


<%-- メッセージの出力 --%> ⋯⋯⋯⋯⋯⋯⋯⋯⋯⋯⋯⋯⋯⋯⋯⋯⋯⋯ ■2
<p>Hello!</p>
<p>こんにちは！</p>


</body>
</html>
```

■1と■2以外の部分は普通のHTMLファイルです。このJSPファイルで使っている、JSPに特有の機能は、■1のpageディレクティブと、■2のコメントです。これらについては後述します。

■ **JSPファイルの実行**

① ブラウザで以下のURLを開いてください。

   http://localhost:8080/book/chapter7/hello.jsp

pageディレクティブ

ディレクティブとはJSPの各種設定を行う機能の総称です。次のような書式で使用します。

<%@ディレクティブ名 属性名="値" %>

JSPで指定できるディレクティブには次のようなものがあり、使用できる属性はディレクティブにより異なります。

Table | ディレクティブの種類

ディレクティブ名	機能
page	JSPページに関する設定を行います
include	他のファイルをインクルードします（→P.104）
taglib	カスタムタグを宣言します（→P.335）

tag	タグファイルに関する設定を行います
attribute	カスタムタグの属性を宣言します
variable	EL式の変数を宣言します

hello.jspの**1**では、JSPが出力するレスポンスのMIMEタイプと文字エンコーディング（→P.55）を指定するために、pageディレクティブのcontentType属性を使っています。日本語を使用する場合は、JSPファイルの先頭でこの記述を行わないと、文字化けが起こる場合があります。

```
<%@page contentType="MIMEタイプ; charset=文字エンコーディング" %>
```

MIMEタイプには、レスポンスの形式を指定します。一般にJSPはHTMLを出力するので、text/htmlを指定します。文字エンコーディングには、レスポンスの文字エンコーディングを指定します。これはsetContentTypeメソッド（→P.55）を実行するのと同じです。

■ JSPのコメント

hello.jspでは、画面に表示されないコメントを記述しています（**2**）。JSPのコメントは、次のように<%--と--%>で囲んで記述します。

```
<%-- コメント --%>
```

次のように複数行に渡るコメントを記述することもできます。

```
<%--
コメントA
コメントB
--%>
```

一方JSPファイルでは、<!--と-->で囲むHTML形式のコメントも使用できますが、JSP形式のコメントと、HTML形式のコメントには、動作に違いがあります。JSP形式のコメントは、**コンパイルの時点で取り除かれる**ため、出力されたWebページには残りません。一方、HTML形式のコメントは、Webページとともに出力されます。

もしユーザがWebページのソースを表示すると、HTML形式のコメントは見ることができます。あえてユーザに見せたいコメントは、HTML形式で書きます。それ以外のコメントは、JSP形式で書くことがおすすめです。

07-03 | includeディレクティブ

JSPファイルから別のファイル(テキストファイル、HTMLファイル、JSPファイルなど)を読み込むには、includeディレクティブを使います。file属性には、読み込むファイルのURLを指定します。

書式 includeディレクティブ

```
<%@include file="URL" %>
```

includeディレクティブが有効に使えるのは、複数のJSPファイルに共通部分があるときです。共通部分を別のファイルにして、includeディレクティブを使って読み込めば、共通部分をファイルごとに記述する必要がなくなり、各ファイルが簡潔になります。

▌ JSPファイルの共通部分を別ファイルにする

前述のように、本書で作成する多くのHTMLファイルについて、先頭部分と末尾部分は共通しています。サーブレットの場合は、Pageクラスという独自のクラスを作成して、共通部分の記述を簡略化しましたが(→P.62)、JSPの場合はincludeディレクティブを使うことで、同様の処理を実現できます。

先頭部分と末尾部分を別のファイルにしておき、JSPファイルからincludeディレクティブを使って読み込むのです。ここでは先頭部分をheader.html、末尾部分をfooter.htmlというファイルにまとめることにします。

Fig | 先頭部分と末尾部分を別のファイルにする

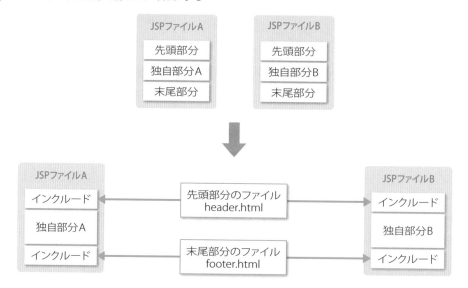

これらのファイルは他の章でも利用するので、bookフォルダの直下に配置します。

header.htmlとfooter.htmlを読み込む例として、chapter7フォルダにhello2.jspというJSPファイルを作成してみましょう。

```
book
    ├─ header.html  ◀┈┈┈┈┈┈┈┈┈┈┈┈┈┈  先頭部分のHTMLファイル
    ├─ footer.html  ◀┈┈┈┈┈┈┈┈┈┈┈┈┈┈  末尾部分のHTMLファイル
    └─ chapter7
            └─ hello2.jsp  ◀┈┈┈┈┈┈  includeディレクティブを使うJSPファイル
```

■ HTMLファイルの作成

共通部分のHTMLファイルを作成しましょう。次のHTMLファイルを入力して、bookフォルダの直下にheader.htmlというファイル名で保存してください。先頭部分を表すHTMLファイルです。

List | 07-03 header.html

```
<!DOCTYPE html>
<html>
<head>
<meta charset="UTF-8">
<title>Servlet/JSP Samples</title>
</head>
<body>
```

同様に次のHTMLファイルを入力して、bookフォルダにfooter.htmlというファイル名で保存してください。末尾部分を表すHTMLファイルです。

List | 07-04 footer.html

```
</body>
</html>
```

■ JSPファイルの作成

includeディレクティブを使うJSPファイルを作成しましょう。次のJSPファイルを入力し、chapter7フォルダにhello2.jspとして保存してください。

List | 07-05 hello2.jsp

```
<%@page contentType="text/html; charset=UTF-8" %>
<%@include file="../header.html" %> ⋯⋯⋯⋯⋯⋯⋯⋯⋯⋯⋯⋯⋯⋯ ①

<p>Hello!</p> ⋯⋯⋯⋯⋯⋯⋯⋯⋯⋯⋯⋯⋯⋯⋯⋯⋯⋯⋯⋯⋯⋯⋯⋯⋯⋯ ②
<p>こんにちは！</p>

<%@include file="../footer.html" %> ⋯⋯⋯⋯⋯⋯⋯⋯⋯⋯⋯⋯⋯⋯ ③
```

①と③はincludeディレクティブの使用例です。それぞれ先頭部分（header.html）と末尾部分（footer.html）のHTMLファイルを読み込みます。

hello2.jspから見て、header.htmlは1つ上位の階層のフォルダにあります。この場合は、1つ上位の階層を表す..というパスの表記を使って、../header.htmlのようにURLを記述します。

②はこのJSPファイルの主要部分で、「Hello!」と「こんにちは！」というメッセージを表示します。この処理は、最初に作成したhello.jspと同じです。hello.jspとhello2.jspを比べると、先頭部分と末尾部分を他のファイルに分けたので、hello2.jspの方が簡潔になっています。

07-04 | スクリプトレットを使おう

スクリプトレットは、JSPファイルにJavaプログラムを記述する方法の1つです。スクリプトレットは次のように、<%と%>で囲んで記述します。

```
<% Javaプログラム; %>
```

複数行のスクリプトレットを記述することもできます。

```
<%
JavaプログラムA;
JavaプログラムB;
JavaプログラムC;
...
%>
```

スクリプトレットという言葉は、プログラムの断片を意味する造語です。プログラムのことを「スクリプト」と呼ぶことがあります。「レット」という語尾は、本を表す「ブック」という言葉に対して、小冊子を表す「ブックレット」という言葉があるように、元の言葉よりも小規模なものを表します。したがってスクリプトレットは、小規模なプログラムを意味します。

▌ 暗黙オブジェクト

　スクリプトレットでは、暗黙オブジェクトを使ったプログラムを記述することができます。暗黙オブジェクトとは、JSPにおいて明示的に生成しなくても使用できるオブジェクトのことです。

　JSPには次のような暗黙オブジェクトがあります。暗黙オブジェクトを使って、レスポンスを出力したり、リクエストパラメータを取得したりといった処理が行えます。

Table | 暗黙オブジェクトの種類

名前	クラス/インタフェース	用途
application	jakarta.servlet.ServletContext	コンテキストの初期化パラメータ(→P.291)の取得、アプリケーション属性(→P.297)の操作
config	jakarta.servlet.ServletConfig	サーブレットの初期化パラメータ(→P.285)の取得
exception	java.lang.Throwable	発生した例外の取得(→P.122)
out	jakarta.servlet.jsp.JspWriter	レスポンスの出力
page	java.lang.Object	JSPページ自体のインスタンス
pageContext	jakarta.servlet.jsp.PageContext	ページ属性(→P.247)の操作
request	jakarta.servlet.http.HttpServletRequest	リクエストパラメータの取得、リクエスト属性(→P.245)の操作
response	jakarta.servlet.http.HttpServletResponse	レスポンスに関する設定
session	jakarta.servlet.http.HttpSession	セッション属性(→P.246)の操作

　暗黙オブジェクトは、オブジェクトが格納された変数のように使うことができます。上記の表における暗黙オブジェクトの名前が、変数名に相当します。暗黙オブジェクト名を使って、次のようにメソッドを呼び出すことができます。

暗黙オブジェクト名.メソッド(...)

　呼び出せるメソッドは、暗黙オブジェクトが属しているクラスやインタフェースが持つメソッドです。たとえば、requestはHttpServletRequestインタフェース(→P.51)に属しています。したがってrequestを用いて、getParameterメソッド(→P.69)やsetCharacterEncodingメソッド(→P.70)を呼び出すことができます。

```
request.getParameter(...)
request.setCharacterEncoding(...)
```

レスポンスを出力する暗黙オブジェクト「out」

ここでは暗黙オブジェクトの1つである、outについて学びましょう。outはjakarta.servlet.jsp.JspWriterクラスのオブジェクトです。JspWriterクラスはjava.io.PrintWriterクラスに似た機能を持っていて、レスポンスの出力に使用できます。

JspWriterクラスには出力用のメソッドがいくつも用意されていますが、最初に覚えたいのはprintlnメソッドです。printlnメソッドを使うと、指定したデータと改行を出力することができます。データには文字列、数値、オブジェクトなどが指定できます。

<%と%>で囲んでスクリプトレットにすれば、JSPファイルに記述することができます。

```
<% out.println(データ); %>
```

printlnメソッドによる改行

printlnメソッドは指定したデータと改行を出力します。この改行はHTMLファイルには出力されますが、ブラウザで表示したときには改行されません。ブラウザ上で改行するためには、HTMLの
タグや<p>タグなどを出力する必要があります。

printlnメソッドの代わりにprintメソッドを使うと、HTMLファイルにも改行を出力しません。状況に応じて、出力されたHTMLファイルが見やすくなる方のメソッドを選ぶとよいでしょう。出力されたHTMLファイルを確認しながらJSPをデバッグする作業が容易になります。

スクリプトレットの使用例

Chapter04では、「Hello!」と「こんにちは！」というメッセージと、現在の日時を出力するサーブレット（→P.60）を作成しました。このサーブレットと同じ動作をするJSPファイルを、スクリプトレットを使って作成してみましょう。

Fig｜スクリプトレットを使ったサンプル

次のJSPファイルを入力し、chapter7フォルダにhello3.jspとして保存してください。

List | 07-06 hello3.jsp

```
<%@page contentType="text/html; charset=UTF-8" %>
<%@include file="../header.html" %>

<p>Hello!</p>
<p>こんにちは！</p>

<p><% out.println(new java.util.Date()); %></p> ············· 1

<%@include file="../footer.html" %>
```

1は日時の表示です。日時は動的な（実行するたびに変化する）メッセージなので、プログラムで出力する必要があります。そこで、スクリプトレットを使います。

暗黙オブジェクトのoutとprintlnメソッドを使って、生成したDateオブジェクトを出力すれば、現在の日時を表示することができます。

■ JSPファイルの実行

① ブラウザで以下のURLを開いてください。

　http://localhost:8080/book/chapter7/hello3.jsp

■ JSPのコンパイルエラー

JSPファイルをコンパイルする際にエラーがあると、ブラウザにエラーメッセージが表示されます。エラーが起きた行番号、エラーの原因、該当部分のプログラムが表示されるので、これらの情報を参考に、エラーを修正します。JSPファイルを修正して保存したら、JSPファイルをブラウザで再び開くか、すでに開いている場合にはページを更新します。サーブレットとは違い、修正後のJSPファイルは自動的に再コンパイルされる点が便利です。

先ほどのhello3.jspを使って、コンパイルエラーを実際に表示させてみましょう。1の末尾にある;を故意に除去して、

```
<% out.println(new java.util.Date()) %>
```

としてみてください。そして、以下のURLをブラウザで開くか、すでに開いている場合にはページを更新します。

;を除去した行について、コンパイルエラーが表示されるはずです。

Fig | JSPのコンパイルエラー

エラーメッセージの要点は次のとおりです。

❶「HTTPステータス 500 – Internal Server Error」

500（Internal Server Error）は、サーバの内部でエラーが発生したことを表すステータスコード（→P.173）です。

❷「org.apache.jasper.JasperException: JSPのクラスをコンパイルできません: 」

Jasperというのは JSP をコンパイルするソフトウェアで、JSPエンジンとも呼ばれます。JasperException は、Jasper が生成する例外です。

❸「JSPファイル: /chapter7/hello3.jsp の中の7行目でエラーが発生しました」

コンパイルエラーが発生したファイルと、行番号が示されます。該当する行に誤りがある場合が多いので、まずは該当行を確認しましょう。

❹「Syntax error, insert ";" to complete Statement」

コンパイルエラーの原因や修正方法が示されます。エラーの種類によってメッセージは異なりますが、ここでは「文法エラー、文を完結させるために;を挿入してください」という意味です。

❺「7: <p><% out.println(new java.util.Date()) %></p>」

エラーが発生した行と、周辺の数行が示されます。エラー箇所を確認して、JSPファイルを修正しましょう。

❻「Stacktrace:」

例外のスタックトレースです。例外がJasperの内部で伝達された経路がわかります。

コンパイルエラーが発生したときに重要なのは、エラーメッセージに示されている行番号や原因の情報に基づいて、JSPファイルの該当箇所を修正することです。エラーメッセージをよく読まないでJSPファイルを修正すると、エラーの解決につながらない変更をしてしまう可能性があり、かえって時間や手間がかかってしまいます。ぜひエラーメッセージを読んでください。

07-05 | 式

式はスクリプトレットと同様に、JSPファイルにJavaプログラムを記述する方法の1つです。Javaで記述した式の値を出力することができます。式は次のように、<%=と%>で囲んで記述します。

```
<%= Javaの式 %>
```

JSPファイルの作成

実際に式を使ったJSPファイルを作成してみましょう。次のJSPファイルを入力し、chapter7フォルダにhello4.jspとして保存してください。

book
└ chapter7
　　└ hello4.jsp ◀······ このファイルを作成

List | 07-07 hello4.jsp

```
<%@page contentType="text/html; charset=UTF-8" %>
<%@include file="../header.html" %>

<p>Hello!</p>
<p>こんにちは！</p>

<p><%=new java.util.Date() %></p> ·········································1

<%@include file="../footer.html" %>
```

JSPの式を使って、現在の日時を出力しているのが1です。hello3.jsp（→P.109）では、次のようなスクリプトレットで同じ処理を記述していました。

```
<% out.println(new java.util.Date()); %>
```

JSPの式とスクリプトレットを比べると、Javaの式を出力する処理は、式を使った方が簡単に記述できます。

■ **JSPファイルの実行**

① ブラウザで、以下のURLを開いてください。

http://localhost:8080/book/chapter7/hello4.jsp

07-06 | クラスのインポート

pageディレクティブのimport属性を使えば、Javaのクラスをインポートすることができます。

```
<%@page import="クラス名" %>
```

たとえば、java.util.Dateクラスをインポートするには、次のように記述します。

```
<%@page import="java.util.Date" %>
```

通常のimport文と同様に、*によりパッケージ内のすべてのクラスをインポートすることもできます。

```
<%@page import="java.util.*" %>
```

複数のクラスやパッケージをインポートするには、,で区切って並べます。指定したクラスをインポートする記法と、全クラスをインポートする記法を、混在させることもできます。

たとえば、java.utilパッケージとjava.ioパッケージの全クラスをインポートするには、次のように記述します。

```
<%@page import="java.util.*, java.io.*" %>
```

▐ JSPファイルの作成

インポートを使って、hello4.jspと同じ処理を記述してみましょう。次のJSPファイルを入力し、chapter7フォルダにhello5.jspとして保存してください。

List | 07-08 hello5.jsp

```
<%@page contentType="text/html; charset=UTF-8" %>
<%@include file="../header.html" %>

<%@page import="java.util.Date" %> ⋯⋯⋯⋯⋯⋯⋯⋯⋯⋯⋯⋯⋯⋯ ■1

<p>Hello!</p>
<p>こんにちは！</p>

<p><%=new Date() %></p> ⋯⋯⋯⋯⋯⋯⋯⋯⋯⋯⋯⋯⋯⋯⋯⋯⋯⋯ ■2

<%@include file="../footer.html" %>
```

　■1はpageディレクティブです。import属性を指定して、java.util.Dateクラスをインポートします。

　■2ではインポートしたDateクラスを使って、日時を表示します。java.util.というパッケージ名を省略することができます。

> ■ **JSPファイルの実行**
>
> ① ブラウザで、以下のURLを開いてください。
>
> **http://localhost:8080/book/chapter7/hello5.jsp**

07-07 | 宣言

　JSPでは宣言と呼ばれる記法を使って、メソッドや変数を宣言することができます。宣言を記述するには、変数やメソッドを宣言するJavaコードを<%!と%>で囲みます。

<%! 変数やメソッドの宣言 %>

■ メソッドの宣言

　1つのJSPファイル内で、何度も同じ処理を行う際には、処理をメソッドにまとめたいことがあります。宣言したメソッドは、スクリプトレットや式で呼び出すことができます。

　メソッドを宣言して利用するJSPファイルを作成してみましょう。2つの整数を加算するメソッドを宣言して利用する例です。

113

Fig | サンプルの実行画面

次のJSPファイルを入力し、chapter7フォル
ダにadd.jspとして保存してください。

List | 07-09 add.jsp

```
<%@page contentType="text/html; charset=UTF-8" %>
<%@include file="../header.html" %>

<%!
int add(int a, int b) {
    return a+b;                               ■1
}
%>

<p>1+2=<%=add(1, 2) %></p>                    ■2
<p>3+4=<%=add(3, 4) %></p>

<%@include file="../footer.html" %>
```

■1はメソッドの宣言です。JSPの宣言を使います。2つのint型の数値を加算した結果をint型
で返す、addメソッドを宣言しています。

■2はメソッドの呼び出しです。ここではJSPの式を使ってaddメソッドを呼び出し、1+2およ
び3+4を計算し、結果を表示しています。

■ JSPファイルの実行

① ブラウザで、以下のURLを開いてください。

  http://localhost:8080/book/chapter7/add.jsp

変数の宣言

変数を宣言するには、スクリプトレットで変数を宣言する方法と、JSPの宣言を使って宣言する方法の2種類があります。

前者と後者では、JSPから生成したサーブレットにおける変数の種類が異なります。スクリプトレットを使って定義した変数は、レスポンスを出力するメソッド（doGetやdoPostにあたる）のローカル変数になります。一方、JSPの宣言を使って宣言した変数は、サーブレットクラスのインスタンス変数になります。

わかりやすくいえば、スクリプトレット内で宣言された変数は、このJSPファイルが画面に表示されたら破棄されます。一方JSPの宣言による変数は、Tomcatが再起動されるまで破棄されません。以下のサンプルで確認してみましょう。

次のJSPファイルを入力し、chapter7フォルダにvariable.jspとして保存してください。

book
└ chapter7
　└ variable.jsp ◀········· このファイルを作成

List | 07-10 variable.jsp

```
<%@page contentType="text/html; charset=UTF-8" %>
<%@include file="../header.html" %>

<%! int countA=0; %>                               1
<%
    int countB=0;                                  2
    countA++;
    countB++;                                      3
%>

<p>宣言による変数countAは<%=countA%></p>
<p>スクリプトレット内の変数countBは<%=countB%></p>   4

<%@include file="../footer.html" %>
```

1 ではJSPの宣言を使って、変数countAを宣言しています。

続くスクリプトレット内では、**2** で変数countBを宣言し、**3** でcountAとcountBにそれぞれ1を足しています。

4 ではcountAとcountBの値を、JSPの式を使って出力しています。

■ JSPファイルの実行

① ブラウザで、以下のURLを開いてください。

http://localhost:8080/book/chapter7/variable.jsp

最初にアクセスしたときには、次のようにどちらの値も1と表示されます。

Fig｜1回目のアクセス

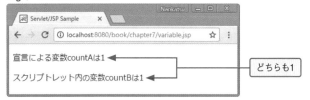

F5 キーなどでページを更新すると、スクリプトレットで宣言したcountBは1のままですが、JSPの宣言で宣言したcountAは1増えて2と表示されます。以後、画面を更新するたびにcountAは1ずつ増加していきます。別のブラウザからアクセスしても、変数の値が保持されていることが確認できます。

Fig｜2回目のアクセス

このように、JSPの宣言で宣言した変数の値はリクエストをまたいで保持されるほか、このJSPにアクセスするユーザーの間でも共有されます。このような性質の変数を不用意に使うと、Webアプリケーションが予想外の動作をすることがあるので、特別な場合を除いて、スクリプトレットで変数を宣言することをおすすめします。

なお、この話はサーブレットがシングルインスタンスで動作することと関連していますので、Chapter11のP.159の解説とあわせて読むと、より理解を深めていただけます。

▶ まとめ

本章では次の事柄を学びました。

- アプリケーションサーバはJSPからサーブレットを生成し、コンパイルして、サーブレットとして実行します。
- JSPは自動的にコンパイルされるため、サーブレットに比べて実行や修正が簡単です。
- pageディレクティブのcontentType属性を使って、JSPが出力するレスポンスのMIMEタイプと文字エンコーディングを設定します。
- pageディレクティブのimport属性を使って、クラスをインポートすることができます。

- JSPのコメントは、JSP独自の形式と、HTMLの形式のどちらでも記述できます。
- includeディレクティブを使って、JSPファイルに他のファイルを読み込むことができます。
- スクリプトレットを使うと、JSPにJavaプログラムを記述できます。
- 式を使うと、JSPにJavaの式を記述し、式の値を出力できます。
- スクリプトレットや式では、暗黙オブジェクトが使えます。
- 暗黙オブジェクトのoutは、レスポンスの出力に使います。
- 宣言を使って、メソッドや変数を宣言することができます。

　次章では、JSPからリクエストパラメータを取得して利用する方法を学びます。

練習問題 JSPを使って、乱数を表示するプログラムを作成してください。乱数はjava.lang.Mathクラスのrandomメソッドを使って生成します。生成した乱数を、スクリプトレットと式を使って表示してください。次の実行例では、上がスクリプトレットを使った表示で、下が式を使った表示です。

●乱数の表示

スクリプトレットにより
出力された乱数

式により出力された乱数

(1) JSPファイルは、book¥chapter7フォルダにrandom.jspというファイル名で保存してください。
(2) 実行は、ブラウザでhttp://localhost:8080/book/chapter7/random.jspを開いてください。

解答例

List | random.jsp

```
<%@page contentType="text/html; charset=UTF-8" %>
<%@include file="../header.html" %>

<p><% out.println(Math.random()); %></p> ──────────1

<p><%=Math.random() %></p> ──────────2

<%@include file="../footer.html" %>
```

　1はスクリプトレットを使用した表示です。Mathクラスのrandomメソッドを使って生成した乱数を、暗黙オブジェクトのoutとprintlnメソッドを使って出力します。
　2では、1と同様にrandomメソッドを使って生成した乱数を、式を使って出力します。1に比べて簡潔に記述することができます。
　ブラウザでページを更新するたびに、表示される乱数が変わることを確認してください。

08 JSPによるリクエストの処理とエラーページ

本章ではJSPでリクエストを処理する方法を学びます。ユーザが入力したデータを、リクエストパラメータとして取得し、利用するJSPファイルを作成します。また、JSPの実行中に例外が発生したときに、エラーページを表示する方法についても学びます。

08-01 │ JSPにおけるリクエストの処理

フォームから送信されたリクエストパラメータを、サーブレットで取得して処理する方法は、Chapter05と06で学びました。本章では、JSPからリクエストパラメータを取得して利用する方法を学びます。setCharacterEncodingメソッド（→P.70）でリクエストの文字エンコーディングを指定してから、getParameterメソッド（→P.69）でリクエストパラメータを取得するという流れは、サーブレットの場合と同じです。

■ リクエストパラメータを取得するプログラム

リクエストパラメータを取得する例として、テキストボックスに入力したデータを取得するプログラムを作成しましょう。テキストボックスに名前を入力して、確定ボタンを選択すると、「こんにちは、○○さん！」と表示するようなJSPファイルです。Chapter05で作成したサーブレット（→P.76）と同じ動作を、JSPで実現します。

Fig │ サンプルの実行画面

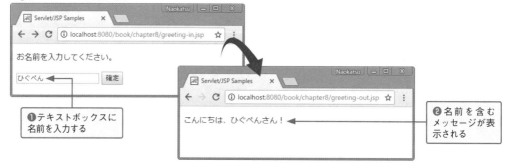

このプログラムは、入力用のテキストボックスを表示するJSPファイル（greeting-in.jsp）と、リクエストパラメータを取得してメッセージを表示するJSPファイル（greeting-out.jsp）の2つで構成されています。

　入力用のページをJSPファイルにすることの利点は、includeディレクティブ（→P.104）を利用することにより、複数のファイルに共通する部分を別のファイルから読み込めることです。HTMLを使うよりもJSPを使った方が、ファイルが簡潔になります。そこで本書では今後、入力用のページはJSPファイルにします。

作成するファイル

　まずbookフォルダの中にchapter8フォルダを作成し、その中に次のような内容のgreeting-in.jspとgreeting-out.jspを作成してください。

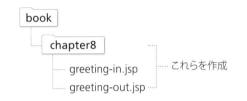

List | 08-01 greeting-in.jsp

```
<%@page contentType="text/html; charset=UTF-8" %>
<%@include file="../header.html" %>

<p>お名前を入力してください。</p>
<form action="greeting-out.jsp" method="post">　❶
<input type="text" name="user">　❷
<input type="submit" value="確定">
</form>

<%@include file="../footer.html" %>
```

　<form>タグのaction属性には、フォームが送信されたときに実行するJSPファイル（greeting-out.jsp）を指定します（❶）。また、フォームをPOSTリクエストを使って送信するために、method属性にpostを指定します。

　❷はテキストボックスです。name属性には、リクエストパラメータ名（user）を指定します。出力用のJSPファイルでは、この名前を使ってリクエストパラメータを取得します。

List | 08-02 greeting-out.jsp

```
<%@page contentType="text/html; charset=UTF-8" %>
<%@include file="../header.html" %>

<% request.setCharacterEncoding("UTF-8"); %>　❶
<p>こんにちは、<%=request.getParameter("user") %>さん！</p>　❷

<%@include file="../footer.html" %>
```

■1ではsetCharacterEncodingメソッドを使って、文字エンコーディングにUTF-8を指定します。

■2はリクエストパラメータの取得と、メッセージの出力です。greeting-in.jspの■2で指定したように、リクエストパラメータ名はuserなので、getParameterメソッドで取得し、式を使って表示しています。

■ **JSPファイルの実行**

① ブラウザで、以下のURLを開いてください。

http://localhost:8080/book/chapter8/greeting-in.jsp

08-02 | エラーページの出力

エラーページとは、JSPで例外が発生したときに表示するページのことです。P.78のサーブレットのサンプルではtry ～ catch文を使って、数値に変換できない文字がフォームに入力されたときにエラーメッセージを表示しました。スクリプトレットを使って同じ処理を記述することもできますが、JSPではエラーページを使った方が簡単です。

エラーページとは、何らかの例外が発生したときに表示されるページです。エラーページを指定するには、pageディレクティブのerrorPage属性を使います。

```
<%@page errorPage="エラーページのURL" %>
```

エラーページはJSPファイルやHTMLファイルとして作成します。本書ではJSPファイルとしてエラーページを作成することにします。ここでは次のような動作を行うJSPを作成します。

Fig | サンプルの実行画面

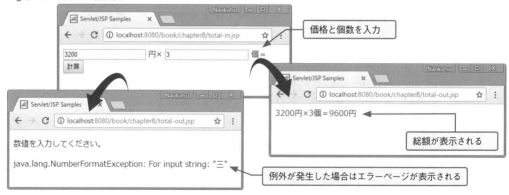

入力用と出力用のJSPファイル

　単価と個数を入力するためのJSPファイルと、これらを受け取って計算結果を表示するJSPファイルを作りましょう。chapter8フォルダに、次のような内容のtotal-in.jspとtotal-out.jspを作成してください。

List | 08-03 total-in.jsp

```jsp
<%@page contentType="text/html; charset=UTF-8" %>
<%@include file="../header.html" %>


<form action="total-out.jsp" method="post">                          ■1
<input type="text" name="price">                                    ■2
円×
<input type="text" name="count">                                    ■3
個=
<input type="submit" value="計算">
</form>


<%@include file="../footer.html" %>
```

　このフォームの送信先は「total-out.jsp」とします（■1）。価格と個数を入力するテキストボックスのname属性は、それぞれ「price」（■2）、「count」（■3）としましたので、リクエストパラメータはこれらの名前で送信されます。

List | 08-04 total-out.jsp

```jsp
<%@page contentType="text/html; charset=UTF-8" %>
<%@include file="../header.html" %>


<%@page errorPage="total-error.jsp" %>                              ■1


<%
request.setCharacterEncoding("UTF-8");
int price=Integer.parseInt(request.getParameter("price"));         ┐
int count=Integer.parseInt(request.getParameter("count"));         ┘■2
%>


<%=price %>円×<%=count %>個=<%=price*count %>円                     ■3


<%@include file="../footer.html" %>
```

■はエラーページの設定です。この設定により、JSPファイルの中で何らかの例外が発生した場合は「total-error.jsp」が表示されるようになります。

■ではリクエストパラメータを取得して、parseIntメソッドでint型に変換してから変数に代入しています。total-in.jspのフォームで、int型に変換できない文字が入力された場合は、NumberFormatExceptionが発生します。

■では、■で値を代入した変数を式の中で使うことで、総額を計算して出力しています。

■ エラーページの作成

エラーページはHTMLファイルでもかまいませんが、JSPファイルにすることでPageディレクティブのisErrorPage属性が利用できるようになります。isErrorPage属性を次のように記述すると、エラーページ内で暗黙オブジェクトのexceptionが使えるようになり、これを使って例外処理を記述することができます。

```
<%@page isErrorPage="true" %>
```

exceptionはjava.lang.Throwableクラスのインスタンスで、発生した例外が格納されています。

エラーページのJSPファイルを作成しましょう。次のJSPファイルを入力し、chapter8フォルダにtotal-error.jspとして保存してください。

book
chapter8
total-error.jsp ←············ これを作成

List | 08-05 total-error.jsp

```
<%@page contentType="text/html; charset=UTF-8" %>
<%@include file="../header.html" %>

<%@page isErrorPage="true" %> ·······················■

<p>数値を入力してください。</p>

<p><%=exception %></p> ·······················■

<%@include file="../footer.html" %>
```

■ではpageディレクティブのisErrorPage属性を記述して、暗黙オブジェクトexceptionを利用可能にしています。

■ではJSPの式を使ってexceptionを出力することにより、発生した例外のメッセージを表示します。

isErrorPage属性や、暗黙オブジェクトのexceptionは、どのエラーページでも必ず使わなけ

ればならないわけではありません。total-error.jspでは、isErrorPageやexceptionを使用してみるために、や**2**を記述しました。単純に「数値を入力してください。」のようなエラーメッセージを表示するだけならば、**1**や**2**の処理は不要です。

■ JSPファイルの実行

① ブラウザで、以下のURLを開いてください。

http://localhost:8080/book/chapter8/total-in.jsp

ユーザが数値以外を入力したり、空欄のまま送信したりすると、エラーページが表示されることを確認しましょう。

Column　スクリプトレットによる例外処理

エラーページを使わずに、スクリプトレットで例外処理を行うことも可能です。たとえばtotal-out.jspにおいて、以下のようなスクリプトレットを記述します。

```
<%
request.setCharacterEncoding("UTF-8");
try {
    int price=Integer.parseInt(request.getParameter("price"));
    int count=Integer.parseInt(request.getParameter("count"));
%>

<%=price %>円×<%=count %>個＝<%=price*count %>円

<%
} catch (NumberFormatException e) {
    out.println("<p>数値を入力してください。</p>");
    out.println(e);
}
%>
```

上記はtry-catch文を使った例外処理ですが、間にJSPの式を記述する都合上、スクリプトレットが2箇所に分断されてしまいました。この方法の利点はエラーページを作成しなくて済むことですが、エラーページを使った方が読みやすいJSPファイルになります。

▶ まとめ

本章では次の事柄を学びました。

- リクエストを操作するためには、暗黙オブジェクトのrequestを使います。
- エラーページを指定するには、pageディレクティブのerrorPage属性を使います。
- エラーページにおいてisErrorPage属性をtrueにすると、例外を表す暗黙オブジェクトのexceptionが使えます。

次章では画面遷移の方法を学びます。

練習問題 単価と個数から合計金額を表示するP.120のサンプルを参考に、単価と個数と送料から合計金額を表示するプログラムを作成してください。合計金額は次のような形式で表示します。

単価×個数+送料＝合計金額

Chapter05の練習問題（→P.82）では、サーブレットで同様のプログラムを実現しましたが、ここではJSPを用いて実現します。
入力用のJSPファイルはtotal2-in.jsp、出力用はtotal2-out.jspというファイル名で、book¥chapter8フォルダに保存してください。また、エラーページはP.122のtotal-error.jspを流用してください。

●サンプルの実行結果

単価、個数、送料の入力（入力用のページ）	
合計金額の表示（出力用のページ）	
エラーメッセージの表示（エラーページ）	

解答例

List | total2-in.jsp

```
<%@page contentType="text/html; charset=UTF-8" %>
<%@include file="../header.html" %>


<form action="total2-out.jsp" method="post">
<input type="text" name="price">
円×
<input type="text" name="count">
個＋送料
<input type="text" name="delivery">
円＝
<input type="submit" value="計算">
</form>


<%@include file="../footer.html" %>
```

List | total2-out.jsp

```
<%@page contentType="text/html; charset=UTF-8" %>
<%@include file="../header.html" %>


<%@page errorPage="total-error.jsp" %>


<%
request.setCharacterEncoding("UTF-8");
int price=Integer.parseInt(request.getParameter("price"));
int count=Integer.parseInt(request.getParameter("count"));
int delivery=Integer.parseInt(request.getParameter("delivery"));
%>


<%=price %>円×<%=count %>個＋送料<%=delivery %>円＝
<%=price*count+delivery %>円


<%@include file="../footer.html" %>
```

Chapter

09 いろいろな画面遷移

本章では、サーブレットやJSPファイルから、他のサーブレットやJSPファイルに、画面遷移を行う方法を学びます。ここでいう画面遷移とは、サーブレットのAPIを使ってページを切り替えることを指します。画面遷移の方法としては、フォワード、インクルード、リダイレクトがあります。

09-01 | フォワード

フォワードとは、あるサーブレットやJSPから、他のサーブレットやJSPに処理を移行する機能です。フォワードを行うことで、他のサーブレットやJSPにレスポンスの出力を任せます。

フォワードは次のように動作します。

Fig | フォワード

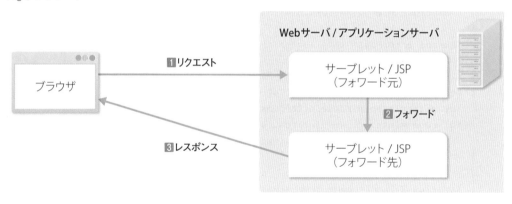

次のように、サーブレット/JSPのいろいろな組み合わせの間で、フォワードを行うことができます。

① サーブレット ➡ サーブレット
② サーブレット ➡ JSP
③ JSP ➡ サーブレット
④ JSP ➡ JSP

フォワード先に処理が移った後には、フォワード元には戻りません。フォワード元に戻りた

い場合には、09-02で学ぶインクルードを使います。

■ サーブレットからJSPへのフォワード

　実際のWebアプリケーションでよく利用されるのは、サーブレットからJSPへのフォワードです。Chapter01で学んだように、サーブレットはJavaプログラムによる処理を行うのに向いていて、JSPはHTMLを出力するのに向いています。そのため、サーブレットでリクエストパラメータなどの処理を行い、その結果をJSPに渡してレスポンスに出力する、という役割分担を行うことがよくあります。

　サーブレットの処理結果をJSPに渡す方法は、Chapter16で解説します。本章では、サーブレットとJSPの間でデータの受け渡しは行わずに、まずは簡単なフォワードの動作だけを行います。

■ JSPからの画面遷移

　サーブレットから画面遷移を行うのと同じ方法で、JSPからも画面遷移を行うことができます。サーブレットに記述するのと同様のプログラムを、JSPのスクリプトレットを用いて記述すれば、画面遷移の処理が可能です。

　一方で、JSPでフォワードやインクルードを行うために、アクションタグと呼ばれる機能が用意されています。アクションタグについてはChapter20で解説します。リダイレクトを行う場合には、Chapter22で解説するJSTLを使う方法があります。

■ RequestDispatcherインタフェース

　フォワードやインクルードを行うには、jakarta.servlet.RequestDispatcherインタフェースを使います。RequestDispatcherインタフェースで宣言されているメソッドは、次の2つだけです。

Table | **RequestDispatcherインタフェースのメソッド**

メソッド	機能
void **forward**(ServletRequest request, ServletResponse response)	フォワードを行います
void **include**(ServletRequest request, ServletResponse response)	インクルードを行います

　RequestDispatcherオブジェクトは、リクエストを表すHttpServletRequestインタフェース（→P.51）の、getRequestDispatcherメソッドを使って取得します。

▌ getRequestDispatcherメソッド

宣　言 ： RequestDispatcher **getRequestDispatcher**(String path)
機　能 ： 引数のパスへ遷移するRequestDispatcherオブジェクトを取得します。

　引数は、フォワード先のサーブレットやJSPファイルのパスです。
　アプリケーションサーバ内部にあるサーブレットやJSPファイルだけを、フォワード先に指定することができます。別のサーバにあるリソース（サーブレット、JSPファイル、その他の種類のファイル）を開きたいときには、フォワードやインクルードではなく、リダイレクトを使います（→P.134）。

▌ forwardメソッド

　フォワードを行うには、RequestDispatcherインタフェースのforwardメソッドを使います。

▌ forwardメソッド

宣　言 ： void **forward**(ServletRequest request, ServletResponse response)
　　　　　　　　throws ServletException, IOException
機　能 ： フォワードを行います。

　フォワード先の指定は、前述のgetRequestDispatcherメソッドで行い、forwardメソッドではフォワード先を指定しません。
　forwardメソッドの引数はdoGetやdoPostメソッドと似ていますが、少し違います。

ServletRequest request
　jakarta.servlet.ServletRequestオブジェクトを指定します。ServletRequestはdoGetやdoPostで使用しているHttpServletRequestのスーパーインタフェースなので、HttpServletRequestオブジェクトを指定することもできます。

ServletResponse response
　jakarta.servlet.ServletResponseオブジェクトを指定します。同じくServletResponseはHttpServletResponseのスーパーインタフェースなので、HttpServletResponseオブジェクトを指定することもできます。

▌ フォワードを行うプログラム

　サーブレットからJSPへフォワードするプログラムを作成してみましょう。このプログラムはサーブレットとJSPファイルに分かれています。
　ブラウザからサーブレットを開くと、サーブレットはJSPへのフォワードを行います。JSPは「フォワード先のJSPファイルです。」というメッセージを表示します。

Fig | サンプルの実行画面

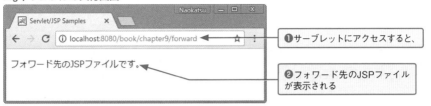

　まずはフォワードを行うサーブレットを作成しましょう。WEB-INF¥srcフォルダの中にchapter9フォルダを作成し、その中に次のような内容のForward.javaを作成してください。

```
src
  └ chapter9
        └ Forward.java  ┈ これらを作成する
```

List | 09-01 Forward.java

```java
package chapter9;

import java.io.IOException;
import jakarta.servlet.ServletException;
import jakarta.servlet.http.*;
import jakarta.servlet.annotation.WebServlet;

@WebServlet(urlPatterns={"/chapter9/forward"})
public class Forward extends HttpServlet {

    public void doGet (
        HttpServletRequest request, HttpServletResponse response
    ) throws ServletException, IOException {
        request.getRequestDispatcher("forward.jsp") ┈┈┈┈┈┈┈ ①
            .forward(request, response); ┈┈┈┈┈┈┈ ②
    }

}
```

　①はRequestDispatcherオブジェクトの取得です。getRequestDispatcherメソッドを使います。フォワード先には、後ほど作成するforward.jspを指定します。

　②はforwardメソッドの呼び出しです。doGetメソッドの引数であるrequestとresponseを、forwardメソッドの引数に指定します。

　Forward.javaでは、①のRequestDispatcherオブジェクトの取得と、②のforwardメソッドの呼び出しを、1つの文にまとめて記述しています。

```
request.getRequestDispatcher("forward.jsp").forward(request, response);
```

取得したRequestDispatcherオブジェクトを、次のように変数に保存すれば、2つの文に分けることもできます。

```
RequestDispatcher rd=request.getRequestDispatcher("forward.jsp");
rd.forward(request, response);
```

この場合は、以下のようにRequestDispacherクラスをインポートする必要があります。

```
import jakarta.servlet.RequestDispacher;
```

どちらの記法を使ってもかまいません。

▶ フォワード先のパス

フォワード先のパスは、次のような2つの記法があります。

Table | パスの書き方

	機能	例
/で始まらない	フォワード元からの相対パス	forward.jsp
/で始まる	コンテキストルートからのパス	/chapter9/forward.jsp

「フォワード元からの相対パス」の考え方については、P.32を参照してください。

Forward.javaでは、簡潔なファイル名だけのパス（forward.jsp）を使っています。フォルダの階層を明示したい場合は、コンテキストルートからのパスを使うとよいでしょう。

■ JSPファイルの作成

フォワード先のJSPファイルを作成しましょう。bookフォルダの中にchapter9フォルダを作成し、その中に次のようなforward.jspを作成してください。

List | 09-02 forward.jsp

```
<%@page contentType="text/html; charset=UTF-8" %>
<%@include file="../header.html" %>

<p>フォワード先のJSPファイルです。</p>

<%@include file="../footer.html" %>
```

このJSPでは「フォワード先のJSPファイルです。」というメッセージを表示しているだけです。

■ コンパイルと実行

① 「compile」ウィンドウでソースファイルをコンパイルします。

compile chapter9¥Forward.java

② 「tomcat」ウィンドウでTomcatを再起動してから、以下のURLをブラウザで開きます。

http://localhost:8080/book/chapter9/forward

09-02 | インクルード

インクルードもフォワードと同じく、あるサーブレットやJSPから、他のサーブレットやJSPを呼び出す機能です。フォワードとは違い、呼び出されたサーブレット/JSPの処理が終わると、呼び出し元のサーブレット/JSPに処理が戻ります。フォワードとの決定的な違いは、インクルードする側のサーブレット/JSPがレスポンスを出力するということです。

インクルードが役立つのは、複数のサーブレットやJSPファイルを組み合わせてレスポンスを出力するような場合です。呼び出し元のサーブレット／JSPに処理が戻るので、複数のファイルの出力をどのように組み合わせるのかを、呼び出し元で制御することができます。

Fig | 複数のサーブレット／ JSPファイルをインクルードする

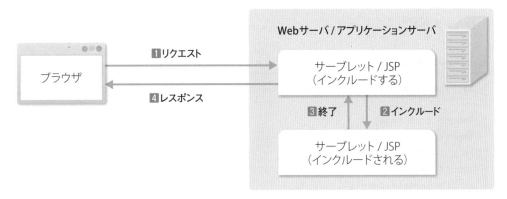

■ includeメソッド

インクルードを行うには、RequestDispatcherインタフェース（→P.127）のincludeメソッドを使います。

❚ includeメソッド

宣　言　： void **include**(ServletRequest request, ServletResponse response)
　　　　　　 throws ServletException, IOException

宣　言　： インクルードを行います。

　インクルードする対象の指定は、getRequestDispatcherメソッド（→P.128）で行います。引数の構成はforwardメソッドと同じです。

❚ インクルードを行うプログラム

　サーブレットから複数のJSPをインクルードするプログラムを作成してみましょう。

Fig ❘ サンプルの実行画面

　まずはインクルードを行うサーブレットを作成しましょう。次のプログラムを入力し、WEB-INF¥src¥chapter9フォルダにInclude.javaとして保存してください。

List ❘ 09-03 Include.java

```java
package chapter9;

import tool.Page;
import java.io.IOException;
import java.io.PrintWriter;
import jakarta.servlet.ServletException;
import jakarta.servlet.http.*;
import jakarta.servlet.annotation.WebServlet;

@WebServlet(urlPatterns={"/chapter9/include"})
public class Include extends HttpServlet {

    public void doGet (
        HttpServletRequest request, HttpServletResponse response
    ) throws ServletException, IOException {
```

```
            response.setContentType("text/html; charset=UTF-8");
            PrintWriter out=response.getWriter();

            Page.header(out);
            request.getRequestDispatcher("include1.jsp")
                .include(request, response);
            request.getRequestDispatcher("include2.jsp")
                .include(request, response);
            Page.footer(out);
        }
    }
```

　前述のとおり、インクルードでは呼び出し元でレスポンスを出力するため、サーブレット側でHTMLを組み立てています。

　1の部分で2つのJSPファイルの内容を取り込んでいます。getRequestDispatcherメソッドでRequestDispatcherオブジェクトを取得してから、includeメソッドを使います。インクルードの対象には、後で作成するinclude1.jspとinclude2.jspを指定します。パスの記法は、フォワードの場合と同じです。

📝 JSPファイルの作成

　インクルードされる2つのJSPファイルを作成しましょう。各ファイルを次のような内容で作成し、book¥chapter9フォルダに保存してください。

```
book
　└─ chapter9
　　　├─ include1.jsp ┄┄┄ これらを作成
　　　└─ include2.jsp
```

List | 09-04 include1.jsp

```
<%@page contentType="text/html; charset=UTF-8" %>
<p>include1.jspの内容です<p>
```

List | 09-05 include2.jsp

```
<%@page contentType="text/html; charset=UTF-8" %>
<p>include2.jspの内容です</p>
```

　レスポンスの出力はサーブレット側で行いますので、これまでJSPファイルにいつも記述していたincludeディレクティブは不要です。

■ コンパイルと実行

① 「compile」ウィンドウでソースファイルをコンパイルします。

compile chapter9¥Include.java

② 「tomcat」ウィンドウでTomcatを再起動してから、以下のURLをブラウザで開きます。

http://localhost:8080/book/chapter9/include

　フォワードとインクルードのどちらを使っても、サーブレットとJSPを連携させることができます。本書では今後、フォワードを使ってサーブレットとJSPを連携させます。

09-03 | リダイレクト

　リダイレクトは、サーブレットやJSPがレスポンスを出力する代わりに、指定したWebページをブラウザに開かせる機能です。ユーザから見ると、サーブレット/JSPのURLを開いたにもかかわらず、別のURLを開いたように見えます。

　リダイレクトは次のように動作します。

Fig | リダイレクトの仕組み

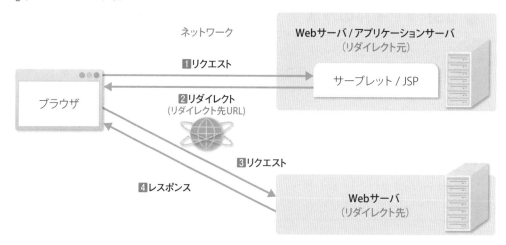

　図における ❶〜❹ は、詳しくは次のような動作です。

❶ ブラウザがリクエストを送信すると、リダイレクト元のサーブレット/JSPが実行されます。

❷ リダイレクトを行うと、リダイレクト先のURLがブラウザに送信されます。

❸ ブラウザはリダイレクト先にリクエストを送信します。

❹ リダイレクト先はブラウザにレスポンスを返します。

　一般に、最初に指定したURLとは別のURLにブラウザを誘導することを、リダイレクトと呼びます。リダイレクトはWebサイトを引っ越したときなどに使います。古いWebサイトを開いたときに、新しいWebサイトにリダイレクトすることによって、ユーザを新しいWebサイトに誘導します。

　サーブレット/JSPにおいては、レスポンスを出力する代わりに別のWebページを表示したい場合などに、リダイレクトを使うことができます。

■ リダイレクトの仕組み

　リダイレクトは、Webサーバやアプリケーションサーバが、ブラウザに特別なステータスコード(→P.173)を返すことによって実現します。HTTPには、リダイレクトを表すステータスコードがいくつか用意されています。よく使用されるのはステータスコード301と302です。

301 (Moved Permanently)

　リクエストしたWebページなどが、恒久的に移動しているときに使うステータスコードです。Webサイトを引っ越したときには、このステータスコードを使います。

302 (Found)

　リクエストしたWebページなどが、一時的に移動しているときに使うステータスコードです。サーブレット/JSPのリダイレクト機能は、このステータスコードを使います。

　サーブレット/JSPでリダイレクト機能を使うと、ブラウザにリダイレクトを表すステータスコード (302) と、リダイレクト先のURLが返ります。ステータスコードを受け取ったブラウザは、リダイレクト先として指示されたURLを開きます。したがって、リダイレクトを行う場合には、ブラウザとアプリケーションサーバの間で1往復、そしてブラウザと移動先のサーバの間で1往復と、合計2往復の通信を行うことになります。

　フォワードやインクルードは、ブラウザとアプリケーションサーバの間の通信が1往復で済みます。そのため、2往復の通信が必要となるリダイレクトよりも、効率よく処理できます。可能な場合には、リダイレクトではなく、フォワードやインクルードを使うのがおすすめです。

　リダイレクトが役立つのは、サーブレット/JSPが動作しているアプリケーションサーバ内部のリソースではなく、外部のリソースを利用したいときです。フォワードやインクルードでは、外部のリソースを利用することはできないので、リダイレクトを使います。

■ sendRedirectメソッド

　リダイレクトを行うには、jakarta.servlet.http.HttpServletResponseインタフェースのsendRedirectメソッドを使います。

▍sendRedirectメソッド

宣言 ： void **sendRedirect**(String location)
　　　　throws java.io.IOException
機能 ： 引数で指定されたURLにリダイレクトします。

　sendRedirectメソッドの引数は、リダイレクト先のURLです。このURLは、絶対URL、ドキュメント相対URL、サイトルート相対URLのいずれかで指定します（→P.32）。注意が必要なのは、/から始まるサイトルート相対URLです。サイトルート相対URLは、そのURLが記述されたドキュメントが配置されているサイトの最上位（サーバのURL）を起点として、フォルダやファイルのURLを示します。したがって、たとえばchapter9フォルダのforward.jspにリダイレクトするには、以下のURLを指定します。

/book/chapter9/forward.jsp

　一方、フォワードやインクルードにおいて、/から始まるパスを指定した場合には、コンテキストルートからのパスになります。したがって、chapter9フォルダのforward.jspをフォワードやインクルードの対象にするには、以下のパスを指定します。

/chapter9/forward.jsp

　このように、アプリケーションサーバ内部のリソースを指定する場合には、リダイレクトのURLとフォワード/インクルードのパスの記法の違いに、注意する必要があります。

■ リダイレクトを行うプログラム

　アプリケーションサーバ外部のWebページにリダイレクトするサーブレットを作成してみましょう。ブラウザでサーブレットを開くと、Apache TomcatのWebページ（https://tomcat.apache.org/）にリダイレクトします。

Fig｜サンプルの実行画面

サーブレットにアクセスすると、リダイレクト先のWebサイトが表示される

次のプログラムを入力し、book¥WEB-INF¥src¥chapter9フォルダにRedirect.javaとして保存してください。

List | 09-06 Redirect.java

```java
package chapter9;

import java.io.IOException;
import jakarta.servlet.ServletException;
import jakarta.servlet.http.*;
import jakarta.servlet.annotation.WebServlet;

@WebServlet(urlPatterns={"/chapter9/redirect"})
public class Redirect extends HttpServlet {

    public void doGet (
        HttpServletRequest request, HttpServletResponse response
    ) throws ServletException, IOException {
        response.sendRedirect("https://tomcat.apache.org/"); ─────1
    }
}
```

1ではリダイレクトを行います。リダイレクト先のURL（https://tomcat.apache.org/）を、sendRedirectメソッドの引数に指定します。

リダイレクトを行う場合、サーブレット/JSPはレスポンスを出力してはいけません。上記のサーブレットでも、リダイレクトだけを行い、レスポンスの出力は行いません。

■ **コンパイルと実行**

① 「compile」ウィンドウでソースファイルをコンパイルします。

compile chapter9¥Redirect.java

② 「tomcat」ウィンドウでTomcatを再起動してから、以下のURLをブラウザで開きます。

http://localhost:8080/book/chapter9/redirect

▶ まとめ

本章では次の事柄を学びました。

- ・ フォワードは、サーブレット/JSPから他のサーブレット/JSPに処理を移行する機能です。
- ・ インクルードは、サーブレット/JSPから他のサーブレット/JSPを呼び出す機能です。
- ・ リダイレクトは、指定したWebページをブラウザに開かせる機能です。
- ・ アプリケーションサーバの内部で画面遷移を行う場合には、一般にフォワードかインクルード
  を使います。
- ・ アプリケーションサーバの外部に画面遷移を行う場合には、リダイレクトを使います。

次章ではサーブレットの前処理、後処理を行うためのフィルタについて学びます。

練習問題 サーブレットからJSPにフォワードする09-01のプログラム（→P.128）を参考に、サーブレットからサーブレットにフォワードするプログラムを作成してください。次の2つのサーブレットをbook¥WEB-INF¥src¥chapter9フォルダ以下に作成します。

種類	ソースファイル	URL
フォワード元	ForwardFrom.java	/chapter9/forward-from
フォワード先	ForwardTo.java	/chapter9/forward-to

フォワード元のサーブレットを開くと、フォワードが行われます。フォワード先のサーブレットが、「フォワード先のサーブレットです。」というメッセージを表示します。

● 実行画面

フォワード先のサーブレットが
表示するメッセージ

解答例

List | ForwardFrom.java

```java
package chapter9;

import java.io.IOException;
import jakarta.servlet.ServletException;
import jakarta.servlet.http.*;
import jakarta.servlet.annotation.WebServlet;
```

```
@WebServlet(urlPatterns={"/chapter9/forward-from"})
public class ForwardFrom extends HttpServlet {
    public void doGet (
        HttpServletRequest request, HttpServletResponse response
    ) throws ServletException, IOException {
        request.getRequestDispatcher("forward-to") ············· 1
            .forward(request, response);
    }
}
```

Forward.java (→P.129) との違いは、1でフォワード先をforward-toにすることです。forward-toは、次に作成するフォワード先のサーブレットのパスです。

List | ForwardTo.java

```
package chapter9;

import tool.Page;
import java.io.IOException;
import java.io.PrintWriter;
import jakarta.servlet.ServletException;
import jakarta.servlet.http.*;
import jakarta.servlet.annotation.WebServlet;

@WebServlet(urlPatterns={"/chapter9/forward-to"})
public class ForwardTo extends HttpServlet {
    public void doGet (
        HttpServletRequest request, HttpServletResponse response
    ) throws ServletException, IOException {
        response.setContentType("text/html; charset=UTF-8");
        PrintWriter out=response.getWriter();

        Page.header(out);
        out.println("フォワード先のサーブレットです。");
        Page.footer(out);
    }
}
```

ここで行っているのは、「フォワード先のサーブレットです。」というメッセージの出力のみです。レスポンスの出力はこちらのサーブレットから行われます。

Chapter

10 フィルタの作成

　本章ではフィルタについて学びます。フィルタとは、サーブレットやJSPを実行する前後に、指定した処理を実行するための機能です。フィルタを使うと、複数のサーブレットやJSPに共通する処理をまとめることができます。

10-01 | フィルタとは

　フィルタはサーブレットフィルタとも呼ばれます。アプリケーションサーバは、サーブレットやJSPを実行する前後にフィルタを自動実行しますので、共通の処理を記述しておけば、プログラムのコード量を減らすことができます。

Fig | フィルタの概念

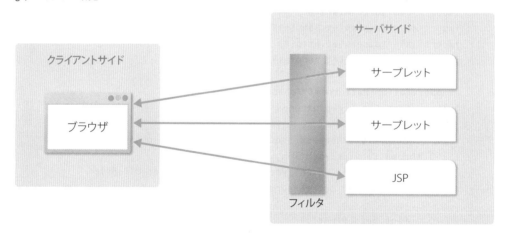

　複数のサーブレットやJSPに共通する処理の例としては、setContentTypeメソッドによる、レスポンスに対する文字エンコーディングやMIMEタイプの設定（→P.55）があります。また、setCharacterEncodingメソッドによる、リクエストに対する文字エンコーディングの設定（→P.70）も同様です。本書では多くのサーブレットを作成しますが、上記のような処理はすべてのサーブレットに共通しています。

　サーブレットのプログラムから共通の処理を追い出すと、プログラムを簡潔にすることができます。複数のサーブレットについて、**開始時に行う前処理**と**終了時に行う後処理**が共通している場合、どちらの処理もフィルタにまとめることが可能です。

Fig | フィルタの効用

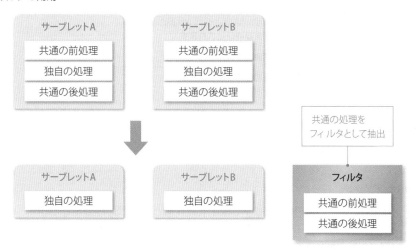

フィルタを適用する対象は、サーブレットと同様にURLパターンで指定します。URLパターンの書き方によっては、サーブレットやJSPだけではなく、HTMLファイルや画像ファイルなどにフィルタを適用することも可能です。

フィルタとしてまとめる処理の他の例としては、認証、ログの記録、データの変換などもあります。

10-02 | フィルタの作成方法

フィルタの作成手順は、これまで解説してきたサーブレットとは作成方法が違い、使用するAPIも違います。サンプルを紹介する前に、フィルタ作成のおおまかな手順とAPIについて解説します。

Filterインタフェース

フィルタを作成するには、jakarta.servlet.Filterインタフェースを実装したクラスを宣言します。

Filterインタフェースはフィルタの基本機能を提供するもので、内部には次の3つのメソッドが宣言されています。メソッド内に処理を記述するかどうかに関わらず、これらのメソッドは3つともオーバーライドする必要があります。

Table | Filterインタフェースのメソッド

メソッド	機能
init	フィルタの開始時に1回だけ呼び出されます
doFilter	フィルタの適用時に毎回呼び出されます
destroy	フィルタの終了時に1回だけ呼び出されます

▶ doFilterメソッド

フィルタで行う主要な処理は、doFilterメソッドに記述します。

▌ doFilterメソッド

宣　言　：　public void **doFilter**(ServletRequest request, ServletResponse response,
　　　　　　 FilterChain chain) throws IOException, ServletException

機　能　：　フィルタが適用されたときに呼び出されます。

最初の2つの引数は、forwardメソッド（→P.128）と同じく、jakarta.servlet.ServletRequest、jakarta.servlet.ServletResponseのインスタンスです。doGetやdoPostの引数と同じように使用できます。

3番目の引数chainは、jakarta.servlet.FilterChainインタフェースのインスタンスです。この引数を使って、フィルタの終了時に行う後処理を実行します。詳細は後述します。

▶ initメソッドとdestroyメソッド

initメソッドとdestroyメソッドは、フィルタ処理の最初と最後に1回ずつだけ呼ばれます。

▌ initメソッド

宣　言　：　void **init**(FilterConfig filterConfig) throws ServletException

機　能　：　フィルタの開始時に呼ばれます。

▌ destroyメソッド

宣　言　：　void **destroy**()

機　能　：　フィルタの終了時に呼ばれます。

initメソッドの引数は、jakarta.servlet.FilterConfigインタフェースのオブジェクトです。FilterConfigインタフェースは、フィルタの初期化パラメータを取得するために使います。フィルタの初期化パラメータについては、P.288で解説します。

FilterChainインタフェース

1つのサーブレットやJSPファイルに対して、複数のフィルタを連続して適用することができます。このフィルタチェーンという機能を制御するのが、jakarta.servlet.FilterChainインタフェースです。このインタフェースには、次のメソッドだけが宣言されています。

doFilterメソッド

宣　言 ： void **doFilter**(ServletRequest request, ServletResponse response)
　　　　　 throws java.io.IOException, ServletException

機　能 ： 次のフィルタを呼び出します。現在のフィルタがチェーンの最後である場合には、リクエストされたリソース（サーブレットやJSPなど）を呼び出します。

注意しなければならないのは、FilterインタフェースとFilterChainインタフェースの両方にdoFilterメソッドがあるということと、適用するフィルタが1つしかなくても、上記のdoFilterメソッドを実行しないと、リクエストされたサーブレットやJSPが呼び出されないということです。後者については少しわかりにくいので、サンプルの中で解説します。

適用するURLの指定

フィルタを適用する範囲を設定するには、アノテーションを使用する方法と、web.xmlを使用する方法の2種類があります。

WebFilterアノテーション（jakarta.servlet.annotation.WebFilter）で指定する場合は、次のような形式で、フィルタのクラス宣言の直前に記述します。

書式 WebFilterアノテーション

@WebFilter(urlPatterns={"URLパターン"})

URLパターンの記法は、サーブレットの場合（→P.48）と同じです。たとえばWebアプリケーション全体に適用するには、次のように「/*」というURLパターンを使います。

```
@WebFilter(urlPatterns={"/*"})
```

複数のフィルタを適用する場合、WebFilterアノテーションではフィルタの順番を指定できません。順番を指定したい場合は、web.xmlを使います（→P.147）。

10-03 │ 文字エンコーディングとMIMEタイプを設定するフィルタ

　本書で作成するサーブレットやJSPでは、リクエストとレスポンスに関して、文字エンコーディングやMIMEタイプの設定を行う必要があります。この設定の処理を行うフィルタを作成して、動作を確認してみましょう。

■ フィルタプログラムの作成

　まず、フィルタのプログラムを作成します。このフィルタは、chapter10パッケージではなく、toolパッケージに分類することにします。chapter10パッケージにしても、フィルタは問題なく動作するのですが、以後の章で作成するサーブレットやJSPにも適用するフィルタなので、toolパッケージにすることにしました。

　次のプログラムを入力して、toolフォルダにEncodingFilter.javaというファイル名で保存してください。

src
　tool
　　EncodingFilter.java ◀---------- このファイルを作成

List | 10-01 EncodingFilter.java

```java
package tool;

import java.io.IOException;
import jakarta.servlet.Filter;
import jakarta.servlet.FilterChain;
import jakarta.servlet.FilterConfig;
import jakarta.servlet.ServletException;                          ┐
import jakarta.servlet.ServletRequest;                            │ 1
import jakarta.servlet.ServletResponse;                          ┘
import jakarta.servlet.annotation.WebFilter;

@WebFilter(urlPatterns={"/*"})                                    2
public class EncodingFilter implements Filter {                   3

    public void doFilter(
        ServletRequest request, ServletResponse response,
        FilterChain chain
    ) throws IOException, ServletException {
        request.setCharacterEncoding("UTF-8");                    4
        response.setContentType("text/html; charset=UTF-8");      5
        System.out.println("フィルタの前処理");                      6

        chain.doFilter(request, response)                         7

        System.out.println("フィルタの後処理");                      8
    }
```

```
    public void init(FilterConfig filterConfig) {}
    public void destroy() {}                                    9
}
```

フィルタのプログラムでは、Filter、FilterChain、FilterConfigの各インタフェース、およびdoFilterの引数や例外となる各種クラスをインポートします（**1**）。

2はWebFilterアノテーションです。URLパターンを/*にすることによって、このフィルタを本書で作成するすべてのサーブレットとJSPファイルに適用します。

フィルタのクラスでは、Filterインタフェースを実装して、doFilter、init、destroyの3つのメソッドをオーバーライドします（**3**）。

doFilterメソッドでは、setCharacterEncodingメソッドでリクエストの文字エンコーディングを設定し（**4**）、続いてsetContentTypeメソッドでレスポンスのMIMEタイプと文字エンコーディングを設定しています（**5**）。

6と**8**では、動作確認のためのメッセージをコンソールに出力しています。

7ではFilterChainインタフェースのdoFilterメソッドを実行しています。前述のとおり、このメソッドは次に実行すべきフィルタがあればそれを実行し、なければ、リクエストされたサーブレットやJSPファイルを呼び出します。つまり、実行すべきフィルタが1つしかない現状では、**4**、**5**、**6**がフィルタの前処理となり、**7**でサーブレットやJSPが呼び出された後、**8**が後処理として実行されることになります。

Fig｜フィルタの処理

```
public void doFilter(
    ServletRequest request, ServletResponse response,
    FilterChain chain
) throws IOException, ServletException {
    サーブレットやJSPの呼び出し前に行う処理
    chain.doFilter(request, response);
    サーブレットやJSPの呼び出し後に行う処理
}
```

initメソッドとdestroyメソッドでは、何も処理を行いません（**9**）。

■ サンプルサーブレットの作成

次に、動作を確認するためのサーブレットを作成します。WEB-INF¥srcフォルダの中にchapter10フォルダを作成し、その中に以下のようなFilterSample.javaを作成してください。

List | 10-02 FilterSample.java

```java
package chapter10;

import java.io.IOException;
import jakarta.servlet.ServletException;
import jakarta.servlet.http.*;
import jakarta.servlet.annotation.WebServlet;

@WebServlet(urlPatterns={"/chapter10/filter-sample"})
public class FilterSample extends HttpServlet {

    public void doGet (
        HttpServletRequest request, HttpServletResponse response
    ) throws ServletException, IOException {
        System.out.println("サーブレットの処理");  ················ 1
    }
}
```

このサーブレットは、1で確認用のメッセージをコンソールに出力しているだけです。

■ コンパイルと実行

① 「compile」ウィンドウでフィルタをコンパイルします。
   compile tool¥EncodingFilter.java
② 同じく「compile」ウィンドウでサーブレットをコンパイルします。
   compile chapter10¥FilterSample.java
③ 「tomcat」ウィンドウでTomcatを再起動してから、以下のURLをブラウザで開きます。
   http://localhost:8080/book/chapter10/filter-sample

実行すると、「tomcat」ウィンドウに次のように表示され、EncodingFilter.javaの6と8の出力の間に、FilterSample.javaの1が出力されていることが確認できます。

フィルタの前処理
サーブレットの処理
フィルタの後処理

また、P.64のHello4.javaの以下の行をコメントアウトして、コンパイルし直してください。

```java
// response.setContentType("text/html; charset=UTF-8");
```

続いて、ブラウザでこのサーブレットを開き、文字化けしないことを確認してください。

以後はこのフィルタを使って、サーブレットでは文字エンコーディングやMIMEタイプを設定する処理を省略し、プログラムを簡潔にします。ただし現状では、サーブレットやJSPを実行するたびに、メッセージがコンソールに出力されます。出力を止めるには、EncodingFilter.javaの**6**と**8**をコメントアウトした上で、コンパイルし直してください。

 省略できないPageディレクティブ

EncodingFilterを使用することにより、サーブレットのプログラムにおいて、setCharacterEncodingメソッドとsetContentTypeメソッドの記述を省略することができます。しかし、JSPにおいて省略できるのは、setCharacterEncodingメソッドだけです。

P.103で解説したとおり、JSPではレスポンスのMIMEタイプと文字エンコーディングを、PageディレクティブのcontentType属性で指定します。

```
<%@page contentType="text/html; charset=UTF-8" %>
```

これはsetContentTypeメソッドを実行するのと同じ動作をしますが、JSPファイル自体を読み込む際の文字エンコーディングの指定も兼ねています。そのため、上記の記述を省略するとJSPファイルが正しく読み込めなくなり、文字化けするので注意しましょう。

10-04 | 複数のフィルタを使う

ここではフィルタチェーンを使って、複数のフィルタを適用する方法について解説します。

Fig | フィルタチェーン

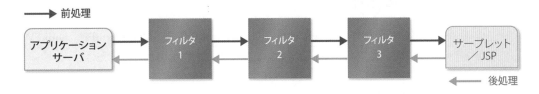

複数のフィルタがある場合には、前処理と後処理のそれぞれにおいて、複数のフィルタが順番に実行されます。前処理と後処理では、フィルタの実行順序が逆になります。

また、複数のフィルタの実行順序は、WebFilterアノテーションでは指定することができないため、web.xmlの利用が必須になります。

■ サンプルの概要

ここではChapter03のHello.javaに2つのフィルタを適用するサンプルを作成します。あまり実用的なものではありませんが、それぞれのフィルタの前処理と後処理がどのような順番で実行されるかを確認してください。作成するフィルタは次のような処理を行います。

▶ 1個目のフィルタ (HelloFilter.java)

前処理ではレスポンスに[HelloFilter(pre)]と出力し、後処理では[HelloFilter(post)]と出力します。

▶ 2個目のフィルタ (HelloFilter2.java)

前処理ではレスポンスに[HelloFilter2(pre)]と出力し、後処理では[HelloFilter2(post)]と出力します。

2個のフィルタをHelloFilter、HelloFilter2の順番で適用した状態で、Chapter03のサーブレット (→P.38) を実行すると、次のように表示されます。

Fig | サンプルの実行結果

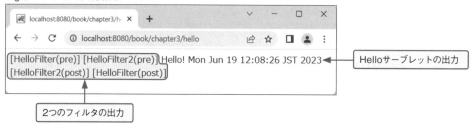

■ web.xmlの記述

まずweb.xmlにフィルタを登録します。Chapter04で作成したweb.xmlを、book¥WEB-INFフォルダから開いて、web-app要素の中に以下の**1**と**2**を追加してください。

List | 10-03 web.xmlに追加する

```
<web-app xmlns="https://jakarta.ee/xml/ns/jakartaee"
    xmlns:xsi="http://www.w3.org/2001/XMLSchema-instance"
    xsi:schemaLocation="https://jakarta.ee/xml/ns/jakartaee
    https://jakarta.ee/xml/ns/jakartaee/web-app_6_0.xsd"
    version="6.0">

…省略…
```

```
<filter>
    <filter-name>hellofilter</filter-name>
    <filter-class>chapter10.HelloFilter</filter-class>
</filter>
<filter-mapping>
    <filter-name>hellofilter</filter-name>
    <url-pattern>/chapter3/hello</url-pattern>
</filter-mapping>

<filter>
    <filter-name>hellofilter2</filter-name>
    <filter-class>chapter10.HelloFilter2</filter-class>
</filter>
<filter-mapping>
    <filter-name>hellofilter2</filter-name>
    <url-pattern>/chapter3/hello</url-pattern>
</filter-mapping>

</web-app>
```

1

2

フィルタの登録方法も、使用する要素が違うだけで、サーブレットの登録方法と同じです。
■がHelloFilterの登録、■HelloFilter2の登録です。各要素内に記述するものは、次のような
意味を持っています。

```
<filter>
    <filter-name>フィルタ名</filter-name>
    <filter-class>クラス</filter-class>
</filter>
<filter-mapping>
    <filter-name>フィルタ名</filter-name>
    <url-pattern>URLパターン</url-pattern>
</filter-mapping>
```

▶フィルタ名

web.xmlの中で、フィルタを指定するための名前です。filter要素とfilter-mapping要素に、
同じ名前を記述します。

▶クラス

フィルタのクラスを、パッケージ名.クラス名の形式で指定します。

▶ URLパターン

フィルタを適用するURLを指定します。記法はWebServletアノテーション（→P.48）と同じで、コンテキストルートからのパスを記述します。ここではどちらのフィルタもHelloサーブレットのみに適用するので「/chapter3/hello」としています。

なお、**フィルタが適用される順番は**filter-mapping要素の記述順です。上記ではHelloFilterを先に記述していますが、HelloFilter2を先に記述するとHelloFilter2→HelloFilterの順に適用されるようになります。

■ フィルタのプログラム

次に2つのフィルタのソースファイルをsrc¥chapter10フォルダの中に作成します。ほとんど同じ内容なので、HelloFilter.javaを作成した後に、コピーしてHellFilter2.javaを作成するとよいでしょう。

```
src
  └ chapter10
      ├ HelloFilter.java
      └ HelloFilter2.java  ……これらを作成
```

List | 10-04 HelloFilter.java

```java
package chapter10;

import java.io.PrintWriter;
import java.io.IOException;
import jakarta.servlet.Filter;
import jakarta.servlet.FilterChain;
import jakarta.servlet.FilterConfig;
import jakarta.servlet.ServletException;
import jakarta.servlet.ServletRequest;
import jakarta.servlet.ServletResponse;

public class HelloFilter implements Filter {                          ①

    public void doFilter(
        ServletRequest request, ServletResponse response,
        FilterChain chain
    ) throws IOException, ServletException {
        PrintWriter out=response.getWriter();

        out.println("[HelloFilter(pre)]");                           ②
        chain.doFilter(request, response);                           ③
        out.println("[HelloFilter(post)]");                          ④
    }
```

```
    public void init(FilterConfig config) {}
    public void destroy() {}
}
```

プログラムの基本的な流れはEncodingFilter.javaと同じですが、今回はweb.xmlを使うので、クラス宣言の直前にWebFilterアノテーションを記述しません（**1**）。

2では前処理として[HelloFilter(pre)]の文字を出力しています。

今回は次に実行するフィルタとしてHelloFilter2を登録してありますので、FilterChainインタフェースのdoFilterメソッドを実行すると、HelloFilter2が呼ばれます（**3**）

そしてHelloFilter2の後処理が終わると、**4**が実行されて[HelloFilter(post)]の文字をレスポンスに出力します。つまりHelloFilterの後処理は、HelloFilter2の後処理が終わってから実行されるというわけです。

List | 10-05 HelloFilter2.java

```
…省略…

public class HelloFilter2 implements Filter {
    public void doFilter(
        ServletRequest request, ServletResponse response,
        FilterChain chain
    ) throws IOException, ServletException {
        PrintWriter out=response.getWriter();

        out.println("[HelloFilter2(pre)]");
        chain.doFilter(request, response);
        out.println("[HelloFilter2(post)]");
    }
    public void init(FilterConfig config) {}
    public void destroy() {}
}
```

HelloFilter.javaとの違いは、赤字の部分のみです。

■ コンパイルと実行

① 「compile」ウィンドウで、2つのフィルタをコンパイルします。

compile chapter10¥HelloFilter.java

compile chapter10¥HelloFilter2.java

② 「tomcat」ウィンドウでTomcatを再起動してから、以下のURLをブラウザで開きます。

http://localhost:8080/book/chapter3/hello

10-05 | フィルタの解除

最後にフィルタの解除方法について解説しておきます。

WebFilterアノテーションを使用している場合は、フィルタのソースファイルを開き、次のように実際には使用しないダミーのパスを記述してから、再コンパイルします。

```
@WebFilter(urlPatterns={"/dummy"})
```

web.xmlを使用している場合は、解除したいフィルタのfilter-mapping要素をコメントアウトします。XMLのコメントの記述方法はHTMLと同じで、<!--と-->を使用します。以下はP.149のHelloFilterを解除する例です。

```
<!--
<filter-mapping>
    <filter-name>hellofilter</filter-name>
    <url-pattern>/chapter3/hello</url-pattern>
</filter-mapping>
-->
```

このようにWebFilterアノテーションの場合は、ソースファイルを修正した上で再コンパイルする必要があります。web.xmlの場合は、コメントアウトして保存すれば、自動的にリロードされて変更が有効になります。もしフィルタの付け外しを頻繁に行うならば、web.xmlに記述するのがおすすめです。

▶まとめ

本章では次の事柄を学びました。

・ フィルタを使うと、複数のサーブレットやJSPに共通する処理をまとめることができます。
・ フィルタを作成するには、Filterインタフェースを実装したクラスを宣言します。
・ フィルタのURLは、WebFilterアノテーション、またはweb.xmlで指定します。
・ フィルタの処理は、doFilterメソッドに記述します。
・ フィルタチェーンは、複数のフィルタを連続して適用するための機能です。

次章からは、サーブレット/JSPに関するさらに広範な知識を学んでいきます。

Part
→

02

応用編

11 サーブレットの詳細

本章ではサーブレットがどのように動作しているかについて学びます。特にライフサイクルの理解は、サーブレットのプログラムを書くうえで欠かせません。これまでの章の内容に比べると座学の要素が強くなりますが、しばらくおつきあいください。

11-01 | サーブレットのライフサイクル

サーブレットのライフサイクルとは、サーブレットが起動してから終了するまでの経過のことです。これまでに作成したサーブレットでは、リクエストの処理を行うためのdoGetメソッドやdoPostメソッドを記述しました。これらのメソッドはGETリクエストやPOSTリクエストが来たときに自動的に実行されますが、自動実行されるメソッドはこれだけではありません。ここではサーブレットの起動時や終了時に実行されるメソッドについて学ぶとともに、実際にサーブレットを作成して、これらのメソッドの動作を確認します。

サーブレットのライフサイクルは以下のとおりです。サーブレットの状態と、各状態において呼び出されるサーブレットクラスのメソッドを示しました。

Fig | サーブレットのライフサイクル

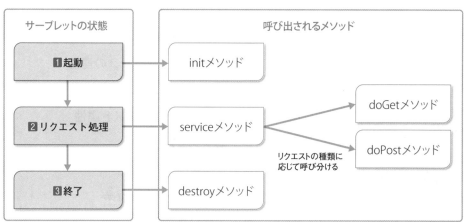

▶ ① 起動

サーブレットの起動時には、アプリケーションサーバがサーブレット（HttpServletクラス）のインスタンスを生成し、initメソッドを呼び出します。initメソッドは起動時に一度だけ実行され、初期化パラメータ（→P.284）の読み込みなどを行います。

▌ initメソッド

宣 言 ： public void **init**() throws ServletException
機 能 ： サーブレットの起動時に呼び出されるメソッドです。

▶ ② リクエスト処理

　サーブレットに対するリクエストを受信すると、アプリケーションサーバはserviceメソッドを呼び出します。serviceメソッドは、受信したリクエストの種類に応じて、いくつかのメソッドを呼び分けます。GETリクエストを受信した場合にはdoGetメソッドを、POSTリクエストを受信した場合にはdoPostメソッドを呼び出します。GETやPOST以外のリクエストに関しても、対応するメソッドが用意されています。

▌ serviceメソッド

宣 言 ： protected void **service**(
　　　　　HttpServletRequest request, HttpServletResponse response
　　　） throws ServletException, IOException
機 能 ： サーブレットがリクエストを処理する際に呼び出されるメソッドです。

 Column ## 2つのserviceメソッド

　HttpServletクラスのJavaDocを調べると、上記で紹介したもののほかに、次のようなserviceメソッドも存在することがわかります。

```
public void service(ServletRequest request, ServletResponse response)
```

　これはスーパークラスであるGenericServletクラスのabstractメソッドを、HttpServletクラスでオーバーライドしたものです。このメソッドは本文で紹介したprotectedなserviceメソッドを呼び出します。いずれのserviceメソッドも、通常のサーブレットではオーバーライドする必要はありません。

▶ ③ 終了

　サーブレットの終了時には、アプリケーションサーバはdestroyメソッドを呼び出した後に、サーブレットのインスタンスを削除します。destroyメソッドは終了時に一度だけ実行されます。

▌ destroyメソッド

宣 言 ： public void **destroy**()
機 能 ： サーブレットの終了時に呼び出されるメソッドです。

　initメソッドとdestroyメソッドは、HttpServletクラスのスーパークラスであるGenericServletクラス (jakarta.servlet.GenericServlet) で宣言されています。またserviceメソッドは、

GenericServletクラスでabstractメソッドとして宣言され、HttpServletクラスでオーバーライドされています。

Fig | GenericServletクラスとHttpServletクラス

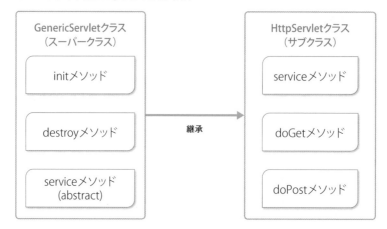

init、service、destroyの各メソッドをオーバーライドすると、各メソッドが呼び出されるタイミングで、サーブレットに任意の処理をさせることができます。

■ サーブレットのクラス階層

サーブレットを作成するときに継承するHttpServletクラスは、クラス名にHttpと付いているとおり、HTTP用のサーブレットです。一般にサーブレットはHTTPを利用しますが、サーブレットの仕組みはHTTP以外のプロトコルにも対応できるように作られています。

前述のとおり、HttpServletクラスは、GenericServletクラスを継承しています。GenericServletクラスは、HTTPに限定されない汎用的なサーブレットを表します。

GenericServletクラスは、Servletインタフェースを実装しています。Servletインタフェースは、あらゆるサーブレットに必要なメソッドを宣言します。

Servletインタフェース、GenericServletクラス、HttpServletクラス、そして独自のサーブレットクラスの階層関係を以下に示します。

Fig | サーブレットのクラス階層

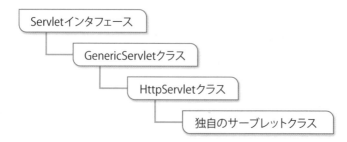

ライフサイクルのプログラム

　サーブレットのライフサイクルを確認するプログラムを作成しましょう。init、service、doGet、destroyの各メソッドをオーバーライドして、簡単なメッセージを表示させることによって、各メソッドが特定のタイミングで呼び出されることを確認します。

　WEB-INF¥srcフォルダの中にchapter11フォルダを作成し、LifeCycle.javaを作成してください。

src
└ chapter11
　　└ LifeCycle.java ……… これらを作成

List | 11-01 LifeCycle.java

```java
package chapter11;

import java.io.IOException;
import jakarta.servlet.ServletException;
import jakarta.servlet.http.*;
import jakarta.servlet.annotation.WebServlet;

@WebServlet(urlPatterns={"/chapter11/life-cycle"})
public class LifeCycle extends HttpServlet {

    public void init() throws ServletException {
        System.out.println("init");                                    ■1
    }

    public void service(
        HttpServletRequest request, HttpServletResponse response
    ) throws ServletException, IOException {
        System.out.println("service");                                 ■2
        super.service(request, response);
    }

    public void doGet (
        HttpServletRequest request, HttpServletResponse response
    ) throws ServletException, IOException {
        System.out.println("doGet");                                   ■3
    }

    public void destroy() {
        System.out.println("destroy");                                 ■4
    }
}
```

　■1はサーブレットの起動時に呼び出されるinitメソッドです。ここではinitメソッドが実行されたことを確認するために、「init」と表示します。

157

2はリクエスト処理時に呼び出されるserviceメソッドです。「service」と表示します。この
メソッドをオーバーライドする場合は、スーパークラス（HttpServletクラス）のserviceメソッ
ドを、次のようにsuperキーワードを使って呼び出さなければなりません。

```
super.service(request, response);
```

呼び出されたスーパークラスのserviceメソッドは、リクエストの種類に応じて、doGetメソッ
ドやdoPostメソッドを呼び出します。
doGetメソッドでは、「doGet」と表示します（**3**）。
4はサーブレットの終了時に呼び出されるdestroyメソッドです。「destroy」と表示します。

■ コンパイルと実行

① 「compile」ウィンドウでソースファイルをコンパイルします。
compile chapter11¥LifeCycle.java
② 「tomcat」ウィンドウでTomcatを再起動してから、以下のURLをブラウザで開きます。
http://localhost:8080/book/chapter11/life-cycle

このサーブレットをブラウザで開いても、画面には何も表示されません。その代わり、
「tomcat」ウィンドウ（Tomcat用のコマンドプロンプト）に、次のように表示されます。これは
サーブレットのインスタンスが生成され、リクエストを処理するまでに実行されたメソッドを
示します。

```
init
service
doGet
```

ブラウザでページを更新すると、次のように表示されます。これはサーブレットが再びリク
エストを処理したことを示します。initメソッドは呼ばれないので、先ほど生成されたサーブ
レットのインスタンスが、再利用されていることがわかります。

```
service
doGet
```

Tomcatを終了させると、次のように表示されます。これはサーブレットが終了したことを
示します。

```
destroy
```

11-02 ｜ シングルインスタンス・マルチスレッド

　サーブレットの起動時には、アプリケーションサーバがサーブレットのクラスファイルを読み込み、サーブレットのインスタンスをメモリ上に作成して、サーブレットを実行します。前述のようにサーブレットの起動と終了には時間がかかるため、**一度サーブレットを起動したら、起動済みのサーブレットを再利用します**。最初にサーブレットに対するリクエストを受信した際にサーブレットを起動し、以後は起動済みのサーブレットを利用してリクエストを処理します。

　さて、実際のWebサイトは、複数のユーザが同時に利用することが一般的です。したがって、起動済みのサーブレットのインスタンスは、同時に複数のユーザに利用される可能性があります。サーブレットはマルチスレッドを使って、複数のユーザに対するリクエストを、並行して処理します。

　以上をまとめると、サーブレットは次のように動作します。

・各リクエストあるいは各ユーザに対してインスタンスを作成するのではなく、1つのインスタンスを再利用します。

・複数のユーザから受信したリクエストを、マルチスレッドを使って並行処理します。

　上記のように、サーブレットは1つのインスタンスがマルチスレッドで動作します。この動作の形式のことを「シングルインスタンス・マルチスレッド」と呼びます。

Fig ｜ シングルインスタンス・マルチスレッド

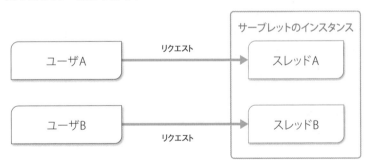

同時操作の問題

　サーブレットはマルチスレッドで動作するので、一般的なマルチスレッドプログラミングにおける注意点を、サーブレットを開発する際にも考慮する必要があります。マルチスレッドプログラミングで注意すべきなのは、変数などの資源を、複数のスレッドが同時に操作する可能性があるということです。

そのため、たとえば以下のような問題が発生します。これは1つのカウンタを2人のユーザが同時に操作すると、カウンタが不適切な値になる場合です。

Fig | 同時操作の問題

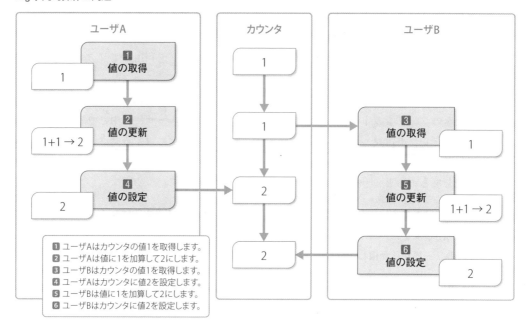

1 ユーザAはカウンタの値1を取得します。
2 ユーザAは値に1を加算して2にします。
3 ユーザBはカウンタの値1を取得します。
4 ユーザAはカウンタに値2を設定します。
5 ユーザBは値に1を加算して2にします。
6 ユーザBはカウンタに値2を設定します。

2人のユーザがカウンタを1ずつ加算したにもかかわらず、カウンタは1から2になり、1しか加算されていません。これはユーザAがカウンタに新しい値を設定する前に、ユーザBがカウンタから古い値を取得してしまったことが原因です。複数のユーザが同時に資源を利用する場合、タイミングが悪いとこのような問題が起きる可能性があります。

■ 同時操作の問題があるプログラム

マルチスレッドの問題が起きることを、実際にプログラムを作成して確認してみましょう。カウンタを1ずつ加算するサーブレットです。このサーブレットは次のように動作します。

・カウンタの値を取得します。
・時間待ちを行います。
・カウンタの値を更新します。

カウンタを取得してから設定するまでの間に、故意に時間待ちを入れます。このサーブレットの動きは、実際のアプリケーションにおいて、サーバにかかる負荷が重く処理に時間がかかっているときの動きに似せています。

　複数のブラウザでサーブレットを開き、わずかに前後してページを更新すると、カウンタの値が不適切になります。たとえばカウンタが8の状態から、2つのブラウザでページを更新すると、本来はカウンタが10になるべきところが、9になります。

Fig | カウンタにおける同時操作の問題

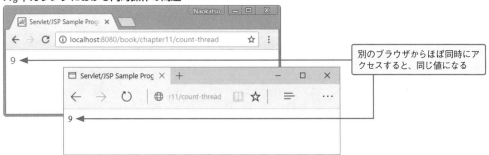

　上記の実験を行う際には、たとえばChromeとEdgeのように、2種類のブラウザを使って2枚のウィンドウを開いてください。1つのブラウザ、たとえばChromeで同じサーブレットに対して2枚のウィンドウ（またはタブ）を開いた場合には、片方のウィンドウの処理が終了するまで、もう片方の処理は待機するので、カウンタの値が不適切になりません。

　以下がサーブレットのプログラムです。src¥chapter11フォルダの中に作成してください。

src
└─ chapter11
　　└─ CountThread.java ◄┄┄ このファイルを作成

List | 11-02 CountThread.java

```java
package chapter11;

import tool.Page;
import java.io.IOException;
import java.io.PrintWriter;
import jakarta.servlet.ServletException;
import jakarta.servlet.http.*;
import jakarta.servlet.annotation.WebServlet;

@WebServlet(urlPatterns={"/chapter11/count-thread"})
public class CountThread extends HttpServlet {
    int count; ─────────────────────────────────────1

    public void doGet (
        HttpServletRequest request, HttpServletResponse response
    ) throws ServletException, IOException {
        PrintWriter out=response.getWriter();
        Page.header(out);
```

```
        int i=count;                                   2
        try {
            Thread.sleep(3000);                        3
        } catch (InterruptedException e) {}
        count=i+1;
        out.println(count);                            4

        Page.footer(out);
    }
}
```

1はカウンタの値を保持する変数countです。countはサーブレットクラス（CountThreadクラス）のインスタンス変数です。前述のように、サーブレットは1つのインスタンスをマルチスレッドで実行します。したがって、countは複数のスレッドによって共有されます。

2ではカウンタの値を取得します。ローカル変数iにcountの値を代入します。ローカル変数はスレッドごとに個別に用意されます。複数のスレッドに共有されることはありません。

3はjava.lang.Threadクラスのsleepメソッドを使った時間待ちです。待ち時間は3000ミリ秒（3秒）としました。

4ではカウンタの値を更新します。**2**で取得した値に1を加算して、countに代入します。

■ コンパイルと実行

① 「compile」ウィンドウでソースファイルをコンパイルします。

compile chapter11¥CountThread.java

② 「tomcat」ウィンドウでTomcatを再起動してから、以下のURLをブラウザで開きます。

http://localhost:8080/book/chapter11/count-thread

 スレッド間における資源の共有

インスタンス変数やクラス変数はスレッド間で共有されますが、ローカル変数はスレッドごとに用意されます。インスタンス変数やクラス変数を操作する場合には、同時操作の問題を考慮する必要があります。一方、ローカル変数だけを操作する場合には、同時操作の問題を考慮しなくても構いません。

スレッド間の共有について考慮が必要なのは、変数だけではありません。サーバ上のファイルやデータベースなどについても、スレッド間で共有される可能性について考慮する必要があります。

▊ 同時操作への対策

同時操作の問題に対策するには、ユーザAがカウンタに値を設定するまで、ユーザBにカウンタから値を取得するのを待機させます。

Fig | 同時操作への対策

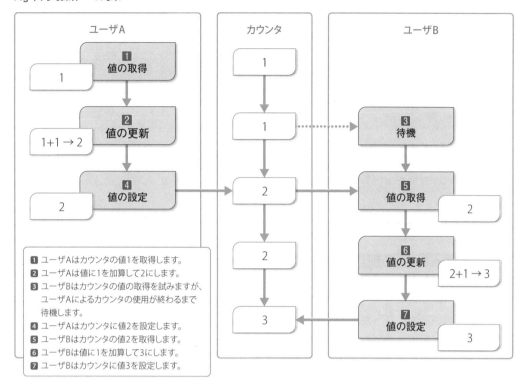

上記の手順では、ユーザAのスレッドが処理をしている間、ユーザBのスレッドを待機させます。このように、あるスレッドが処理をしている間、別のスレッドを待機させることによって、同時に資源を操作しないように制御することを、**排他制御**と呼びます。

Javaで排他制御を行う方法としては、synchronizedキーワードを使う方法があります。synchroniedキーワードの使い方としては、synchronizedブロックと、synchronizedメソッドが選べます。

▶ synchronizedブロック

次のようなブロックを記述すると、ブロック内の処理を同時に実行できるスレッドを1つだけに制限できます。

```
synchronized（オブジェクト）{
    処理
}
```

オブジェクトは実行の権利を管理するために使います。複数のスレッドに同時に操作させたくない資源（オブジェクト）を指定しますが、簡単にthis（現在スレッドが実行している処理が属するオブジェクト）を指定することもできます。

▶ **synchronizedメソッド**

　メソッドの宣言にsynchronizedキーワードを付加すると、そのメソッドを同時に実行できるスレッドを1つだけに制限できます。

```
synchronized メソッド(...) {
    ...
}
```

　後ほど練習問題において、CountThread.javaに対してsynchronizedブロックを追加し、同時操作への対策を実施してみます。

■ スレッドセーフ

　マルチスレッドで並行に実行しても正常に動作することを、スレッドセーフと呼びます。本章で作成したカウンタのプログラム（CountThread.java）は、スレッドセーフではありません。このカウンタのように、複数のスレッドから同一の資源（変数や属性など）を操作する場合には、排他制御を適切に行わないと、スレッドセーフにすることはできません。

　プログラム内のローカル変数、およびメソッドやコンストラクタなどの引数は、スレッドセーフです。また、後述するリクエスト属性（→P.245）やページ属性（→P.247）も、スレッドセーフです。他の変数や属性はスレッドセーフではないので、スレッドセーフにするには排他処理を記述する必要があります。

▶ まとめ

　本章では次の事柄を学びました。

- ・ サーブレットの起動時にはinitメソッド、終了時にはdestroyメソッドが呼び出されます。
- ・ リクエスト処理時にはserviceメソッドが呼び出され、リクエストの種類に応じてdoGetメソッドやdoPostメソッドが呼び出されます。
- ・ サーブレットはシングルインスタンス・マルチスレッドの方式で動作します。
- ・ サーブレットはマルチスレッドで動作するので、同時操作の問題に注意する必要があります。

　次章ではHTTPのリクエストとレスポンスについて詳しく学びます。

練習問題 P.161のCountThread.javaに対して、synchronizedブロックによる排他制御を追加することで、別のブラウザで同時にアクセスしても問題なくカウントアップするようにしてください。
　サーブレットのソースファイルは、book¥WEB-INF¥src¥chapter11フォルダに、CountThread2.javaというファイル名で保存してください。

解答例

List | CountThread2.java

```java
package chapter11;

import tool.Page;
import java.io.IOException;
import java.io.PrintWriter;
import jakarta.servlet.ServletException;
import jakarta.servlet.http.*;
import jakarta.servlet.annotation.WebServlet;

@WebServlet(urlPatterns={"/chapter11/count-thread2"})
public class CountThread2 extends HttpServlet {
    int count;

    public void doGet (
        HttpServletRequest request, HttpServletResponse response
    ) throws ServletException, IOException {
        PrintWriter out=response.getWriter();
        Page.header(out);

        synchronized (this) {
            int i=count;
            try {
                Thread.sleep(3000);
            } catch (InterruptedException e) {}        ■
            count=i+1;
            out.println(count);
        }

        Page.footer(out);
    }
}
```

　synchronizedブロック (■) に指定するオブジェクトは、this (CountThread2インスタンス) にしました。synchronizedブロック内の処理は、同時に1つのスレッドだけが実行できます。他のスレッドは、現在実行しているスレッドの実行が終わるまで待機します。
　ここでは以下の一連の処理を、synchronizedブロックで囲んでいます。

(1) カウンタから値を取得する
(2) 値を加算する
(3) カウンタに値を設定する
(4) カウンタの値を表示する

　(4) の処理はsynchronizedブロックで囲む必要がないのですが、囲んだ方がCountThread.javaからの変更が少なくなるので、ここでは(4) も囲むことにしました。

HTTPのリクエストと
レスポンス

本章ではHTTPのリクエストとレスポンスの詳細について学びます。サーブレットのプログラミングでは、リクエストやレスポンスの詳細は隠蔽されていて、プログラマが直接操作する必要はありません。しかし、HTTPプロトコルの詳細を知っておくと、サーブレットの動作に対する理解が深まりますし、デバッグ時の問題解決にも役立ちます。

12-01 | リクエスト

まずはHTTPリクエストの詳細について述べます。サーブレットAPIには、リクエストやレスポンスでやりとりされるデータを取得するために、たくさんのメソッドが用意されています。本章ではこれらについてもあわせて紹介します。

HTTPのリクエストは、次のような構造のテキストデータです。

Fig | HTTPリクエスト（POSTの場合）

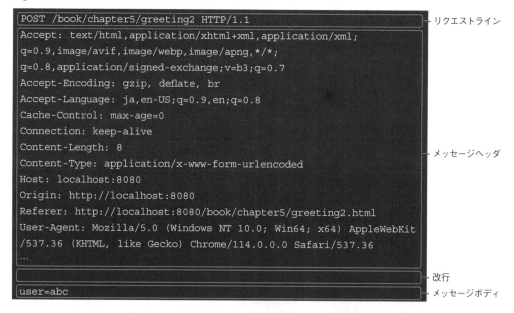

```
POST /book/chapter5/greeting2 HTTP/1.1                              ── リクエストライン
Accept: text/html,application/xhtml+xml,application/xml;
q=0.9,image/avif,image/webp,image/apng,*/*;
q=0.8,application/signed-exchange;v=b3;q=0.7
Accept-Encoding: gzip, deflate, br
Accept-Language: ja,en-US;q=0.9,en;q=0.8
Cache-Control: max-age=0
Connection: keep-alive
Content-Length: 8
Content-Type: application/x-www-form-urlencoded                     ── メッセージヘッダ
Host: localhost:8080
Origin: http://localhost:8080
Referer: http://localhost:8080/book/chapter5/greeting2.html
User-Agent: Mozilla/5.0 (Windows NT 10.0; Win64; x64) AppleWebKit
/537.36 (KHTML, like Gecko) Chrome/114.0.0.0 Safari/537.36
…
                                                                    ── 改行
user=abc                                                            ── メッセージボディ
```

上記はPOSTリクエストの例です。GETリクエストの場合は、リクエストラインとメッセージヘッダだけで、改行とメッセージボディはありません。

また、POSTリクエストの場合、**リクエストパラメータはメッセージボディに格納されます**。

上記ではリクエストパラメータ名userに、値abcが設定されています。

■ リクエストライン

リクエストラインには、メソッド（リクエストの種類）、URI（URL）、HTTPのバージョンが記述されます。以下はGETリクエストのリクエストラインの例です。

GET　　/book/chapter12/request2?p1=v1&p2=v2　HTTP/1.1
メソッド　　　　　　　　　　　リソースのURI　　　　　　　　　　　HTTPのバージョン

前述のとおり、GETリクエストのリクエストパラメータは、リソースのURIに含まれます。jakarta.servlet.HttpServletRequestインタフェースは、リクエストラインの情報を取得するために、以下のようなメソッドを提供しています。これらのメソッドには、いずれも引数はありません。以下の表では、上記のリクエストラインに対して各メソッドを呼び出した際に取得できる情報を、取得情報の例として示しました。

Table | リクエストラインの情報を取得するメソッド

メソッド名	取得情報の例	内容
String **getMethod**()	GET	メソッド（リクエストの種類）
String **getRequestURI**()	/book/chapter12/request2	リクエストされたURI
String **getContextPath**()	/book	コンテキストパス
String **getServletPath**()	/chapter12/request2	サーブレットのパス
String **getQuerySring**()	p1=v1&p2=v2	すべてのリクエストパラメータ。GETリクエストの場合のみ。POSTの場合はnullになる
String **getProtocol**()	HTTP/1.1	プロトコル（HTTPのバージョン）

URL、URN、URIとは

URL（Uniform Resource Locator）、URN（Uniform Resource Name）、URI（Uniform Resource Identifier）は、いずれもリソース（データやサービスなどの資源）を識別するための記法です。主にインターネット上のリソースに対して使われます。3種類の用語には、次のような違いがあります。

URL：リソースの場所を識別します。

URN：リソースの名前を識別します。

URI：URLとURNを包括する概念です。URLまたはURNという用語を使う代わりに、いずれもURIと呼ぶことができます。

■ メッセージヘッダ

メッセージヘッダの各行には、以下の形式を使って、リクエストに関するいろいろな情報が記載されています。これらを**ヘッダフィールド**と呼びます。

名前: 値

主なヘッダフィールドには次のようなものがあります。以下でコンテンツとは、メッセージボディに格納されているデータのことです。

Table | **主なヘッダフィールド（リクエスト）**

名前	内容
Accept	ブラウザが処理できるMIMEタイプの一覧
Accept-Language	ブラウザが対応する言語
Cache-Control	キャッシュを利用するかどうか
Connection	接続を持続するかどうか
Content-Length	コンテンツのバイト数
Content-Type	コンテンツのMIMEタイプ
Host	サーバの情報（ホスト名とポート番号）
Referer	参照元のWebページのURL
User-Agent	ブラウザの種類
Cookie	サーバに送信されるクッキー

HttpServletRequestインタフェースは、ヘッダフィールドの名前や値を取得するために、次のようなメソッドを提供しています。

▌getHeaderメソッド

宣　言 :　String **getHeader**(String name)
機　能 :　指定した名前のヘッダフィールドの値を取得します。

▌getHeadersメソッド

宣　言 :　Enumeration<String> **getHeaders**(String name)
機　能 :　指定した名前のヘッダフィールドのすべての値を取得します。Accept-Languageのように、複数の値が設定される可能性があるヘッダフィールドに対して使います。

▌getHeaderNamesメソッド

宣　言 :　Enumeration<String> **getHeaderNames**()
機　能 :　リクエストに含まれるすべてのヘッダフィールドの名前を取得します。

■ メッセージボディ

GETリクエストの場合には、メッセージボディは空です。POSTリクエストの場合には、メッセージボディにリクエストパラメータが格納されています。

HttpServletRequestインタフェースは、メッセージボディの情報を取得するために、次のようなメソッドを提供しています。

▌ getReaderメソッド

宣 言 ： BufferedReader **getReader**() throws IOException
機 能 ： メッセージボディを文字データとして読み込むためのストリームを取得します。文字エンコーディングの変換を行います。

▌ getInputStreamメソッド

宣 言 ： ServletInputStream **getInputStream**() throws IOException
機 能 ： メッセージボディをバイナリデータとして読み込むためのストリームを取得します。文字エンコーディングの変換は行いません。

上記のメソッドは、ストリームを使ってメッセージボディを読み込むときに使います。いずれか一方のメソッドだけを呼び出すことができます。

ただし、リクエストパラメータを取得するだけなら、getParameterメソッド (→P.69) を使った方が簡単です。getReaderメソッドとgetInputStreamメソッドは、メッセージボディにリクエストパラメータ以外のデータ (たとえばアップロードされたファイルなど) が格納されている場合に使います。

■ URLの情報を取得するメソッド

HttpServletRequestインタフェースは、URLの情報を取得するためのメソッドも提供しています。これらのメソッドには、いずれも引数はありません。以下の表では、下記のURLに関して各メソッドを呼び出した際に取得できる情報を、取得情報の例として示しました。

```
http://localhost:8080/book/chapter12/request2?p1=v1&p2=v2
```

Table | URLの情報を取得するメソッド

メソッド名	取得情報の例	内容
String **getRequestURL**()	http://localhost:8080/book/chapter12/request2	リクエストしたURL
String **getScheme**()	http	リクエストのスキーム (httpやhttps)
String **getServerName**()	localhost	リクエストの送信先サーバ名
int **getServerPort**()	8080	リクエストの送信先ポート番号

■ その他の情報

HttpServletRequestインタフェースは、その他の情報を取得するために、次のようなメソッドを提供しています。

Table | HttpServletRequestインタフェースのその他のメソッド

メソッド名	解説
String **getRemoteAddr**()	リクエスト送信元（クライアント）のIPアドレスを取得します
String **getRemoteHost**()	リクエスト送信元（クライアント）のホスト名を取得します
int **getRemotePort**()	リクエスト送信元（クライアント）のポート番号を取得します
String **getLocalAddr**()	リクエスト送信先（サーバ）のIPアドレスを取得します
String **getLocalName**()	リクエスト送信先（サーバ）のホスト名を取得します
int **getLocalPort**()	リクエスト送信先（サーバ）のポート番号を取得します

■ リクエスト情報を取得するサーブレット

HttpServletRequestインタフェースのメソッドを使って、リクエストの情報を取得するサーブレットを作成してみましょう。このサーブレットを実行すると、次のような情報を表示します。

Fig | サンプルの実行画面

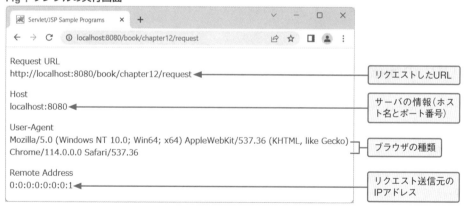

WEB-INF¥srcフォルダの中にchapter12フォルダを作成し、その中に次のような内容のRequest.javaを作成してください。

List | 12-01 Request.java

```java
package chapter12;

import tool.Page;
import java.io.IOException;
import java.io.PrintWriter;
import jakarta.servlet.ServletException;
import jakarta.servlet.http.*;
import jakarta.servlet.annotation.WebServlet;

@WebServlet(urlPatterns={"/chapter12/request"})
public class Request extends HttpServlet {
    public void doGet (
        HttpServletRequest request, HttpServletResponse response
    ) throws ServletException, IOException {
        PrintWriter out=response.getWriter();
        Page.header(out);

        out.println("<p>Request URL<br>"+
            request.getRequestURL()+"</p>");              █1
        out.println("<p>Host<br>"+
            request.getHeader("Host")+"</p>");            █2
        out.println("<p>User-Agent<br>"+
            request.getHeader("User-Agent")+"</p>");      █3
        out.println("<p>Remote Address<br>"+
            request.getRemoteAddr()+"</p>");              █4

        Page.footer(out);
    }
}
```

█1ではgetRequestURLメソッドを用いて、サーブレットのURLを表示します。

█2ではgetHeaderメソッドに「Host」を指定して、サーバの情報を表示します。

█3ではgetHeaderメソッドに「User-Agent」を指定して、ブラウザの種類を表示します。

█4ではgetRemoteAddrメソッドを用いて、リクエスト送信元のIPアドレスを表示します。

なお実行画面からわかるように、Tomcat環境下でgetRemoteAddrはIPv6のアドレスを返します。「127.0.0.1」のようなIPv4のアドレスを取得したい場合は、以下の1行をstart.batに追加してください。

```
set JAVA_OPTS=-Djava.net.preferIPv4Stack=true
```

■ コンパイルと実行

① 「compile」ウィンドウでソースファイルをコンパイルします。

compile chapter12¥Request.java

② 「tomcat」ウィンドウでTomcatを再起動してから、以下のURLをブラウザで開きます。

http://localhost:8080/book/chapter12/request

12-02 | レスポンス

　HTTPのレスポンスは、次のような構造のテキストデータです。レスポンスの構造は、リクエストの構造(→P.166)に似ています。

Fig | レスポンスの構造

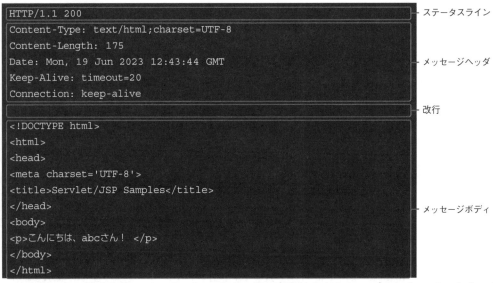

　リクエストの場合と違って、メッセージヘッダの内容はかなりシンプルになっています。また、出力するHTMLはメッセージボディに格納されています。

ステータスライン

　ステータスラインには、HTTPのバージョンとステータスコードが記述されます。以下はステータスラインの例です。

```
HTTP/1.1   200
```
HTTPのバージョン　　　ステータスコード

ステータスコードについては、これまでにも何度か登場しました。前述のとおり、これはリクエストの結果を表す数値ですが、数値の範囲ごとに以下のような意味があります。

Table | ステータスコードの範囲

範囲	意味
100-199	情報
200-299	リクエストの成功
300-399	リダイレクション
400-499	クライアント側のエラー
500-599	サーバ側のエラー

主なステータスコードを以下に紹介します。なお、HttpServletResponseインタフェースには、ステータスコードを表すさまざま定数が宣言されており、これらを利用することで、ステータスコードに応じた処理を記述することができます。

Table | 主なステータスコード

コード（名前）	定数	意味
200 (OK)	SC_OK	リクエストは正常に完了した
301 (Move Permanently)	SC_MOVED_PERMANENTLY	リクエストしたリソース（ファイルなど）は新しい場所（Locationヘッダの内容）に移動した
302 (Found)	SC_MOVED_TEMPORARILY	リクエストしたリソースは一時的に別の場所（Locationヘッダの内容）に移動している
304 (Not Modified)	SC_NOT_MODIFIED	リクエストしたリソースは変更されていない
404 (Not Found)	SC_NOT_FOUND	リクエストしたリソースは利用できない
500 (Internal Server Error)	SC_INTERNAL_SERVER_ERROR	サーバ側のエラーが原因で、リクエストを完了できない

200番台、300番台のステータスコードは処理が正常に行われたことを表します。これらのステータスコードは、通常はブラウザの画面には表示されません。なお、ステータスコードの304は、ブラウザがリソースをキャッシュしている（高速化のためにクライアントサイドに保存している）場合に、サーバ上のリソースが変更されたかどうかを調べて、再びサーバから取得する必要があるかどうかを判断するために使います。

400番台、500番台のステータスコードは処理中にエラーが発生したことを表します。これらのステータスコードは、ブラウザの画面に表示されることがあります。ステータスコードの意味を知っておくと、エラーの解決に役立ちます。たとえば、サーブレットやJSPでエラーが発生した場合には、ステータスコードの500が返ります。

レスポンスのステータスコードは、HttpServletResponseインタフェースのsetStatusメソッドで設定することができます。

▌setStatusメソッド

宣 言 ： void **setStatus**(int sc)
機 能 ： レスポンスのステータスコードを設定します。

　setStatusメソッドの引数には、直接ステータスコードの数値を記述しても、HttpServlet
Responseインタフェースで宣言されている「SC_」から始まる定数を記述してもかまいません。

▌ メッセージヘッダ

　リクエストと同様に、レスポンスにもメッセージヘッダがあります。主なヘッダフィールド
には次のようなものがあります。

Table | 主なヘッダフィールド（レスポンス）

名前	内容
Content-Language	コンテンツの言語
Content-Length	コンテンツのバイト数
Content-Type	コンテンツのMIMEタイプ
Expires	コンテンツの有効期限
Last-Modified	コンテンツの最終更新日時
Location	リダイレクト先のURI
Refresh	ページを自動で再読み込みするまでの秒数
Set-Cookie	クッキーに保存する情報

　レスポンスのヘッダフィールドは、HttpServletResponseインタフェースのsetHeaderメソッ
ドで設定することができます。

▌setHeaderメソッド

宣 言 ： void **setHeader**(String name, String value)
機 能 ： 指定した名前（name）のヘッダフィールドに、指定した値（value）を設定します。

▌ レスポンスを使ったサーブレット

　HttpServletResponseインタフェースのメソッドを使って、レスポンスの情報を設定するサー
ブレットを作成してみましょう。このサーブレットは、ステータスコードとヘッダフィールド
を設定することで、HTML Living Standard（HTML標準）のサイトへリダイレクトします。
　リダイレクトの処理はsendRedirectメソッド（→P.135）を使用した方が簡単ですが、ここで
はあえてレスポンスを使って、ステータスコードとLocationヘッダの機能を確かめてみましょ
う。

Fig │ レスポンスを使ったサーブレット

サーブレットにアクセスすると、別のサイトにリダイレクトされる

次のプログラムを入力し、WEB-INF¥src¥chapter12の中にResponse.javaとして保存してください。

```
src
  └ chapter12
      └ Response.java ◀······ このファイルを作成
```

List │ 12-02 Response.java

```java
package chapter12;

import java.io.IOException;
import jakarta.servlet.ServletException;
import jakarta.servlet.http.*;
import jakarta.servlet.annotation.WebServlet;

@WebServlet(urlPatterns={"/chapter12/response"})
public class Response extends HttpServlet {
    public void doGet (
        HttpServletRequest request, HttpServletResponse response
    ) throws ServletException, IOException {
        response.setStatus(HttpServletResponse.SC_MOVED_TEMPORARILY); ············1
        response.setHeader("Location", "https://html.spec.whatwg.org/"); ·········2
    }
}
```

1ではsetStatusメソッドを用いて、リダイレクトのためのステータスコードを設定します。SC_MOVED_TEMPORARILYはステータスコードの302を表します。301を表すSC_MOVED_PERMANENTLYを使っても、リダイレクトが可能です。

2ではsetHeaderメソッドを用いて、Locationヘッダフィールドに対し、リダイレクト先のURLを設定します。ここではHTML Living Standardのサイトを指定しています。

なお本来、Locationヘッダの内容は上記のように絶対URLで指定すべきですが、Tomcat環境下ではサイトルート相対URL(→P.32)で指定することもできます。たとえば**2**のsetHeader

の第2引数に「"/"」を指定すると、リクエスト先のスキーム名＋ホスト名＋ポート番号（この例では「http://localhost:8080」）が補われて、サーバのルート (/) であるTomcatのトップページにリダイレクトします。

■ コンパイルと実行

① 「compile」ウィンドウでソースファイルをコンパイルします。

compile chapter12¥Response.java

② 「tomcat」ウィンドウでTomcatを再起動してから、以下のURLをブラウザで開きます。

http://localhost:8080/book/chapter12/response

 ## HTTPのバージョン

HTTPには次のようなバージョンがあります。現在主に使われているのはHTTP/2とHTTP/1.1です。

・HTTP/0.9

1991年に最初に作成されたバージョンです。リクエストの種類はGETだけでした。

・HTTP/1.0

1996年に作成されました。リクエストにPOSTやHEADが追加されています。

・HTTP/1.1

1997年に作成されました。名前ベースのバーチャルホストに対応することにより、同一のサーバ上に複数の仮想Webサーバを配置できるようになりました。

・HTTP/2

2015年に作成されました。HTTP/1.1との互換性を維持しつつ、通信の高速化を図っています。

・HTTP/3

2022年に作成されました。基盤となる通信プロトコルをTCPからUDPに変更し、更なる高速化を図っています。

▶まとめ

本章では次の事柄を学びました。

・ リクエストはリクエストライン、メッセージヘッダ、空行、メッセージボディから構成されています。

・ HttpServletRequestインタフェースには、リクエストの各種情報を取得するメソッドがあります。

- レスポンスはステータスライン、メッセージヘッダ、空行、メッセージボディから構成されています。
- HttpServletResponseインタフェースには、レスポンスの各種情報を設定するメソッドがあります。
- レスポンスのステータスコードは、サーブレット/JSPのデバッグをする際に、問題の原因を判定するうえで有用です。

次章ではデータベースの基礎知識について学びます。

練習問題 HttpServletRequestインタフェースのメソッドを使って、リクエストからいろいろな情報を取得し、表示するサーブレットを作成してください。サーブレットは次のような、リクエストパラメータ付きのURLで実行します。

http://localhost:8080/book/chapter12/request2?p1=v1&p2=v2

●サンプルの実行画面

　ソースファイルは、book¥WEB-INF¥src¥chapter12¥Request2.javaというファイル名で保存してください。

解答例

List | Request2.java

```java
package chapter12;

import tool.Page;
import java.io.IOException;
import java.io.PrintWriter;
import jakarta.servlet.ServletException;
import jakarta.servlet.http.*;
import jakarta.servlet.annotation.WebServlet;

@WebServlet(urlPatterns={"/chapter12/request2"})
public class Request2 extends HttpServlet {
    public void doGet (
        HttpServletRequest request, HttpServletResponse response
    ) throws ServletException, IOException {
        PrintWriter out=response.getWriter();
        Page.header(out);

        out.println("<p>Method<br>"+request.getMethod()+"</p>");          // 1
        out.println("<p>Request URI<br>"+request.getRequestURI()+"</p>");
        out.println("<p>Context Path<br>"+request.getContextPath()+"</p>");
        out.println("<p>Servlet Path<br>"+request.getServletPath()+"</p>");
        out.println("<p>Query String<br>"+request.getQueryString()+"</p>");
        out.println("<p>Protocol<br>"+request.getProtocol()+"</p>");

        out.println("<p>Request URL<br>"+request.getRequestURL()+"</p>");   // 2
        out.println("<p>Scheme<br>"+request.getScheme()+"</p>");
        out.println("<p>Server Name<br>"+request.getServerName()+"</p>");
        out.println("<p>Server Port<br>"+request.getServerPort()+"</p>");

        Page.footer(out);
    }
}
```

1はリクエストラインの情報を取得するメソッド (→P.167) の使用例です。
2はURLの情報を取得するメソッド (→P.169) の使用例です。

Chapter

13 データベース

本章ではデータベースについて学びます。データベースに関して、RDBMS、テーブル、行、列、SQLなどの概念を学び、実際にデータベースを作成して、検索や追加などの操作を行ってみます。

13-01 │ データベースとは

データベースとは、データの集まりのことです。無秩序にデータを集めただけではなく、検索や更新などが行いやすい形式に整理されています。データベースは、英語ではdatabaseと呼び、略してDBと呼ぶことがあります。

データベースを構築したり操作したりするためのソフトウェアのことを、データベース管理システムと呼びます。英語ではdatabase management systemと呼び、略してDBMSと呼ぶことがあります。

Fig │ データベースとは

無秩序なデータ（形式が統一されていない）

まぐろ
100円

品名：サーモン
価格：100

¥200
いくら

データベース
（検索や更新がしやすい形式に整理されている）

番号	品名	価格
1	まぐろ	100
2	サーモン	100
3	いくら	200

■ リレーショナルデータベース管理システム (RDBMS)

データベースの中でも特に広く利用されているのは、リレーショナルデータベース（関係データベース）と呼ばれるものです。本書でデータベースと呼ぶときには、特に断りがない限り、リレーショナルデータベースのことを指します。

リレーショナルデータベースに対する管理システムのことを、リレーショナルデータベース管理システムと呼びます。英語のrelational database management systemを略して、「RDBMS」と呼ぶことがあります。

リレーショナルデータベースではデータを表で管理します。この表を**テーブル**と呼びます。

テーブルは格子状に分割されています。横方向に並んだ格子群を**行**、縦方向に並んだ格子群を**列**と呼びます。Excelのワークシートを思い浮かべるとわかりやすいでしょう。

Fig | テーブルの行と列

たとえば寿司屋の商品メニューをテーブルとして作成し、商品ごとの番号と品名、価格を格納するとします。

列の数は、格納するデータの種類数に対応しています。テーブルを作成する際には、列の数を決め、それぞれの列にどのようなデータを格納するのかを決めます。データの種類が番号・品名・価格の3つならば、列数が3のテーブルを作成します。

行は簡単に追加することができます。商品メニューの場合、行を増やすことは、商品を増やすことに相当します。記憶容量が許す限り、必要なだけ行を追加することができますし、不要な行を削除することもできます。

Fig | 行の追加

番号	品名	価格
1	まぐろ	100
2	サーモン	100
3	いくら	200
4	うに	200

一方、列の構成も変更可能ですが、これはなるべく避けるべきです。たとえば、上記のテーブルにカロリーの列を追加するには、すべての行にカロリーのデータを追加する手間が発生します。数行だけのテーブルならばデータを追加することは難しくありませんが、実際のテーブルには数百、数千の行があるのが一般的なので、データを追加するのは大変な作業です。テーブルの用途を最初から明確にしておき、後から列の構成を変更しないようにしましょう。

■ SQL

SQLとは、RDBMSを利用するための言語です。エスキューエルと読みます。SQLを使って、テーブルの作成、行の追加、特定の条件に当てはまるデータの検索などが可能です。

SQLで記述したひとまとまりの処理のことを、SQL文と呼びます。利用者がSQL文をRDBMSに対して発行すると、RDBMSはSQL文をデータベースに対して実行し、結果を利用者に返します。

SQLの文法は、Javaの文法とは異なりますが、簡単な英単語と記号の組み合わせで構成されているので、習得は難しくありません。本書では、特に必要なSQLの文法だけに絞って、下記のような操作を行うための文法を解説します。

・テーブルの作成
・データの追加
・データの検索
・データの更新
・データの削除

なおSQLでは通常、SQL文の命令やテーブル名などの表記に関して、**英字の大文字と小文字を区別しません**。SQL文を大文字のみで書くことも、小文字のみで書くことも、大文字と小文字を混ぜて書くこともできます。本書ではSQL文を入力する際の簡単さを優先して、小文字で書くことにします。

13-02 ｜ データベースの導入

RDBMSにはいろいろな製品がありますが、本書ではH2 Database Engine（以下H2）を使います。H2の特徴は、Javaで作成されていること、サイズが小さく導入も簡単なこと、無償で利用できることなどです。

H2 Database Engine

https://www.h2database.com/html/main.html

本書ではChapter02において、Tomcatと一緒にH2もインストール済みです。また、H2を起動するためのバッチファイルを用意しました。このバッチファイルでは、必要な環境変数を設定した後に、H2のフォルダに移動し、H2を起動します。

List | 13-01 h2.bat

```
set JAVA_HOME=%~dp0jdk
set PATH=%JAVA_HOME%\bin;%PATH%
java -cp "%~dp0h2\bin\h2-2.1.214.jar" org.h2.tools.Server -ifNotExists
```

エクスプローラからwork¥h2.batを実行してください。コマンドプロンプトが起動し、ブラウザにH2コンソール（H2を操作するためのツール）が表示されます。

このコマンドプロンプトは、H2を使用している間は、最小化しても構いませんが、閉じないでください。H2を停止するには、このコマンドプロンプトを閉じます。

Fig｜h2.batを実行する

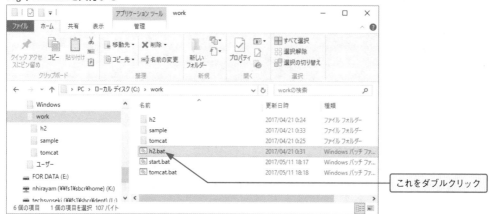

■ データベースへの接続

最初はログイン画面が表示されます。まずは画面左上のドロップダウンメニューから「日本語」を選んで、日本語表示にしましょう。また「JDBC URL」は以下のように設定してください。他の項目はデフォルトのままで大丈夫です。

Fig｜H2コンソールのログイン画面

「JDBC URL」に設定するのは接続文字列と呼ばれるもので、以下のような形式で記述します。この記述に基づいて、システムに登録されたJDBCドライバの中から、適切なドライバが選択されます。

jbdc:サブプロトコル:サブネーム

サブプロトコルとは、h2、oracle、mysqlといったデータベース製品を指定します。

サブネームには接続方法やデータベース名などを指定しますが、データベース製品ごとに記法が異なります。h2をWebアプリケーションで利用する場合は、以下のようになります。

tcp://ホスト名/データベースの保存先/データベース名

ここではデータベースの保存先フォルダに「~」を指定していますが、これはユーザのホームフォルダを指します。またデータベース名は「book」としました。なお、接続文字列の詳細は、各JDBCドライバのドキュメントで確認してください。

ユーザ名に指定している「sa」というデフォルト値は、System Administrator（システム管理者）の意味です。saはH2があらかじめ用意しているユーザで、このユーザにはパスワードが設定されていません。本来ならば、パスワードを設定した別のユーザを作成してデータベースへアクセスするべきですが、本書では割愛します。

接続文字列が入力できたら、「接続」ボタンを選択してください。bookデータベースに接続します。初回接続時には、bookデータベースが自動的に作成されます。

Fig | H2コンソールの画面

H2コンソールでは、SQL文の実行などが可能です。サーブレットなどのJavaプログラムからデータベースを操作する前に、H2コンソールを使って、テーブルの作成や操作をしてみましょう。

H2コンソールを使えば、簡単にSQL文の実行や結果の確認ができるので、SQL文を作成する際に便利です。今後、サーブレットなどのJavaプログラムからSQL文を発行する場合にも、最初にH2コンソールでSQL文を実行し、想定したとおりの結果が得られることを確認しておくのがおすすめです。プログラムが想定通りに動かないときに、SQL文に問題があるのか、Javaプログラムに問題があるのかが、切り分けやすくなるからです。たとえば、サーブレットは正しく動かないが、H2コンソールでは正しい結果が得られる場合には、サーブレットのJavaプログラムに問題がある可能性が高いと判断できます。

13-03 ｜ テーブルの作成とデータの追加

データベースの中に、テーブルを作成しましょう。寿司屋の商品メニューを模した、商品テーブルを作成します。テーブル名は商品を表す「product」にします。

商品テーブルを作成するためのSQLスクリプトを用意しました。SQLスクリプトとは、SQLで記述したプログラムのことです。このSQLスクリプトを実行すると、商品テーブルを作成し、商品データを追加します。

SQLスクリプトの内容を理解するために、SQLの構文をいくつか学びましょう。

■ テーブルの作成

テーブルを作成するには、create table文を使います。

書式 **create table文**

```
create table テーブル名 (
    列名1    データ型    制約,
    列名2    データ型    制約,
     ⋮
);
```

列の定義はカンマ (,) で区切って、列の数だけ並べます。最後のセミコロン (;) を忘れないようにしましょう。

データ型は、列に格納するデータの種類を指定します。データ型の型名は、RDBMSによって異なることがあるため、使用するRDBMSが対応している型名を、マニュアルなどで確認する必要があります。

以下はH2のデータ型の一部です。互換性のあるJavaのデータ型も掲載しました。

Table | H2のデータ型

分類	型名	詳細	Javaの型
数値	int	整数	int
	float	浮動小数点数	float
文字列	char(n)	固定長（n桁）の文字列	String
	varchar(n)	可変長（n桁）の文字列	String
日付	date	日付（年、月、日）	java.sql.Date
	time	時刻（時、分、秒）	java.sql.Time

　制約とは、列やテーブルに格納するデータに対して、制限を設定するための機能です。列に関する制約を列制約、テーブルに関する制約をテーブル制約（表制約）と呼ぶことがあります。

　列制約を指定することによって、列に不適切なデータが格納されることを防止したり、データの格納忘れを回避したり、自動的に列にデータを設定したりすることができます。以下は列制約の例です。これらは、ほぼすべてのRDBMSに共通です。

Table | 制約の例

制約	機能
auto_increment	オートインクリメント制約。行を追加したときに、この列に対して自動的に番号（これまでの最大値+1）を設定します
not null	非null制約。この列をnullにできないことを示します。この列にはnull以外のデータを設定する必要があります
primary key	主キー制約。この列が主キーであることを示します。主キーは自動的にnot nullとなるので、not null制約を重ねて指定する必要はありません
foreign key	外部キー制約。この列が他のテーブルの列を参照することを示します。参照先の列に存在するデータだけを、この列に格納できます
unique	一意性制約。重複する値を登録できないことを示します。全ての行で値が異なる必要があります。

　create table文を使って、寿司屋の商品に関するデータを格納するproductテーブルを作成してみましょう。このテーブルには、次のような3つの列を定義します。

Table | productテーブルの列定義

列名	データ型	制約	格納されるデータ
id	int	auto_increment、primary key	商品番号
name	varchar(100)	not null	商品名
price	int	not null	価格

　商品番号を自動的に割り振るために、id列にはauto_increment制約を付けます。この制約により、たとえば、これまでのidの最大値が3のときに行を追加すると、新しい行のidには自動的に4が設定されます。

primary keyは、主キーを表す制約です。主キーとは、行を一意に識別するための値です。主キーには、行ごとに異なる値を割り当てることが必要です。

varcharは可変長の文字列です。()内の数値は、文字列を格納するための領域の最大長を表します。ここでは最大長が100の文字列にします。実際に格納できる文字数は、文字の種類によって異なります。たとえば英文字と漢字では、1文字を格納するために必要な領域の長さが異なるためです。

商品名と価格の列には、未入力を許さないために、not null制約を付けます。

実際のcreate table文は次のようになります。実際に実行してみたいところですが、データの入力とともに後でまとめて実行しますので、もうしばらくお待ちください。

```
create table product (
    id int auto_increment primary key,
    name varchar(100) not null,
    price int not null
);
```

データの追加

テーブルにデータ (行) を追加するには、insert文を使います。

書式 insert文

insert into テーブル名(列名1, 列名2, ...) values(値1, 値2, ...);

テーブル名に続く()内には、値を設定する列名を,で区切って並べます。valuesに続く()内には、これらの列に対して設定する値を,で区切って並べます。たとえばproductテーブルに対して、商品名「まぐろ」、価格「100」のデータを追加するには、次のように記述します。

```
insert into product(name, price) values('まぐろ', 100)
```

productテーブルには商品番号の列もありますが、上記では値を設定していません。この列にはauto_increment制約を付けたので、自動的に番号が設定されます。

また、商品名のような文字列はシングルクォート (') で囲む必要があります。

テーブルの削除

テーブルを削除するにはdrop table文を使います。

書式 drop table文

drop table テーブル名;

存在しないテーブルを削除しようとするとエラーになりますが、次のように末尾に「if exists」を付けると、テーブルが存在する場合だけ削除できます。

```
drop table product if exists;
```

テーブルを作成するSQLスクリプト

では、実際にproductテーブルを作成して、データを追加してみましょう。テーブルの作成については簡単ですが、多数のデータを追加するのは、手作業では大変です。そこで、実行するべきSQL文を記述したスクリプトファイルを、work¥sample¥sqlフォルダに用意しました。

List | 13-02 product.sql

```
drop table product if exists; ─────────────────── 1

create table product (
    id int auto_increment primary key,
    name varchar(100) not null,                    2
    price int not null
);

insert into product(name, price) values('まぐろ', 100);
insert into product(name, price) values('サーモン', 100);
insert into product(name, price) values('えび', 100);
insert into product(name, price) values('いか', 100);
insert into product(name, price) values('えんがわ', 100);
insert into product(name, price) values('あなご', 100);
insert into product(name, price) values('たまご', 100);
insert into product(name, price) values('ほたて', 100);
insert into product(name, price) values('赤貝', 100);      3
insert into product(name, price) values('つぶ貝', 100);
insert into product(name, price) values('サラダ軍艦', 150);
insert into product(name, price) values('ねぎとろ軍艦', 150);
insert into product(name, price) values('ねぎとろ巻', 150);
insert into product(name, price) values('アボガド巻', 150);
insert into product(name, price) values('トロ', 200);
insert into product(name, price) values('いくら', 200);
insert into product(name, price) values('うに', 200);
```

これまでに解説した各種のSQL文を使っています。まず、すでにproductテーブルが存在していたら削除します **1**。次にテーブルを作成し（**2**）、17件の商品を追加します（**3**）。最初にテーブルを削除することで、いつでもテーブルを初期状態に戻すことができます。

上記のファイルをテキストエディタで開き、全選択してコピーしてください。そして、H2コンソールで次のように操作します。

Fig | SQL文の実行

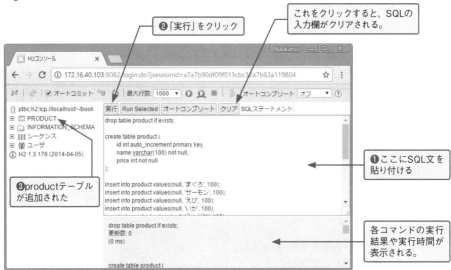

これで商品テーブルを作成できました。

13-04 | データベースの操作

作成した商品テーブルを使って、SQLによるデータベースの操作方法を学びましょう。ここで学ぶSQLの知識は、サーブレットからデータベースを操作するときに役立ちます。

■ 検索

最初は、商品テーブルに登録された商品の一覧を検索してみましょう。SQLのselect文を使います。

書式 select文

select 列名 from テーブル名 [where 条件];

列名には、取得したい列名をカンマ (,) で区切って並べます。すべての列名を取得する場合には、列名をアスタリスク (*) にします。

商品テーブルに登録された商品の一覧を検索するには、次のように記述します。

```
select * from product;
```

H2コンソールを使って、実際にselect文を実行してみましょう。入力欄の上にある「クリア」ボタンを選択して、入力欄を空にしてから、上記のselect文を実行してください。

Fig | select文の実行

where以降の部分はwhere句と呼ばれ、検索対象の行を絞り込むために使います。条件には、演算子を使った条件式を記述できますが、SQLで使用できる演算子はJavaとは多少異なります。たとえば>=、<=、>、<などの比較演算子は同じですが、「等しい」を表す==はSQLでは=を使います。

たとえばid列の値が「12」である行を対象にして、name列とprice列を検索する場合は、次のように記述します。

```
select name, price from product where id=12;
```

H2コンソールで実行すると、次のように表示されます。

NAME	PRICE
ねぎとろ軍艦	150

また、idが15以上のすべての行を表示する場合は、次のようになります。

```
select * from product where id>=15;
```

189

ID	NAME	PRICE
15	トロ	200
16	いくら	200
17	うに	200

■ データの更新

更新とは、既存のデータを変更することです。SQLのupdate文を使います。

書式　update文

update テーブル名 set 列名=値 [where 条件];

指定した列に、新しい値を設定します。「列名=値」の部分をカンマ (,) で区切って複数並べると、複数の列を同時に設定することができます。

where句の役割や書き方はselect文と同じです。たとえば「いくら」の価格を120に更新する場合は、次のようになります。

```
update product set price=120 where name='いくら';
```

H2コンソールで上記のupdate文を実行してから、次のselect文を実行してください。

```
select * from product where name='いくら';
```

次のような結果が表示されるはずです。

ID	NAME	PRICE
16	いくら	120

■ データの削除

商品のデータを削除してみましょう。SQLのdelete文を使います。

書式　delete文

delete from テーブル名 [where 条件];

where句を記述しないと、テーブル内のすべての行を削除してしまうので、通常はwhere句で削除する行を指定します。

たとえば、idの値が10より小さい行と14より大きい行を削除する場合は、次のようにします。

```
delete from product where id<10 or id>14;
```

Javaの論理演算子である&&や||は使用できないので、注意してください。代わりにandやor
を使用します。

上記のdelete文を実行して、select文ですべての行を表示させると、テーブルの内容が次の
ように表示されるはずです。

ID	NAME	PRICE
10	つぶ貝	100
11	サラダ軍艦	150
12	ねぎとろ軍艦	150
13	ねぎとろ巻	150
14	アボガド巻	150

ここまでの動作を確認したら、P.187のSQLスクリプトをもう一度実行して、テーブルの内
容を最初の状態に戻しておいてください。

 Column データベースの基本操作（CRUD）

この章ではSQLを用いて、データの検索、追加、更新、削除を行う方法を解説しました。これらの操作
のことを、データベースの基本操作である生成(Create)、読み取り(Read)、更新(Update)、削除(Delete)
の頭文字を取って、CRUD（クラッド）と呼ぶことがあります。CRUDを構成する各基本操作は、SQLの
insert文、select文、update文、delete文に対応します。

Table | CRUDを構成する操作

操作名	機能	対応するSQL
Create	生成、追加	insert文
Read	検索、取得	select文
Update	更新	update文
Delete	削除	delete文

まとめ

本章では次の事柄を学びました。

- データベースとは、検索や更新が行いやすい形式に、データを整理したものです。
- データベース管理システム（DBMS）は、データベースの構築や操作を行うソフトウェアです。
- 特に広く利用されているデータベースは、リレーショナルデータベース（関係データベース）で
す。

- ・ データベースはテーブルから構成されており、テーブルは行と列から構成されています。
- ・ SQLは、リレーショナルデータベース管理システム（RDBMS）を利用するための言語です。
- ・ テーブルを作成するにはcreate table文を使います。
- ・ テーブルを削除するにはdrop table文を使います。
- ・ データを検索するにはselect文を使います。
- ・ データを追加するにはinsert文を使います。
- ・ データを更新するにはupdate文を使います。
- ・ データを削除するにはdelete文を使います。

　次章ではサーブレットなどのJavaプログラムからデータベースを利用する方法について学びます。

練習問題 商品テーブルに、商品名「サビ」、価格「10」のデータを追加してください。追加用のSQL文を作成して、H2に入力し、実際にデータを追加してみてください。
　データを追加したら、商品の一覧を検索して、「サビ」が追加されたことを確認してください。

●追加後の商品一覧

解答例

データの追加にはinsert文を使います。

```
insert into product(name, price) values('サビ', 10);
```

商品の一覧を表示するにはselect文を使います。

```
select * from product;
```

14 Javaとデータベースの連携

　本章ではいよいよ、Javaプログラムからデータベースを操作する方法を学びます。JDBCや
データソースについて学び、Tomcatからデータベースに接続します。また、データベースを利
用して商品の検索や登録を行うサーブレットを作成します。

14-01 | JDBC

　JDBC (Java Database Connectivity) は、Javaからデータベースを操作するためのAPIです。
JDBCを使うと、Javaプログラムからリレーショナルデータベース管理システム (RDBMS) に
SQL文を発行して、結果を取得することができます。

　JDBCの特徴は、**データベース間の違いを吸収してくれる**ことです。データベースには多く
の製品があり、製品ごとに使い方が違います。JDBCを使わない場合には、使用するデータベー
スごとに、異なるプログラムを作成する必要があります。あるデータベース向けに記述したプ
ログラムは、別のデータベース向けにはそのままでは使えません。もし性能上の理由や価格上
の理由などで、使用するデータベースを変更したくなったら、変更後のデータベース向けにプ
ログラムを書き換える必要が生じます。

　JDBCを使えば、このようなデータベース間の違いが問題にならなくなります。JDBCは次
のような仕組みで、データベース間の違いを吸収します。

Fig | JDBCの仕組み

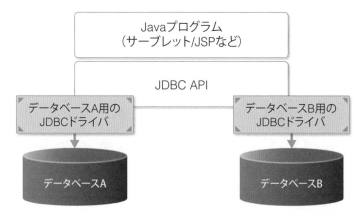

　JDBCは、Javaプログラムから利用できるJDBC APIと、JDBCドライバと呼ばれるソフトウェ

アから構成されています。サーブレットやJSPなどのJavaプログラムからは、JDBC APIを操作します。使用するデータベースが何であっても、JDBC APIは共通なので、データベース間の違いを気にせずに、Javaプログラムを記述することができます。

データベース間の違いは、JDBCドライバが吸収します。図では、データベースA用のJDBCドライバと、データベースB用のJDBCドライバを示しました。各データベースに対する操作は、各データベース用のJDBCドライバが実行します。

Javaプログラムが JDBC APIを通じて行ったデータベースの操作は、JDBCドライバに伝達されます。JDBCドライバは伝達された操作を、各データベース用の処理に置き換えて実行します。Javaプログラムは、JDBC APIという共通の操作方法を使って、いろいろなデータベース製品を操作することができます。

JDBCに含まれる主なクラスは、次のとおりです。これらはjava.sqlパッケージに含まれています。

Table | JDBCの主なクラス

クラス名	解説
DriverManager	JDBCを管理するためのクラス
Connection	データベースとの接続を表すインタフェース
Statement	SQLを発行するためのインタフェース
PreparedStatement	パラメータ付きのSQLを発行するためのインタフェース
ResultSet	クエリ（select文による検索）の結果を保持するクラス

これらのクラスについては後述します。また、本書ではデータベースの接続にDriverManagerクラスではなく、データソースという仕組みを使います。

■ JDBCドライバの導入

多くのデータベース製品は、その製品に対応したJDBCドライバを提供しています。JDBCドライバは、製品のWebサイトなどからダウンロードすることができます。

サーブレット/JSPでJDBCを利用する場合には、アプリケーションサーバに対して、JDBCドライバを導入する必要があります。たとえば、TomcatでJDBCドライバを利用するには、WebアプリケーションのWEB-INF¥libフォルダに、JDBCドライバのファイルをコピーします。

本書の環境では、あらかじめbook¥WEB-INF¥libフォルダを作成し、JDBCドライバをコピーしてあるので、導入の作業は不要です。自分で環境を構築する際には、以下の作業方法を参考にしてください。

① 本書で利用するH2 Database Engine（以下H2）のJDBCドライバは、インストールされたH2のファイル群に含まれています。ファイルはh2¥bin¥h2-*.jarです。*の部分はバージョン番号です。本書ではh2-2.1.214.jarを使います。

② Windowsのエクスプローラを用いて、WEB-INF¥libフォルダを作成し、(1)のファイルをコピーします。

14-02 | データベース接続とデータソース

JDBCを使ってデータベースを操作する場合は、まずデータベースに接続するために、java.sql.Connectionクラスのインスタンスを取得する必要があります。取得には以下のように、java.sql.DriverMangerのクラスメソッドを使用します。

```
Class.forName("JDBCのクラス名");
Connection conn = DriverManager.getConnection("接続文字列", "ユーザ名", "パスワード");
```

上記では、データベースへの接続情報（JDBCのクラス名、接続文字列、ユーザ名、パスワード）を、直接プログラム内に記述しています。もし、データベースにアクセスする色々なクラスを、同様の方法で記述したとすると、接続情報を変更しなければならなくなった場合に、広範囲の修正が必要になってしまいます。

また、データベースに接続して、検索や登録などの処理を終えたら、最後はデータベースから切断して、Connectionオブジェクトを破棄する必要があります。もし、データベースを操作するたびに接続と切断を行うと、接続と切断が何度も繰り返されることになり、処理に時間がかかる恐れがあります。特に、多数のユーザがアクセスするWebアプリケーションでは、性能の低下が懸念されます。

そこで役立つのが、JDBC 2.0から導入されたデータソースという機能です。データソースは、アプリケーションサーバを利用してデータベースに接続する仕組みです。本書ではデータソースを使って、プログラム（サーブレット/JSP）からデータベースに接続します。

データソースには次のような利点があります。

▶① 接続情報の管理を容易にする

データベースに接続するための情報を、アプリケーションサーバの設定ファイルに記述することができます。プログラム内に接続情報を記述する方法に比べて、接続情報の管理がしやす

くなります。接続情報がプログラムのあちこちに分散しなくなるためです。また、接続情報を変更する際にも、プログラムを変更する必要がなく、設定ファイルを変更するだけで済みます。

▶② 接続を再利用して性能を向上する

コネクションプールという機能によって、データベースへの接続（コネクション）を再利用することにより、性能を向上することができます。コネクションプールについては次に詳しく述べます。

■ コネクションプール

ここでコネクションとは、プログラムからデータベースへの接続のことです。前述のとおり、JDBCを使ったデータベースアクセスでは、単純にプログラムを書くと、データベースを利用するサーブレット/JSPを実行するたびにデータベースへの接続を行い、実行が終了するたびに接続を切断することになります。

しかし、データベースに対する接続や切断は、時間がかかる処理です。サーブレット/JSPを実行するたびに、接続や切断を行うことは、実行速度を低下させる可能性があります。この問題を解決するのが、コネクションプールです。

Fig | コネクションプール

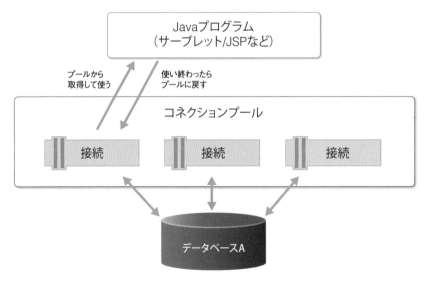

コネクションプールには、あらかじめ複数のコネクションが用意されています。プログラムがデータベースに接続する際には、新規にコネクションを作成するのではなく、コネクションプールから既存のコネクションを取得します。接続を行うのではなく、既存の接続を再利用するので、処理時間を短縮することができます。

　プログラムがデータベースの操作を終えたら、使用したコネクションをコネクションプールに戻します。返却されたコネクションは、コネクションプールに保持されて、将来また利用されます。

■ データソースの設定

　Tomcatでデータソースを利用するための設定を行いましょう。book¥META-INF¥context.xmlを開いて、次のように編集してください。context.xmlはChapter03で作成しました（→P.43）。

List | 14-01 context.xml

```
<Context reloadable="true">
    <Resource
        name="jdbc/book"
        auth="Container"
        type="javax.sql.DataSource"
        driverClassName="org.h2.Driver"
        url="jdbc:h2:tcp://localhost/~/book"
        username="sa"
        password=""
    />
</Context>
```

　データソースはResource要素を使って設定します。各属性の意味は次のとおりです。

Table | Resource要素の属性

属性	機能
name	データソースの名前を自由に設定することができます。この名前はサーブレット/JSPからデータソースを取得する際に使います
auth	認証（ログイン）を誰が行うのかを指定します。「Container」を指定すると、Webコンテナ（Tomcat）が認証の処理を行います。「Application」を指定すると、アプリケーションが認証の処理を行います
type	リソースのクラス名またはインタフェース名です。javax.sql.DataSource（→P.198）を指定します
driverClassName	JDBCドライバのクラス名
url	接続文字列
username	ユーザ名
password	パスワード

　「driverClassName」、「url」、「username」、「password」については、P.182で設定した値を指定します。

14-03 | データベースアクセスの手順

さっそくデータベースにアクセスするプログラムを作成したいところですが、その前に、サーブレットでSQL文を実行して結果を処理するための、おおまかな手順について解説しておきます。

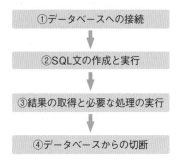

① データベースへの接続

↓

② SQL文の作成と実行

↓

③ 結果の取得と必要な処理の実行

↓

④ データベースからの切断

■ データベースへの接続

データソースを使用してデータベースに接続するには、次のような処理を行います。

▶ ① InitialContextオブジェクトを生成する

データソースを取得するには、JNDI (Java Naming and Directory Interface) という仕組みを使います。JNDIは、データやオブジェクトを名前で参照するためのAPIです。ここでは、データソース名を指定してコネクションプールからコネクションを取得するために、JNDIを使います。

JNDIを使うには、javax.naming.InitialContextクラスのオブジェクトを生成し、これを窓口にしてコネクションを取得します。

▶ ② DataSourceオブジェクトを取得する

InitialContextクラスのlookupメソッドを使って、データソースを取得します。取得したデータソースは、javax.sql.DataSourceインタフェースのオブジェクトです。

▌lookupメソッド

宣　言　： Object **lookup**(Name name)
機　能　： 名前付きオブジェクトを取得します。

引数にはJNDIのリソース名を指定しますが、これにはcontext.xmlのResource要素(→P.197)において、name属性に指定したデータソース名を利用します。

▶ ③ Connectionオブジェクトを取得する

DataSourceインタフェースのgetConnectionメソッドを使って、Connectionオブジェクトを取得します。

■ SQL文の作成と実行

SQL文の作成と実行には、java.sql.PreparedStatementインタフェースを使います。PreparedStatementオブジェクトを取得するには、ConnectionインタフェースのprepareStatementメソッドを使います。

▍ **prepareStatementメソッド**

宣　言 ： PreparedStatement **prepareStatement**(String sql)

機　能 ： SQL文をデータベースに送るためのPreparedStatementオブジェクトを生成します。

prepareStatementメソッドの引数には、SQL文を指定します。

そして、SQL文を実行するには、PreparedStatementインタフェースのexecuteQueryメソッドを使います。

▍ **executeQueryメソッド**

宣　言 ： ResultSet **executeQuery**()

機　能 ： PreparedStatementオブジェクトのSQL文を実行し、結果をResultSetオブジェクトとして返します。

SQL文を実行すると、結果が格納されたjava.sql.ResultSetインタフェースのオブジェクトが得られます。

■ 結果の取得と必要な処理の実行

ResultSetオブジェクトには、検索結果がデータベースのテーブルのような形式で格納されています。ResultSetの中身を取り出すには**カーソル**という仕組みを使いますが、これについてはサンプルプログラムの中で解説します。

■ データベースからの切断

データベースから切断するには、以下のオブジェクトに対してcloseメソッドを呼び出します。

- ・ResultSet
- ・PreparedStatement
- ・Connection

ただし、ResultSetに関しては、PreparedStatementをcloseすれば自動的にcloseされるので、closeメソッドの呼び出しを省略することができます。

■ サンプルサーブレットの作成

Chapter13で作成した商品テーブルから、商品の一覧を取得して表示するサーブレットを作りましょう。

Fig | サンプルの実行画面

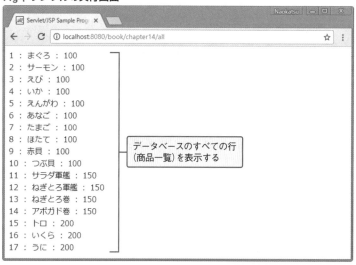

Chapter13で学んだとおり、次のSQL文を実行すれば、商品の一覧を検索することができます。

```
select * from product;
```

WEB-INF¥srcフォルダの中にchapter14フォルダを作成し、その中に次のような内容のAll.javaを作成してください。

List | 14-02 All.java

```java
package chapter14;

import tool.Page;
import java.io.IOException;
import java.io.PrintWriter;
import jakarta.servlet.ServletException;
```

```java
import jakarta.servlet.http.*;
import jakarta.servlet.annotation.WebServlet;
import javax.naming.InitialContext;
import javax.sql.DataSource;                                    ─┐
import java.sql.Connection;                                      ├─ ▌1
import java.sql.PreparedStatement;                               │
import java.sql.ResultSet;                                     ─┘

@WebServlet(urlPatterns={"/chapter14/all"})
public class All extends HttpServlet {
    public void doGet (
        HttpServletRequest request, HttpServletResponse response
    ) throws ServletException, IOException {
        PrintWriter out=response.getWriter();
        Page.header(out);
        try {
            InitialContext ic=new InitialContext();        ┈┈┈┈ ▌2
            DataSource ds=(DataSource)ic.lookup(           ┈┐
                "java:/comp/env/jdbc/book");                ├─ ▌3
            Connection con=ds.getConnection();             ┈┈┈ ▌4

            PreparedStatement st=con.prepareStatement(     ┈┐
                "select * from product");                   ├─ ▌5
            ResultSet rs=st.executeQuery();                ┈┈┈ ▌6

            while (rs.next()) {                            ┈┐
                out.println(rs.getInt("id"));               │
                out.println(":");                           │
                out.println(rs.getString("name"));          ├─ ▌7
                out.println(":");                           │
                out.println(rs.getInt("price"));            │
                out.println("<br>");                        │
            }                                              ┈┘

            st.close();                                    ┈┐
            con.close();                                   ┈┘─ ▌8
        } catch (Exception e) {
            e.printStackTrace(out);                        ┈┈┈ ▌9
        }
        Page.footer(out);
    }
}
```

　データベースを使用する場合は、これまでに解説したクラスやインタフェースをインポート
します（▌1）。

　▌2では、コンストラクタを使ってInitialContextオブジェクトを生成しています。

3はデータベースへ接続するためのDataSourceオブジェクトを取得しています。lookupメソッドの戻り値はObject型なので、DataSource型に変換する必要があります。

```
DataSource ds=(DataSource)ic.lookup("java:/comp/env/jdbc/book");
```

引数のリソース名には、先頭に「java:/comp/env/」を付け、続けてcontext.xmlのResource要素のname属性(→P.197) に指定したデータソース名(jdbc/book) を記述します。そして、DataSourceクラスのgetConnectionメソッドでコネクションを取得します (**4**)。

5ではSQL文を実行するためのPreparedStatementオブジェクトを取得しています。Chapter13ではSQL文の末尾にセミコロン (;) を付けていましたが、prepareStatementメソッドを使う場合には、次のように末尾の;を省略することができます。

```
PreparedStatement st=con.prepareStatement("select * from product");
```

作成したSQL文は、executeQueryメソッドで実行し、結果をResultSetオブジェクトとして取得します (**6**)。

7では、ResultSetオブジェクトからwhile文で行を1つ1つ取り出し、さらに列ごとにデータを取り出して、レスポンスに出力しています。ここではカーソルという機能を使っています。

カーソルとは現在処理中の行を特定するための仕組みです。while文の開始時には、カーソルは1行目の1つ前を指しています。

カーソルを移動するには、ResultSetクラスのnextメソッドを使います。

nextメソッド

宣　言 ： boolean **next**()
機　能 ： カーソルを現在の位置から1行、順方向に移動します。

最初にnextメソッドを呼び出すと、カーソルは1行目を指します。

Fig | カーソルの移動

　nextメソッドは、次の行が存在すればカーソルを移動してtrueを返し、なければfalseを返します。つまり、while文の条件に指定したrs.next()は、最終行ではfalseを返すため、ループが終了します。

　カーソルが指している行の、各列の値を取得するには、ResultSetクラスのgetStringメソッドやgetIntメソッドを使います。これらは各列のデータ型に応じて使い分けてください。

▌getStringメソッド

宣　言 ： String **getString**(String columnLabel)
機　能 ： 現在のカーソル行にある指定された列の値を、文字列（String）として取得します。

▌getIntメソッド

宣　言 ： int **getInt**(String columnLabel)
機　能 ： 現在のカーソル行にある指定された列の値を、整数（int）として取得します。

　引数には列名を指定します。つまり、商品番号（id）、商品名（name）、価格（price）の値を取り出す場合は、次のようになります。

```
rs.getInt("id")
rs.getString("name")
rs.getInt("price")
```

　このサンプルでは、取得した値を「商品番号：商品名：価格」の形式で表示します。

　■8■はデータベースからの切断です。PreparedStatementとConnectionについて、closeメソッドを呼び出します。これで使用済みのコネクションが、コネクションプールに返却されます。

```
st.close();
con.close();
```

　■9■は例外メッセージの表示です。データベースに接続できなかったり、SQL文に誤りがあったりすると、例外が発生します。そのため、例外処理が必要です。例外処理の方法はいろいろありますが、本書ではException型として例外を一括してcatchしたうえで、例外メッセージをブラウザに表示することにします。

```
} catch (Exception e) {
    e.printStackTrace(out);
}
```

　ExceptionクラスのスクトレースprintStackTraceメソッドは、引数に指定したPrintWriterオブジェクトを用いて、例外メッセージを出力します。レスポンスを出力するためのPrintWriterオブジェクトを指定すれば、例外メッセージをレスポンスとして出力し、ブラウザに表示することができます。

■ コンパイルと実行

① 「compile」ウィンドウでソースファイルをコンパイルします。

compile chapter14¥All.java

② 「tomcat」ウィンドウでTomcatを再起動してから、以下のURLをブラウザで開きます。

http://localhost:8080/book/chapter14/all

　実行の際には、H2が起動した状態にしておいてください。H2を起動するには、エクスプローラでwork¥h2.batを実行します（→P.181）。

14-04 ｜ 商品を検索するサーブレット

　検索キーワードを入力すると、キーワードを商品名に含む商品の一覧を表示するサーブレットを作りましょう。多くのショッピングサイトは、同様の検索機能を備えています。

Fig ｜ サンプルの実行画面

■ like演算子とワイルドカード

　指定した列に指定したキーワードを含む行だけを検索するには、次のようにwhere句でlike演算子を使用します。

```
where 列名 like '%キーワード%'
```

　%はlike演算子で使用できるワイルドカードの一種で、0文字以上の任意の文字列を表します。したがって、%キーワード%という記述は、キーワードの前後に0文字以上の任意の文字列が付いた文字列、つまりキーワードを含む文字列を表します。

　たとえば、商品名に「軍艦」を含む商品を検索するSQL文は、次のようになります。

```
select * from product where name like '%軍艦%';
```

　上記のSQLをH2コンソールで実行してみてください。次のような結果が表示されるはずです。

ID	NAME	PRICE
11	サラダ軍艦	150
12	ねぎとろ軍艦	150

■ リクエストパラメータを使ったSQL文

　入力されたキーワードを使って検索を行うには、キーワードをリクエストパラメータから取得して、SQL文に埋め込む必要があります。このような値の埋め込みには、PreparedStatementクラスの**プレースホルダ**という機能を使います。プレースホルダは、SQL文の中に記述された**?**です。?の部分には、後から値を設定することができます。

　前述のとおり、あるキーワードを含む行を検索するには、like演算子を使って「like '%キーワード%'」とします。この'%キーワード%'の部分に?を記述しておき、リクエストパラメータから取得したキーワードで、後から置き換えるというわけです。

　なお、1つのSQL文の中に、複数の?を記述することもできます。プレースホルダの番号は、左側の?から順に1, 2, 3...となります。

　プレースホルダに値を設定するには、PreparedStatementクラスのsetStringメソッドやsetIntメソッドを使います。

▌setStringメソッド

宣　言： void **setString**(int parameterIndex, String x)
機　能： 第2引数で指定された文字列を、第1引数で指定された番号のプレースホルダに設定します。

▌setIntメソッド

宣　言： void **setInt**(int parameterIndex, int x)
機　能： 第2引数で指定された整数を、第1引数で指定された番号のプレースホルダに設定します。

JSPファイルの作成

キーワードを入力するためのページを作成
します。bookフォルダ内にchapter14フォル
ダを作成し、その中に次のような内容の
search.jspを作成してください。

List | 14-03 search.jsp

```
<%@page contentType="text/html; charset=UTF-8" %>
<%@include file="../header.html" %>

<p>検索キーワードを入力してください。</p>
<form action="search" method="post">
<input type="text" name="keyword">    ①
<input type="submit" value="検索">
</form>

<%@include file="../footer.html" %>
```

検索キーワードを入力するためのテキストボックスでは、name属性に「keyword」を指定し
ます（①）。これがリクエストパラメータの名前になります。

サーブレットの作成

キーワードを取得して、データベースを検
索するサーブレットを作成します。次のプロ
グラムを入力し、src¥chapter14フォルダに、
Search.javaとして保存してください。

List | 14-04 Search.java

```
package chapter14;

import tool.Page;
import java.io.IOException;
import java.io.PrintWriter;
import jakarta.servlet.ServletException;
import jakarta.servlet.http.*;
import jakarta.servlet.annotation.WebServlet;
import javax.naming.InitialContext;
import javax.sql.DataSource;
import java.sql.Connection;
```

```java
import java.sql.PreparedStatement;
import java.sql.ResultSet;

@WebServlet(urlPatterns={"/chapter14/search"})
public class Search extends HttpServlet {
    public void doPost (
        HttpServletRequest request, HttpServletResponse response
    ) throws ServletException, IOException {
        PrintWriter out=response.getWriter();
        Page.header(out);
        try {
            InitialContext ic=new InitialContext();
            DataSource ds=(DataSource)ic.lookup(
                "java:/comp/env/jdbc/book");
            Connection con=ds.getConnection();

            String keyword=request.getParameter("keyword");  ----------■1

            PreparedStatement st=con.prepareStatement(
                "select * from product where name like ?");   ----------■2
            st.setString(1, "%"+keyword+"%");   ----------■3
            ResultSet rs=st.executeQuery();

            while (rs.next()) {
                out.println(rs.getInt("id"));
                out.println(":");
                out.println(rs.getString("name"));
                out.println(":");
                out.println(rs.getInt("price"));
                out.println("<br>");
            }

            st.close();
            con.close();
        } catch (Exception e) {
            e.printStackTrace(out);
        }
        Page.footer(out);
    }
}
```

　■1 はリクエストパラメータの取得です。検索キーワードを取得し、変数keywordに保存します。

　■2 ではprepareStatementメソッドでSQL文を作成していますが、ここでは以下のように、like演算子の後にプレースホルダを記述してあります。

```
select * from product where name like ?
```

3ではPreparedStatementクラスのsetStringメソッドで、プレースホルダを検索文字列に置き換えています。name列のデータ型はvarchar型ですが、これはJavaのString型と互換性があります。

```
st.setString(1, "%"+keyword+"%");
```

このSQL文にはプレースホルダは1つしかないので、第1引数は1となります。また第2引数については、**1**で取得した検索キーワードを、ワイルドカードの%で挟んでいます。これによりSQL文のlike演算子に続く部分は、%キーワード%の形になります。

他の処理については、All.javaと同じです。

■ コンパイルと実行

① 「compile」ウィンドウでソースファイルをコンパイルします。

compile chapter14¥Search.java

② 「tomcat」ウィンドウでTomcatを再起動してから、以下のURLをブラウザで開きます。

http://localhost:8080/book/chapter14/search.jsp

③ 検索キーワードを入力して、「検索」ボタンを選択してください。

たとえば、キーワードに「巻」を指定したときには、「ねぎとろ巻」や「アボガド巻」のように、「巻」を含む商品名を検索することができます。

■ SQLインジェクションとプレースホルダ

SQLインジェクションとは、プログラムに想定外のSQL文を実行させることにより、データベースを不正に操作することです。注意するべきなのは、この節のサンプルのように、ユーザがフォームに入力した値をSQL文に埋め込む場合です。ユーザの入力情報に悪意のあるSQL文が含まれていると、データベースの不正な操作を許してしまう可能性があります。

たとえば、ログイン名とパスワードの照合を行う、次のようなSQL文を考えます。

```
select * from customer where login='ユーザ名' and password='パスワード'
```

customerテーブルから、login列がユーザ名に、password列がパスワードに一致する行を取得します。正しいユーザ名とパスワードの組み合わせを入力しないと、行は取得できません。

しかし、次のようにプレースホルダを使わないで、文字列を単純に結合してSQL文を作成すると、SQLインジェクションによる攻撃を受ける可能性があります。

```
"select * from customer where login='" + ユーザ名 +
    "' and password='" + パスワード + "'"
```

悪意のあるユーザが、パスワードに次のような文字列を与えたとします。

```
' or 'a'='a
```

このとき作成されるSQL文は次のとおりです。

```
select * from customer where login='ユーザ名' and password='' or 'a'='a'
```

where句の末尾に、or 'a'='a'という条件式が追加されました。これは「または'a'が'a'に等しければ」という意味です。条件式の全体は次のような意味になります。条件式の関係が分かりやすいように、()を付けて示しました。

(loginがユーザ名に等しい かつ passwordが''に等しい)または('a'が'a'に等しい)

'a'は常に'a'に等しいので、loginやpasswordが一致したかどうかに関わらず、上記の条件式は必ず成立します。すると、以下のようにwhere句がないselect文を実行したのと同じ結果になります。

```
select * from customer;
```

結果として、すべてのユーザのログイン名とパスワードが取得できてしまいます。もしプログラムが、テーブルから行が取得できたかどうかでログインの可否を判定している場合は、悪意のあるユーザのログインを許してしまいます。

PreparedStatementクラスが持つプレースホルダには、SQLインジェクションを防止する効果があります。プレースホルダを使って埋め込んだ値に、'(シングルクォート)などのSQLにおいて特別な働きを持つ記号が含まれている場合、エスケープシーケンスを用いた記述に置換されます。その結果、これらの記号は通常の文字列として扱われるようになり、SQLインジェクションは不可能になります。

14-05 | 商品を登録するサーブレット

データベースからデータを取得するサーブレットを作成してきましたが、今度はデータベースに変更を加えるサーブレットを作成してみましょう。フォームで入力した商品名と価格を、データベースに追加するサーブレットを作ります。

Fig | サンプルの実行画面

■ データベースの内容を変更する処理

　検索のSQL文はexecuteQueryメソッドで実行しますが、追加、更新、削除などの、データベースの内容を変更するSQL文はexecuteUpdateメソッドで実行します。

▌ executeUpdateメソッド

宣　言 ： int **executeUpdate**()

機　能 ： PreparedStatementオブジェクトの、データを変更するSQL文(insert、update、deleteなど)を実行します。

　検索に使うexecuteQueryメソッドの戻り値は、検索結果を表すResultSetオブジェクトでした。一方、追加、更新、削除に使うexecuteUpdateメソッドの戻り値は、発行したSQL文によって変更された行数を表す整数です。

　正常にデータベースが変更された場合は、戻り値が1以上の整数になるはずです。一方、何らかの理由で変更が行われなかった場合は、戻り値が0になります。この戻り値をif文の条件に使えば、変更に成功したか失敗したかに応じて、処理を分岐できます。たとえば以下のプログラムは、戻り値が1以上(0よりも大きい)かどうかを判定して、変更に成功したときの処理を行います。

```
int line=st.executeUpdate();
if (line>0) {
    変更に成功したときの処理
}
```

■ JSPファイルの作成

次のJSPファイルを入力し、chapter14フォルダにinsert.jspとして保存してください。

List | 14-05 insert.jsp

```
<%@page contentType="text/html; charset=UTF-8" %>
<%@include file="../header.html" %>

<p>追加する商品を入力してください。</p>
<form action="insert" method="post">
商品名<input type="text" name="name"> ⋯⋯⋯⋯⋯⋯❶
価格<input type="text" name="price"> ⋯⋯⋯⋯⋯⋯❷
<input type="submit" value="追加">
</form>

<%@include file="../footer.html" %>
```

insert.jspでは、❶で商品名を入力するためのテキストボックス、❷で価格を入力するためのテキストボックスを配置します。リクエストパラメータ名は商品名がname、価格がpriceです。

■ サーブレットの作成

次のプログラムを入力し、WEB-INF¥src¥chapter14フォルダにInsert.javaとして保存してください。

List | 14-06 Insert.java

```
package chapter14;

import tool.Page;
import java.io.IOException;
import java.io.PrintWriter;
import jakarta.servlet.ServletException;
import jakarta.servlet.http.*;
import jakarta.servlet.annotation.WebServlet;
import javax.naming.InitialContext;
import javax.sql.DataSource;
import java.sql.Connection;
import java.sql.PreparedStatement;
```

```
@WebServlet(urlPatterns={"/chapter14/insert"})
public class Insert extends HttpServlet {

    public void doPost (
        HttpServletRequest request, HttpServletResponse response
    ) throws ServletException, IOException {
        PrintWriter out=response.getWriter();
        Page.header(out);
        try {
            InitialContext ic=new InitialContext();
            DataSource ds=(DataSource)ic.lookup(
                "java:/comp/env/jdbc/book");
            Connection con=ds.getConnection();

            String name=request.getParameter("name");          ┐
            int price=Integer.parseInt(request.getParameter("price")); ┘ ■1

            PreparedStatement st=con.prepareStatement(          ┐
                "insert into product(name, price) values(?, ?)"); ┘ ■2
            st.setString(1, name);          ┐
            st.setInt(2, price);            ┘ ■3
            int line=st.executeUpdate();    ── ■4

            if (line>0) {
                out.println("追加に成功しました。");  ── ■5
            }

            st.close();
            con.close();
        } catch (Exception e) {
            e.printStackTrace(out);
        }
        Page.footer(out);
    }
}
```

　このサンプルでは、リクエストパラメータが2つあります（■1）。これらを埋め込むために、PreparedStatementオブジェクトの生成に使用するSQL文にも、次のようにプレースホルダが2つあります（■2）。

```
"insert into product(name, price) values(?, ?)");
```

　前述のとおり、プレースホルダの番号は左から数えるので、name列が1、price列が2になります。

　■3ではリクエストパラメータから取得した値でプレースホルダを置き換えています。

```
st.setString(1, name);
st.setInt(2, price);
```

4ではexecuteUpdateメソッドを実行し、変更された行数を取得します。**5**ではこの行数が1以上かどうかを判定して、「追加に成功しました。」と表示しています。

■ **コンパイルと実行**

① 「compile」ウィンドウでソースファイルをコンパイルします。

   compile chapter14¥Insert.java

② 「tomcat」ウィンドウでTomcatを再起動してから、以下のURLをブラウザで開きます。

   http://localhost:8080/book/chapter14/insert.jsp

③ 商品名と価格を入力して、「追加」ボタンを選択してください。

「追加に成功しました。」と表示されたら、P.200のAll.javaを実行してみてください。

```
http://localhost:8080/book/chapter14/all
```

入力した商品が追加されたことを確認できるはずです。

Fig | 商品追加の確認

なお、このプログラムは重複した商品名でも違うIDで登録します。商品名が同じならば登録しないサンプルは次節で紹介します。

14-06 | トランザクション

データベースに関連する、トランザクションという概念について学びましょう。

データベースにおいて、**分割して実行することのできない処理の単位**のことを、トランザクションと呼びます。処理が1個のSQL文で構成されている場合には、特にトランザクションを意識する必要はありません。しかし、処理が複数のSQL文で構成されている場合には、トランザクションについて考慮する必要があります。

たとえば、銀行の振り込み処理について考えてみましょう。Aさんの口座から、Bさんの口座に、1000円を振り込むことを考えます。この処理を行うには、次のような2個のSQL文が必要です。

① Aさんの口座から1000円を減らす
② Bさんの口座に1000円を加える

①と②は分割して実行することができません。もし①を実行した後に、システムに何らかの障害が生じて、②が実行されなかったとしましょう。この場合はAさんの口座から1000円が失われるだけになってしまい、Aさんは納得しないでしょう。

①と②の両方が実行できたときに限って、実行の結果を確定するべきです。何らかの原因により、①と②の両方が実行できない場合には、実行前の状態に戻すのが適切です。状態を戻した場合には、処理を実行できなかった旨を利用者に伝えて、もう一度操作をしてもらえば済みます。

トランザクションにおいて、実行の結果を確定することをコミットと呼び、実行を取り消して実行前の状態に戻すことをロールバックと呼びます。JDBCには、コミットとロールバックを制御するために、次のようなメソッドがあります。これらはjava.sql.Connectionクラスのメソッドです。

▌commitメソッド

宣　言：void **commit**()
機　能：現在のトランザクションで行われた変更を確定します。

▌rollbackメソッド

宣　言：void **rollback**()
機　能：現在のトランザクションで行われた変更を取り消します。

▌setAutoCommitメソッド

宣　言：void **setAutoCommit**(boolean autoCommit)
機　能：自動コミットモードを有効(true)または無効(false)にします。

デフォルトでは自動コミットモードが有効になっています。これはSQL文を1個実行するたびに、自動的にコミットが行われる状態です。処理が1個のSQL文で構成されている限りは、この状態で問題ありません。

複数のSQL文で構成されている処理を行う場合には、自動コミットモードを無効にします。そして、手動でコミットやロールバックを行うように、プログラムを記述します。プログラムの処理の流れは次のとおりです。

① setAutoCommit(false)を実行して、自動コミットモードを無効にします。
② データベースの操作を行います。
③ エラーがなく操作ができた場合には、commitメソッドを実行して、コミットします。
④ 操作の途中でエラーが生じた場合には、rollbackメソッドを実行して、ロールバックします。

■ トランザクションを使ったサンプル

P.211で紹介した商品を追加するサンプルを、トランザクションを使って書き直してみましょう。このプログラムでは、商品テーブルに商品を追加しますが、既存の商品と重複する名前の商品を追加しようとした場合には、追加を取り消します。

Fig | サンプルの実行画面

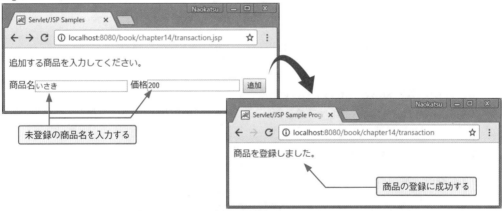

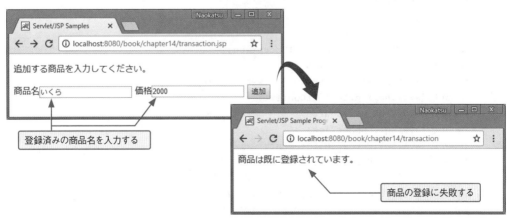

まずは追加する商品を入力するための
ページを、transacton.jspとして作成しま
す。insert.jsp（→P.211）とほぼ同じ内容
なので、コピーして赤字の部分だけ修正
するとよいでしょう。

book
└ chapter14
　　└ transaction.jsp ◄············· このファイルを作成

List | 14-07 transaction.jsp

```
<%@page contentType="text/html; charset=UTF-8" %>
<%@include file="../header.html" %>

<p>追加する商品を入力してください。</p>
<form action="transaction" method="post">
商品名<input type="text" name="name">
価格<input type="text" name="price">
<input type="submit" value="追加">
</form>

<%@include file="../footer.html" %>
```

次に商品の追加を実行するためのサーブ
レットを作成します。次のプログラムを入力
し、WEB-INF¥src¥chapter14フォルダに
Transaction.javaとして保存してください。

src
└ chapter14
　　└ Transaction.java ◄············· このファイルを作成

List | 14-08 Transaction.java

```
package chapter14;

import tool.Page;
import java.io.IOException;
import java.io.PrintWriter;
import jakarta.servlet.ServletException;
import jakarta.servlet.http.*;
import jakarta.servlet.annotation.WebServlet;
import javax.naming.InitialContext;
import javax.sql.DataSource;
import java.sql.Connection;
import java.sql.PreparedStatement;
import java.sql.ResultSet;

@WebServlet(urlPatterns={"/chapter14/transaction"})
public class Transaction extends HttpServlet {
    public void doPost (
```

```
        HttpServletRequest request, HttpServletResponse response
    ) throws ServletException, IOException {
        PrintWriter out=response.getWriter();
        Page.header(out);
        try {
            InitialContext ic=new InitialContext();
            DataSource ds=(DataSource)ic.lookup(
                "java:/comp/env/jdbc/book");
            Connection con=ds.getConnection();

            String name=request.getParameter("name");
            int price=Integer.parseInt(request.getParameter("price"));

            con.setAutoCommit(false);  ·································· ■1

            PreparedStatement st=con.prepareStatement(
                "insert into product(name, price) values(?, ?)");
            st.setString(1, name);                                   ■2
            st.setInt(2, price);
            st.executeUpdate();

            st=con.prepareStatement(
                "select * from product where name=?");
            st.setString(1, name);                                   ■3
            ResultSet rs=st.executeQuery();
            int line=0;
            while (rs.next()) {
                line++;                                              ■4
            }

            if (line==1) {
                con.commit();
                out.println("商品を登録しました。");                    ■5
            } else {
                con.rollback();
                out.println("商品は既に登録されています。");             ■6
            }

            con.setAutoCommit(true);  ································· ■7

            st.close();
            con.close();
        } catch (Exception e) {
            e.printStackTrace(out);
        }
        Page.footer(out);
    }
}
```

データベースに追加する処理を始める前に、setAutoCommitメソッドでオートコミットをオフにします（**1**）。これでcommitメソッドを実行しない限り、rollbackメソッドにより現在の状態に戻すことができます。

データの追加処理はInsert.java（→P.211）と同じです（**2**）。プログラムを簡単にするために、追加に成功したかどうかの判定は省略しました。

3では、追加した商品名と同じ商品名を持つ行を商品テーブルから検索して、結果（ResultSetオブジェクト）を取得しています。

4では、**3**の結果が何行かを調べて、行数を変数lineに代入しています。

5は行数が1の場合です。この場合は新規登録された商品だけが検索されているので、重複はないと判断できます。そこでcommitメソッドを使ってコミットを行い、データベースへの変更を確定します。

6は行数が1以外の場合です。この場合は商品が重複したか、追加に失敗したかなので、rollbackメソッドを使ってロールバックを行い、データベースへの変更を取り消します。出力するメッセージは、商品が重複した場合のメッセージにしました。

7では自動コミットモードを有効にします。コミットやロールバックを手動で行う場合と、自動で行う場合が混在しているWebアプリケーションでは、このように自動コミットモードを有効に戻しておくとよいでしょう。

■ **コンパイルと実行**

① 「compile」ウィンドウでソースファイルをコンパイルします。

compile chapter14¥Transaction.java

② 「tomcat」ウィンドウでTomcatを再起動してから、以下のURLをブラウザで開きます。

http://localhost:8080/book/chapter14/transaction.jsp

③ 商品名と価格を入力して、「追加」ボタンを選択してください。

「あわび」のように未登録の商品名を入力した場合と、「まぐろ」のように登録済みの商品名を入力した場合とで、動作が変わることを確認してください。

■ トランザクション分離レベル

トランザクションに関連する概念に、トランザクション分離レベルがあります。トランザクション分離レベルとは、複数のトランザクションが同時に実行されたときに、トランザクションの一貫性をどの程度まで保つかを定義したものです。複数のユーザが同時にトランザクションを実行するプログラムでは、トランザクション分離レベルについて考慮する必要があります。

次のような例を考えましょう。5000円の残高がある同一の口座に対して、ユーザAとユーザBがそれぞれ1000円を追加したとします。2人の処理が重ならずに、順番に行われる場合には、問題は起きません。

Fig | 複数の処理が重ならない場合

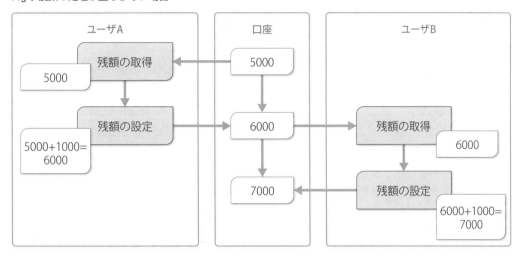

　2人の処理が重なって、同時に行われる場合には、問題が起きます。本来、最後の残高は7000円になるべきなのですが、処理が重なった場合には6000円になる可能性があります。

Fig | 複数の処理が重なる場合

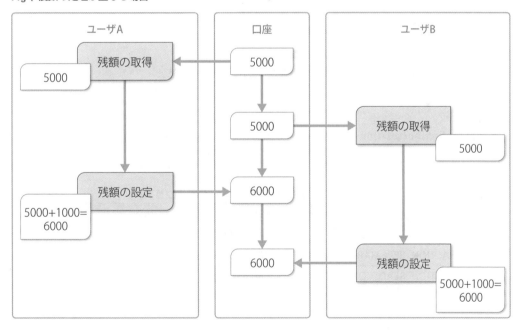

　このような問題は、トランザクション分離レベルを適切に選択することによって、防止することができます。トランザクション分離レベルには、次の4種類があります。

Table | トランザクション分離レベル

分離レベル	内容
SERIALIZABLE	複数のトランザクションを逐次に（同時ではなく順番に）実行したときと同じ結果になります
REPEATABLE READ	トランザクションが実行中に取得するデータは、途中で他のトランザクションによって変更されません
READ COMMITTED	他のトランザクションによる更新について、コミット済みのデータのみを取得します
READ UNCOMMITTED	他のトランザクションによる更新について、コミット済みでないデータも取得します

　SERIALIZABLEは上記の中で最もトランザクションの一貫性が高いのですが、他に比べて実行速度は遅くなりがちです。一方、一貫性が低いREAD UNCOMMITTEDは、実行は高速です。一貫性と高速性のどちらをどの程度優先するのかに応じて、目的に合ったトランザクション分離レベルを選択します。

　JDBCには、トランザクション分離レベルに関して、次のようなメソッドがあります。

▌getTransactionIsolationメソッド

宣　言 ： int **getTransactionIsolation**()
機　能 ： 現在のトランザクション分離レベルを取得します。

▌setTransactionIsolationメソッド

宣　言 ： void **setTransactionIsolation**(int level)
機　能 ： トランザクション分離レベルを変更することを試みます。

　トランザクション分離レベルに関しては、次のような定数が用意されています。これらはgetTransactionIsolationメソッドの戻り値と、setTransactionIsolationメソッドの引数に使います。

Table | トランザクション分離レベルの定数（java.sql.Connectionクラス）

定数	内容
TRANSACTION_SERIALIZABLE	分離レベルのSERIALIZABLEを示します
TRANSACTION_REPEATABLE_READ	分離レベルのREPEATABLE READを示します
TRANSACTION_READ_COMMITTED	分離レベルのREAD COMMITTEDを示します
TRANSACTION_READ_UNCOMMITTED	分離レベルのREAD UNCOMMITTEDを示します
TRANSACTION_NONE	トランザクションがサポートされていないことを示します

▶ まとめ

本章では次の事柄を学びました。

- JDBCはJavaからデータベースを操作するためのAPIです。
- データベース間の違いはJDBCドライバが吸収します。
- データソースはアプリケーションサーバを利用してデータベースに接続する仕組みです。
- SQL文を作成して実行するには、PreparedStatementインタフェースを使います。
- PreparedStatementのプレースホルダに必要な情報を設定します。
- SQL文の実行結果を取得するには、ResultSetインタフェースを使います。
- データベースの検索にはexecuteQueryメソッド、追加や更新や削除にはexecuteUpdateメソッドを使います。
- 複数のSQL文を一括して処理するには、トランザクションを考慮する必要があります。

次章ではデータベースから取得したデータを、JavaBeansを使って管理する方法を学びます。

練習問題 P.206の商品を検索するプログラムを参考に、指定した価格以下の商品を検索するプログラムを作成してください。入力用のWebページはJSPで記述し、検索の実行と結果の表示はサーブレットで行います。

●サンプルの実行画面

❶価格を入力する

❷検索結果が表示される

(1) JSPファイルは、book¥chapter14フォルダにsearch2.jspというファイル名で保存してください。

(2) サーブレットのソースファイルは、book¥WEB-INF¥src¥chapter14フォルダにSearch2.javaというファイル名で保存してください。

解答例

List | search2.jsp

```
<%@page contentType="text/html; charset=UTF-8" %>
<%@include file="../header.html" %>

<form action="search2" method="post">
<input type="text" name="price">円以下の商品を
<input type="submit" value="検索">
</form>

<%@include file="../footer.html" %>
```

List | Search2.java

```
package chapter14;

…省略…

@WebServlet(urlPatterns={"/chapter14/search2"})                          ──①
public class Search2 extends HttpServlet {

    public void doPost (
        HttpServletRequest request, HttpServletResponse response
    ) throws ServletException, IOException {
        PrintWriter out=response.getWriter();
        Page.header(out);
        try {
            InitialContext ic=new InitialContext();
            DataSource ds=(DataSource)ic.lookup(
                "java:/comp/env/jdbc/book");
            Connection con=ds.getConnection();

            int price=Integer.parseInt(
                request.getParameter("price"));

            PreparedStatement st=con.prepareStatement(
                "select * from product where price<=?");      ──②
            st.setInt(1, price);                              ──③
            ResultSet rs=st.executeQuery();
```

```
            while (rs.next()) {
                out.println(rs.getInt("id"));
                out.println(":");
                out.println(rs.getString("name"));
                out.println(":");
                out.println(rs.getInt("price"));
                out.println("<br>");
            }

            st.close();
            con.close();
        } catch (Exception e) {
            e.printStackTrace(out);
        }
        Page.footer(out);
    }
}
```

　Search.javaとの違いは、■のURLマッピングと、■のwhere句で使用している比較演算子、そしてプレースホルダを置き換えるために使用しているメソッドです。price列はint型なので、setIntメソッドを使用しています（■）。

Column　JDBCから利用できるデータベース

　本書では、インストールの簡単さや動作の軽快さを利点と考えて、H2 Database Engineを採用しました。一方、たとえば次のようなデータベースもJDBCから利用することができます。

- **MySQL**（https://www.mysql.com/jp/）
- **PostgreSQL**（https://www.postgresql.org/）
- **IBM DB2**（https://www.ibm.com/jp-ja/products/db2）
- **Microsoft SQL Server**（https://www.microsoft.com/ja-jp/sql-server/）
- **Oracle Database**（https://www.oracle.com/jp/database/）

　他にも多くのデータベースをJDBCから利用できます。各製品を使用する場合には、製品の本体と、各製品に対応したJDBCドライバが必要です。多くのJDBCドライバは、「製品名 JDBC」でWebを検索すると見つけることができます。

15 JavaBeansとDAO

本章ではJavaBeansとDAOについて学びます。JavaBeansは、データベースから取得したデータを格納したり、サーブレットとJSPの間でデータを受け渡ししたりする際に役立ちます。また、データベースに関する処理をDAOにまとめると、データベースの処理をサーブレットやJSPから分離して、プログラムを簡潔にすることができます。

15-01 | JavaBeansとは

JavaBeansはJavaプログラムをコンポーネント（部品）にするための技術です。Beansはビーンズと読みます。

JavaBeansの仕様に基づいて作成したオブジェクトのことを、Bean（ビーン）と呼びます。Javaはコーヒー、Beanは豆なので、JavaBeansはコーヒー豆のことです。

Beanはデータの保存に利用できます。Beanにデータを設定したり、設定したデータを取得したりすることができます。本章の前半では、データをBeanに設定した後に、取得して利用するサーブレットを作成します。本章の後半では、DAO（Data Access Object）とサーブレットの間でデータを受け渡しするために、Beanを利用します。

BeanはサーブレットとJSPの間でデータを受け渡しする際にも便利です。次章以降では、サーブレットからJSPにデータを渡すためにBeanを使います。JSPにはBeanの操作を簡単に行うための機能が用意されています。

■ Beanを使わないプログラム

最初に、Beanを使わないプログラムを作成してみましょう。後ほど、Beanを使って同じ処理を行うプログラムを作成します。両方のプログラムを比較することによって、Beanの利点を知ることが目的です。

作成するのは、商品情報を表示するサーブレットです。商品番号、商品名、価格の情報を、「1：まぐろ：100」のように表示します。プログラムを簡単にするために、データベースから商品情報を取得するのではなく、プログラム内で商品情報を作成します。

まずWEB-INF¥srcフォルダにchapter15フォルダを作成し、その中に以下のようなNoBean.javaを作成してください。

List | 15-01 NoBean.java

```java
package chapter15;

import tool.Page;
import java.io.IOException;
import java.io.PrintWriter;
import jakarta.servlet.ServletException;
import jakarta.servlet.http.*;
import jakarta.servlet.annotation.WebServlet;

@WebServlet(urlPatterns={"/chapter15/nobean"})
public class NoBean extends HttpServlet {
    public void doGet (
        HttpServletRequest request, HttpServletResponse response
    ) throws ServletException, IOException {
        PrintWriter out=response.getWriter();
        Page.header(out);

        int id=1;
        String name="まぐろ";                              ■1
        int price=100;

        out.println(id);
        out.println(":");
        out.println(name);                                ■2
        out.println(":");
        out.println(price);

        Page.footer(out);
    }
}
```

■1は商品情報の作成です。変数idに商品番号、nameに商品名、priceに価格を格納します。

■2は商品情報の表示です。■1で変数に格納した値を、「商品番号：商品名：価格」という形式で出力します。

■ コンパイルと実行

① 「compile」ウィンドウでソースファイルをコンパイルします。

compile chapter15¥NoBean.java

② 「tomcat」ウィンドウでTomcatを再起動してから、以下のURLをブラウザで開きます。

http://localhost:8080/book/chapter15/nobean

Fig | 実行結果

■ Beanを使わない場合の問題点

Beanを使わないプログラムの問題点は、関連する情報をまとめる枠組みがないことです。

商品番号、商品名、価格という3種類の情報は、関連する情報にもかかわらず、互いに関連性がない別々の変数で管理されています。そのため、情報を保存する際や、情報を受け渡しする際

Fig | Beanを使わない場合の問題点

に、処理が煩雑になったり、一部の情報に関する処理を忘れたりする恐れがあります。

関連する情報をまとめる枠組みがあれば、この問題を解決することができます。Javaの場合には、関連する情報をオブジェクトにまとめればよいでしょう。これから学ぶBeanも、オブジェクトの一種です。本書ではBeanを使って、関連する情報をまとめます。

15-02 | Beanの利用

Javaでオブジェクトを生成するには、クラスが必要です。これはBeanの場合も同じです。Beanのクラスは、次のような規則に従う必要があります。

① publicで引数なしのコンストラクタがあること
② privateなフィールドとゲッタ (getter)、セッタ (setter) があること
③ シリアライズ可能であること

■ コンストラクタ

Beanにはpublicで引数なしのコンストラクタが必要です。このコンストラクタの宣言は、省略することもできます。コンストラクタを1つも宣言しなかった場合は、コンパイラが引数なしのコンストラクタを自動的に生成するためです。

■ ゲッタ/セッタとプロパティ

Beanのフィールドはprivateで宣言するので、クラスの外からは直接アクセスできません。フィールドの値を取得または設定するには、ゲッタ/セッタと呼ばれるメソッドを使います。

ゲッタはフィールドの値を返すメソッドです。たとえば以下のように記述します。

書式 *ゲッタ*

```
public フィールド型 getフィールド名() {
    returnフィールド名;
}
```

上記のゲッタは、フィールドの値をそのまま返します。ゲッタによっては、値を加工してから返す場合もあります。

一方、セッタは引数の値をフィールドに設定するメソッドです。下記のセッタは、引数の値をそのままフィールドに設定しますが、引数の値を確認したり、加工したりしてから設定する場合もあります。

書式 *セッタ*

```
public void setフィールド名(フィールド型 引数名) {
    this.フィールド名=引数名;
}
```

ゲッタ/セッタのメソッド名に使用するフィールド名は、実際のフィールド名の先頭を大文字にしたものを使用するのが慣例になっています。

以下は、年齢を表すint型のフィールドと、それを操作するためのゲッタ/セッタの例です。このようにBeanクラスには、フィールド、ゲッタ、セッタの組み合わせを用意します。

```
private int age;

public int getAge() {
    return age;          ├──ゲッタ
}

public void setAge(int age) {
    this.age=age;        ├──セッタ
}
```

なお、このようにゲッタ/セッタで操作する対象のことを、**プロパティ**と呼ぶことがあります。Beanには一般に、複数のプロパティがあります。

■ シリアライズ

　シリアライズとは、オブジェクトをファイルなどに保存できる形式に変換することです。シリアライズを可能にするには、クラスにjava.io.Serializableインタフェースを実装します。

　java.io.Serializableインタフェースは、シリアライズ可能であることを示す目印です。このように目印として働くインタフェースのことを、マーカーインタフェースと呼ぶことがあります。Javaの実行環境は、java.io.Serializableインタフェースを実装しているクラスを、シリアライズ可能であると認識します。

　あるクラスをシリアライズ可能としてよいかどうかの判断は、プログラマに委ねられています。たとえば本書で作成するBeanのように、文字列や数値といったJavaの標準的なデータ型のフィールドだけを持つようなクラスは、シリアライズ可能です。

■ Beanのクラスを作る

　商品情報を表すBeanのクラス(Productクラス)を宣言してみましょう。このクラスは、商品番号、商品名、価格の情報を保持します。

　以下のクラスは今後も利用します。WEB-INF¥srcフォルダにbeanフォルダを作成し、その中にProduct.javaとして保存してください。

src
└ bean
　　└ Product.java　┈┈ これらを作成

List | 15-02 Product.java

```java
package bean;

public class Product implements java.io.Serializable { ┈┈■

    private int id;
    private String name;                                 ┈┈■
    private int price;

    public int getId() {
        return id;
    }
    public String getName() {                            ┈┈■
        return name;
    }
    public int getPrice() {
        return price;
```

```
    }

    public void setId(int id) {
        this.id=id;
    }
    public void setName(String name) {
        this.name=name;                                    4
    }
    public void setPrice(int price) {
        this.price=price;
    }
}
```

1はProductクラスの宣言です。シリアライズを可能にするために、Serializableインタフェースを実装します。

2では、bookデータベースの列に合わせて、商品番号(id)、商品名(name)、価格(price)を保存する3つのフィールドを宣言します。前述のように、private修飾子を付けます。

3は各フィールドの値を取得するためのゲッタ、4は値を設定するためのセッタです。

なお、Productクラスではコンストラクタの宣言を省略しています。この場合、コンパイラは引数なしのコンストラクタを自動的に生成します。

▌ Beanを使うサーブレット

商品情報を表すBeanのクラス(Productクラス)を使うサーブレットを作成して、Beanを使わないプログラム(→P.225)と比較してみましょう。実行結果は、Beanを使わないプログラムと同じです。

次のプログラムを入力し、chapter15フォルダにBean.javaとして保存してください。

List | 15-03 Bean.java

```
package chapter15;

import bean.Product;                        1
import tool.Page;
import java.io.IOException;
import java.io.PrintWriter;
import jakarta.servlet.ServletException;
import jakarta.servlet.http.*;
import jakarta.servlet.annotation.WebServlet;
```

```
@WebServlet(urlPatterns={"/chapter15/bean"})
public class Bean extends HttpServlet {

    public void doGet (
        HttpServletRequest request, HttpServletResponse response
    ) throws ServletException, IOException {
        PrintWriter out=response.getWriter();
        Page.header(out);

        Product p=new Product();                        ─────2

        p.setId(1);
        p.setName("まぐろ");                              ─────3
        p.setPrice(100);

        out.println(p.getId());
        out.println(":");
        out.println(p.getName());                       ─────4
        out.println(":");
        out.println(p.getPrice());

        Page.footer(out);
    }
}
```

1では、先ほど作成したBeanのクラス（Productクラス）をインポートしています。

2では、Productクラスのオブジェクトを生成します。

3ではセッタを使って値を設定し、**4**ではゲッタを使って値を取得します。

■ コンパイルと実行

① 「compile」ウィンドウでソースファイルをコンパイルします。これでbean¥Product.javaもコンパイルされます。

compile chapter15¥Bean.java

② 「tomcat」ウィンドウでTomcatを再起動してから、以下のURLをブラウザで開きます。

http://localhost:8080/book/chapter15/bean

■ Beanを使う場合の利点

Beanを使わないNoBean.java（→P.225）と、Beanを使うBean.java（→P.229）を比較してみましょう。Beanを使わない場合の問題点は、商品番号、商品名、価格という関連する情報が、

互いに関連性がない別々の変数で管理されていることでした。Beanを使う場合には、関連する情報がBeanのオブジェクトにまとめて格納されるので、問題が解消されています。

15-03 │ DAOとは

DAO（Data Access Object）とは、データベースを操作する処理をまとめたクラスです。DAOはデザインパターンの一種で、アプリケーションの本体とデータベースの処理を分離する効果があります。

DAOに先だってJavaBeansについて学んだのは、DAOに渡すデータや、DAOが返すデータを、Beanを使って表現するためです。たとえば、データベースにデータを追加する場合には、追加するデータをDAOに渡す必要があります。また、データベースからデータを取得した場合には、DAOは取得したデータを返す必要があります。これらのデータの入れ物として、Beanを利用します。

■ デザインパターンとJakarta EEパターン

デザインパターンとは、ソフトウェア開発における各種の設計技法に名前を付けて、カタログ化したものです。デザインパターンを必ずしも利用しなければならないわけではありませんが、開発の効率化に役立つ場合や、他のプログラマとの間のコミュニケーションに役立つ場合があります。

サーブレット/JSPの開発に使用するデザインパターンとしては、GoFのデザインパターンと、Jakarta EEパターンがよく知られています。

▶ GoFのデザインパターン

オブジェクト指向設計における汎用的なパターンです。パターンをまとめた4人にちなんで、GoF（Gang of Four）のパターンと呼ばれます。GoFのパターンはサーブレットAPIにも使われています。たとえば、サーブレットにはTemplate Methodというパターンが使われており、サーブレットフィルタにはChain of Responsibilityというパターンが使われています。

▶ Jakarta EEパターン（Java EEパターン）

Jakarta EEアプリケーション用のパターンです。DAOパターンは、Jakarta EEパターンの1つです。

■ DAOの効用

サーブレットにおけるDAOの効用について説明します。まず、DAOを使用しない場合は、次のようにサーブレットごとにデータベースに関する処理を記述する必要があります。

Fig | DAOを利用しない場合

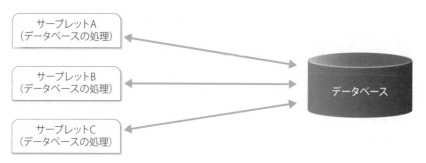

DAOを使う場合には、サーブレットとデータベースの間にDAOが入り、データベースに関する処理はDAOに記述します。これによりサーブレットとデータベース処理を分離することができるので、もし使用するデータベースを変更した場合にも、DAOに記述されたデータベースの処理を変更すればよく、サーブレットは変更せずに済みます。

Fig | DAOを利用する場合

一般的なDAOでは、DAOが持つ機能を宣言するインタフェースと、そのインタフェースを実装するクラスを別々に宣言します。この構造を使うと、データベースの種類に応じてDAOを実装するクラスを入れ替えることにより、DAOを利用する側のプログラムを変更せずに、データベース間の違いを吸収することができます。

この構造の問題点は、クラスやインタフェースの数が増えるため、プログラムが複雑になることです。そこで本書では、一般的なDAOを簡略化して実装することにします。必要なクラスやインタフェースの数をできるだけ少なくして、サンプルをわかりやすく簡潔にすることが目的です。

■ 本書におけるDAOクラス

一般にデータベースには複数のテーブルがあります。異なるテーブルに対して、単一のDAOで処理を行うこともできますが、複数のDAOに分けた方がプログラムの見通しがよくな

ります。たとえば、商品テーブルに対する処理はProductDAOで行い、顧客テーブルに対する処理はCustomerDAOで行うといったように、テーブルごとに別々のDAOを作成することがよくあります。ただし、関連性が深いテーブルについては、複数のテーブルに対して単一のDAOで処理を行う場合もあります。

Fig | テーブルとDAO

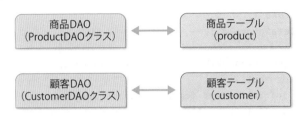

データソースを取得して、データベースに接続する処理は、どのDAOにも共通して必要です。この共通処理を各DAOに記述すると、同じ処理をあちこちにコピーすることになり、メンテナンス性が低下してしまいます。そこで本書では、データソースの取得とデータベースへの接続をDAOクラスで行い、ProductDAOやCustomerDAOといった各テーブルに対するDAOは、DAOクラスのサブクラスとして作成することにします。

Fig | DAOクラスの関係

■ データベース接続のためのDAOクラス

実際にDAOを作成してみましょう。ここではまず、DAOの共通処理であるデータベースへの接続を行う、DAOクラスを作成します。最終的には、Chapter14で作成した商品テーブルに対する検索と追加の処理を、ProductDAOとしてまとめます。

以下のクラスは今後も利用します。WEB-INF¥srcフォルダ内にdaoフォルダを作成し、その中にDAO.javaとして保存してください。

List | 15-04 DAO.java

```java
package dao;

import javax.naming.InitialContext;
import javax.sql.DataSource;
import java.sql.Connection;

public class DAO {
    static DataSource ds;                                          ■1

    public Connection getConnection() throws Exception {          ■2
        if (ds==null) {
            InitialContext ic=new InitialContext();
            ds=(DataSource)ic.lookup("java:/comp/env/jdbc/book"); ■3
        }
        return ds.getConnection();                                ■4
    }
}
```

■1はデータソースを保存する変数dsです。データソースは、データベースに接続するたびに取得する必要はありません。一度データソースを取得したら、何度も同じデータソースを使って接続を取得することができます。そこで、取得したデータソースをdsに保存して、何度も使うことにします。

dsをstaticフィールドにしているのは、DAOクラスのサブクラスのインスタンス間で、データソースを1つだけ持つようにするためです。本書ではDAOクラスのサブクラスとして、後ほどProductDAOクラスやCustomerDAOクラスを作成します。そして、ProductDAOインスタンスやCustomerDAOインスタンスの間で、同一のデータソースを共有します。そのため、データソースをインスタンスごとのフィールドではなく、staticフィールドに格納しています。

■2は、データベースへの接続（Connectionオブジェクト）を取得するためのgetConnectionメソッドです。DAOクラスのサブクラスは、このgetConnectionメソッドを使って、データベースへの接続を取得します。

■3はデータソースの初期化です。dsが未初期化の場合に限り、データソースを取得します。dsは参照型（DataSourceオブジェクト）のフィールドなので、初期値はnullです。そこで、dsがnullかどうかを判定して、nullの場合だけデータソースを取得し、dsに保存します。これで最初の1回目だけデータソースを取得することができます。Chapter14（→P.198）で学んだように、データソースはInitialContextクラスとDataSourceインタフェースを使って取得します。

■4は接続の取得です。DataSourceインタフェースのgetConnectionメソッドを使って接続を取得し、呼び出し元に返します。

15-04 | 商品DAOの作成

　商品テーブルに対する処理を行うProductDAOクラスを作成しましょう。ProductDAOクラスは、DAOクラスのサブクラスとして宣言します。ProductDAOクラスには、商品の検索を行う機能と、商品の追加を行う機能を持たせることにします。

　次のプログラムを入力し、daoフォルダにProductDAO.javaとして保存してください。

src
dao
ProductDAO.java ◀ ‥‥‥‥ このファイルを作成

List | 15-05 ProductDAO.java

```java
package dao;

import bean.Product;
import java.sql.Connection;
import java.sql.PreparedStatement;
import java.sql.ResultSet;
import java.util.List;
import java.util.ArrayList;

public class ProductDAO extends DAO {

    public List<Product> search(String keyword) throws Exception {    ■1
        List<Product> list=new ArrayList<>();                         ■2

        Connection con=getConnection();                               ■3

        PreparedStatement st=con.prepareStatement(
            "select * from product where name like ?");               ■4
        st.setString(1, "%"+keyword+"%");
        ResultSet rs=st.executeQuery();

        while (rs.next()) {
            Product p=new Product();
            p.setId(rs.getInt("id"));
            p.setName(rs.getString("name"));                          ■5
            p.setPrice(rs.getInt("price"));
            list.add(p);
        }

        st.close();                                                   ■6
        con.close();

        return list;                                                  ■7
    }
```

```
    public int insert(Product product) throws Exception {      8
        Connection con=getConnection();

        PreparedStatement st=con.prepareStatement(
            "insert into product(name, price) values(?, ?)");      9
        st.setString(1, product.getName());
        st.setInt(2, product.getPrice());      10
        int line=st.executeUpdate();      11

        st.close();
        con.close();
        return line;      12
    }
}
```

　このクラスでは、データベースの検索を行うsearchメソッドと、データベースへの行の追加を行うinsertメソッドを宣言しています。

■ 検索機能

　1は検索を行うsearchメソッドです。検索キーワードを指定すると、キーワードを商品名に含む商品の一覧を返します。このメソッドの場合は、検索結果のResultSetオブジェクトをそのまま返すことができません。**データベースから切断するときに、ResultSetオブジェクトは破棄されてしまうためです。**もしResultSetオブジェクトを返しても、メソッドの呼び出し元では使用できません。

　そこで、このメソッドではResultSetオブジェクトの内容を、リスト（java.util.Listインタフェース）に詰め替えてから返すことにします。詰め替え用のリストを宣言しているのが**2**です。商品情報は、商品情報を表すBeanであるProductクラスに保存しますので、リストの型はProduct型とします。

```
List<Product> list=new ArrayList<>();
```

　なお、searchメソッドで発生した例外については、呼び出し元で処理することにして、searchメソッドの宣言にthrows Exceptionと記述します。

　3ではDAOクラスのgetConnectionメソッド（→P.234）を使って、データベースに接続します。

　4はSQL文の実行、**6**はデータベースからの切断です。これらの部分は、Chapter14で作成したSearch.java（→P.206）と同様です。

　5では、検索結果であるResultSetオブジェクトから1行ずつ取り出し、新たに生成した

Productオブジェクトに対して、各列の値をセッタを使って書き込んでいます。書き込みが終わったProductオブジェクトは、❷で宣言したリストに追加します。

```
while (rs.next()) {
    Product p=new Product();
    p.setId(rs.getInt("id"));
    p.setName(rs.getString("name"));
    p.setPrice(rs.getInt("price"));
    list.add(p);
}
```

この処理が終わると、ResultSetに含まれる行と同じ数の要素を持つリストができあがるので、❼でこのリストを返します。

追加機能

❽は追加を行うinsertメソッドです。引数に商品情報のBean（Productオブジェクト）を指定すると、Beanに保存された情報を取得し、データベースに1行追加します。戻り値は、データベース上で変更した行数です。例外については、メソッドの呼び出し元で処理するために、throws Exceptionと記述します。

❾ではデータの追加を行うためのinsert文を作成しています。これはP.211のInsert.Javaと同じ処理です。

❿ではプレースホルダを置き換えています。引数として受け取ったProductオブジェクトから、ゲッタを使ってname列とprice列の値を取り出して、setStringメソッドとsetIntメソッドの第2引数に指定しています。

```
st.setString(1, product.getName());
st.setInt(2, product.getPrice());
```

作成したSQL文は、executeUpdateメソッド（→P.210）を使って実行します（⓫）。executeUpdateメソッドは変更した行数を返すので、これをinsertメソッドの戻り値にします（⓬）。

15-05 │ DAOを使ったサーブレットの改良

作成したProductDAOクラスを使って、Chapter14で作成したSearch.javaとInsert.javaを改良してみましょう。DAOを使うことでサーブレットのプログラムを簡潔にすることができます。

なお、どちらのサーブレットについても、フォームを設置したJSPはChapter14と同じものを使用します。bookフォルダの中にchapter15フォルダを作成したら、その中にbook¥chapter14フォルダにあるsearch.jspとinsert.jspをコピーしてください。

このフォルダを作成

これらはchapter14フォルダからコピー

■ 商品検索サーブレットの作成

では改良したSearch.javaを作成しましょう。次のプログラムを入力し、WEB-INF¥src¥chapter15フォルダにSearch.javaとして保存してください。

このファイルを作成

List | 15-06 Search.java

```java
package chapter15;

import bean.Product;
import dao.ProductDAO;                                    ■1
import tool.Page;
import java.io.IOException;
import java.io.PrintWriter;
import jakarta.servlet.ServletException;
import jakarta.servlet.http.*;
import jakarta.servlet.annotation.WebServlet;
import java.util.List;

@WebServlet(urlPatterns={"/chapter15/search"})
public class Search extends HttpServlet {

    public void doPost (
        HttpServletRequest request, HttpServletResponse response
    ) throws ServletException, IOException {
        PrintWriter out=response.getWriter();
        Page.header(out);
        try {
            String keyword=request.getParameter("keyword");

            ProductDAO dao=new ProductDAO();
            List<Product> list=dao.search(keyword);         ■2
```

```
                    for (Product p : list) {
                        out.println(p.getId());
                        out.println(":");
                        out.println(p.getName());
                        out.println(":");
                        out.println(p.getPrice());
                        out.println("<br>");
                    }

                } catch (Exception e) {
                    e.printStackTrace(out);
                }
                Page.footer(out);
            }
        }
```

　P.206のSearch.javaと比べると、データベースの処理をProductDAOクラスに任せているので、一見してコードが単純化されていることがわかります。ProductDAOクラスは■でインポートしています。

　フォームに入力されたキーワードでデータベースを検索し、結果を受け取っているのが■です。最初にProductDAOクラスのオブジェクトを生成し、キーワードを引数としてsearchメソッドを実行しています。P.236で解説したとおり、searchメソッドはBean（Productオブジェクト）のリストを返すので、このリストを変数listに代入しています。

```
ProductDAO dao=new ProductDAO();
List<Product> list=dao.search(keyword);
```

　■は結果の表示です。リストから商品情報を取得し、「商品番号：商品名：価格」の形式で表示します。リストから商品情報を取得して出力するには、拡張for文を使うと便利です。次のように記述すると、listからProductオブジェクトを1つずつ取り出し、変数pに代入します。

```
for (Product p : list) {
```

　Productオブジェクトから値を取り出すには、次のようにゲッタを使います。

```
out.println(p.getId());
out.println(p.getName());
out.println(p.getPrice());
```

① 「compile」ウィンドウでソースファイルをコンパイルします。これでdao¥DAO.javaと dao¥ProductDAO.javaもコンパイルされます。

compile chapter15¥Search.java

② 「tomcat」ウィンドウでTomcatを再起動してから、以下のURLをブラウザで開きます。

http://localhost:8080/book/chapter15/search.jsp

③ 検索キーワードを入力して、「検索」ボタンを選択してください。

実行結果についてはP.204と同じなので割愛します。

Column DTOパターン

　DTO（Data Tansfer Object）は、データを運ぶための入れ物となるクラスです。DAOと同じく、DTOもデザインパターンの一種です。DAOと並んでよく出てくるパターンなので、ここで紹介します。

　DTOが使われるのは、データの送受信に負担が伴う場合です。たとえば、ネットワークを介してデータの送受信を行う場合、細かなデータを何度も通信するよりも、1つのデータにまとめて通信の回数を減らした方が、一般にネットワークへの負担は小さくなります。このような場合に、データをまとめる入れ物となるのがDTOです。

　本書ではDAOに対するデータの受け渡しにBeanを使いますが、このようなBeanをDTOと呼ぶかどうかは、意見が分かれます。DTOは通信の負担を軽減するための仕組みですが、DAOのメソッドに引数としてBeanを渡す場合には、通信の負担はほとんど生じません。そのため、このようなBeanはDTOとは呼ばないという考え方もあります。

■ 商品追加サーブレットの作成

　今度は、商品を追加するサーブレット（Insert.java）を改良しましょう。次のプログラムを入力し、WEB-INF¥src¥chapter15フォルダに、Insert.javaとして保存してください。

```
src
  chapter15
    Insert.java  ◀·········· このファイルを作成
```

List | 15-07 Insert.java

```java
package chapter15;

import bean.Product;
import dao.ProductDAO;
import tool.Page;
import java.io.IOException;
import java.io.PrintWriter;
```

```java
import jakarta.servlet.ServletException;
import jakarta.servlet.http.*;
import jakarta.servlet.annotation.WebServlet;

@WebServlet(urlPatterns={"/chapter15/insert"})
public class Insert extends HttpServlet {

    public void doPost (
        HttpServletRequest request, HttpServletResponse response
    ) throws ServletException, IOException {
        PrintWriter out=response.getWriter();
        Page.header(out);
        try {
            String name=request.getParameter("name");
            int price=Integer.parseInt(request.getParameter("price"));

            Product p=new Product();
            p.setName(name);                                        ┃1
            p.setPrice(price);

            ProductDAO dao=new ProductDAO();
            int line=dao.insert(p);                                 ┃2

            if (line>0) {
                out.println("追加に成功しました。");
            }
        } catch (Exception e) {
            e.printStackTrace(out);
        }
        Page.footer(out);
    }
}
```

1では、データベースに追加するデータを保持するProductオブジェクトを作成します。リクエストパラメータから取得した商品名と価格を、セッタを使って書き込んでいます。

```java
Product p=new Product();
p.setName(name);
p.setPrice(price);
```

2ではデータベースへの追加を実行します。ProductDAOのオブジェクトを生成したあと、**1**で作成したProductオブジェクトを引数にして、insertメソッドを実行します。

```
ProductDAO dao=new ProductDAO();
dao.insert(p);
```

　insertメソッドは、executeUpdateメソッドと同じく処理されたデータベースの行数を返しますので、以降の処理はChapter14のInsert.javaと同じです。

　Search.javaと同様に、Insert.javaもかなり簡略化されているのが確認できるかと思います。なお、本章で作成したBeanやDAOは、以降の章でも使用していきます。

■ コンパイルと実行

① 「compile」ウィンドウでソースファイルをコンパイルします。

compile chapter15¥Insert.java

② 「tomcat」ウィンドウでTomcatを再起動してから、以下のURLをブラウザで開きます。

http://localhost:8080/book/chapter15/insert.jsp

③ 商品名と価格を入力して、「追加」ボタンを選択してください。

　こちらも実行画面は割愛します。追加されたかどうかを確認するには、以下のサーブレットを実行してください。

http://localhost:8080/book/chapter14/all

➡ まとめ

本章では次の事柄を学びました。

- JavaBeansはJavaプログラムをコンポーネント（部品）にするための技術です。
- JavaBeansの仕様に基づいて作成したオブジェクトのことをBeanと呼びます。
- Beanには、publicで引数なしのコンストラクタが必要です。
- Beanには、値を取得するためのゲッタと、値を設定するためのセッタが必要です。
- Beanは、シリアライズ可能であることが必要です。
- Beanを使うことで、関連する情報をまとめて管理することができます。
- DAOとは、データベースを操作する処理をまとめたクラスです。

次章ではスコープと属性について学びます。

練習問題 本章で作成したSearch.javaとInsert.javaを参考に、商品を追加した後に商品の一覧を表示するサーブレットを作成してください。入力用のWebページはJSPで記述し、検索の実行と結果の表示はサーブレットで行います。

●サンプルの実行画面

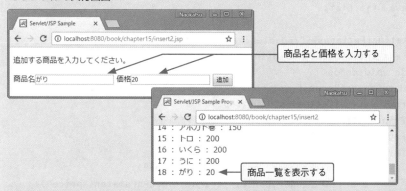

商品名と価格を入力する

```
14 : アボカド巻 : 150
15 : トロ : 200
16 : いくら : 200
17 : うに : 200
18 : がり : 20
```

商品一覧を表示する

JSPファイルは、P.211のinsert.jspとほぼ同じ内容です。サーブレットのURLパターンは、/chapter15/insert2にしてください。

商品の一覧を表示するには、ProductDAOクラスのsearchメソッドの引数に空文字列("")を指定して実行し、検索結果を出力します。

(1) JSPファイルは、book¥chapter15フォルダにinsert2.jspというファイル名で保存してください。
(2) サーブレットのソースファイルは、book¥WEB-INF¥src¥chapter15フォルダに、Insert2.javaというファイル名で保存してください。

解答例

List | insert2.jsp

```
<%@page contentType="text/html; charset=UTF-8" %>
<%@include file="../header.html" %>


<p>追加する商品を入力してください。</p>
<form action="insert2" method="post">
商品名<input type="text" name="name">
価格<input type="text" name="price">
<input type="submit" value="追加">
</form>


<%@include file="../footer.html" %>
```

List | Insert2.java

```
package chapter15;

import bean.Product;
import dao.ProductDAO;
import tool.Page;
```

```java
import java.io.IOException;
import java.io.PrintWriter;
import jakarta.servlet.ServletException;
import jakarta.servlet.http.*;
import jakarta.servlet.annotation.WebServlet;
import java.util.List;

@WebServlet(urlPatterns={"/chapter15/insert2"})
public class Insert2 extends HttpServlet {
    public void doPost (
        HttpServletRequest request, HttpServletResponse response
    ) throws ServletException, IOException {
        PrintWriter out=response.getWriter();
        Page.header(out);
        try {
            String name=request.getParameter("name");
            int price=Integer.parseInt(request.getParameter("price"));

            Product p=new Product();
            p.setName(name);
            p.setPrice(price);                              ■1
            ProductDAO dao=new ProductDAO();
            dao.insert(p);

            List<Product> list=dao.search("");             ■2
            for (Product q : list) {
                out.println(q.getId());
                out.println(" : ");
                out.println(q.getName());
                out.println(" : ");
                out.println(q.getPrice());
                out.println("<br>");
            }
        } catch (Exception e) {
            e.printStackTrace(out);
        }
        Page.footer(out);
    }
}
```

■1は商品の追加で、内容はInsert.javaと同じです。

■2では、空文字列を引数にしてsearchメソッドを実行しています。以降の結果を表示する処理は、Search.javaと同じです。

16 スコープとリクエスト属性

　本章では、属性を使ってサーブレット/JSPのデータを保存する方法を学びます。属性には、リクエスト属性、セッション属性、アプリケーション属性、ページ属性があり、それぞれ有効範囲（スコープ）が異なっています。本章では属性のスコープに関する基礎知識について学んだあと、リクエスト属性の詳細な使い方を解説します。

16-01 ｜ サーブレット/JSPにおける属性とスコープ

　スコープとは名前の有効範囲のことです。プログラミングにおいては、変数名や関数名などを利用できる範囲のことをスコープと呼びます。

　サーブレット/JSPにおいて重要なのは、属性のスコープです。属性とは、サーブレット/JSPのデータ（オブジェクト）を保存するための仕組みです。もともとHTTPはリクエストを送信してレスポンス（Webページ）を得るという単純なプロトコルで、その1往復で作成したデータは、他のページに持ち越すことができません。これではWebアプリケーションを作るときに困ってしまうので、属性という機能が用意されています。

　属性には複数の種類があり、種類ごとにスコープが違います。有効範囲の広さは、ページが最も狭く、リクエスト、セッション、アプリケーションの順に広くなります。

Table ｜ 属性とスコープ

属性	スコープ
ページ	同じページ内
リクエスト	同じリクエスト内
セッション	同じセッション内
アプリケーション	同じWebアプリケーション内

　各属性について、以下で詳しく学びます。最初にサーブレット/JSPの両方で使えるリクエスト属性、セッション属性、アプリケーション属性について学び、次にJSPのみで使えるページ属性について学びます。

■ リクエスト属性

　リクエスト属性は、サーブレット/JSPが処理するリクエストに属しています。リクエスト

（HttpServletRequestオブジェクト）に対して、データを属性として設定したり、設定したデータを取得したりすることができます。

　リクエスト属性は、同じリクエストを複数のサーブレット/JSPが処理するときに、サーブレット/JSP間でデータを受け渡すために使います。Chapter09では、フォワードやインクルードを用いて、画面遷移する方法を学びました。このように同一リクエスト内の画面遷移の場合は、リクエスト属性を使ってデータを受け渡すことができます。

　たとえば、あるサーブレット/JSPから、別のサーブレット/JSPにフォワードする場合、リクエスト属性を使って(A)から(B)にデータを渡すことができます。

Fig | リクエスト属性（フォワード）

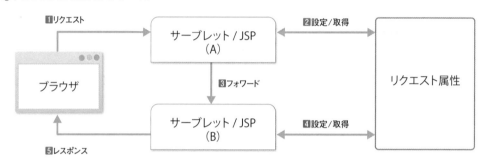

　あるサーブレット/JSPから、別のサーブレット/JSPをインクルードする場合にも、リクエスト属性を使って(A)から(B)にデータを渡すことができます。

Fig | リクエスト属性（インクルード）

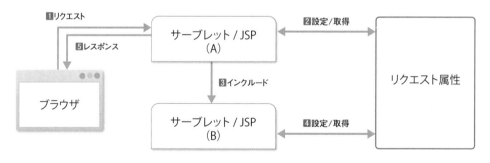

■ セッション属性

　セッション属性は、セッションに属しています。セッションについてはChapter17で詳しく解説しますが、簡単にいうとユーザを特定するための仕組みです、

　セッション属性を使うと、Webアプリケーションを利用するユーザごとに、別々のデータを保存することができます。セッション属性は、複数のリクエストに渡って保持することがで

きます。あるリクエストを処理する際にセッション属性に設定したデータを、次のリクエスト
を処理する際に取得して利用することができます。セッション属性は、ログイン機能(→P.376)
を実現する際や、ショッピングカート機能(→P.390)を実現する際に役立ちます。

Fig | セッション属性

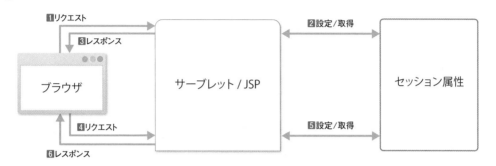

■ アプリケーション属性

アプリケーション属性は、Webアプリケーションに属しています。アプリケーション属性
を使うと、Webアプリケーション全体で共有するデータを保存することができます。つまり、
一種のグローバル変数のように利用できますが、それだけに扱いには注意が必要になります。
アプリケーション属性の例についてはP.297で紹介します。

Fig | アプリケーション属性

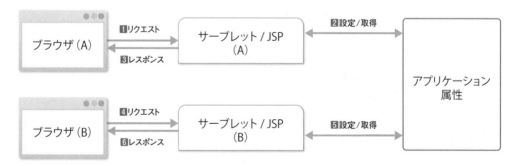

■ ページ属性

ページ属性はサーブレットでは使えず、JSPのみで使える属性です。ページ属性は現在のペー
ジに属しています。ページ属性を使うと、現在のページ(現在のJSPファイル)内でだけ有効な
データを保存することができます。有効範囲は属性の中で最も狭くなっています。たとえばリ
クエスト属性とは異なり、同じリクエスト内であってもJSPファイルが異なれば、ページ属性
を共有することはできません。

属性を操作するオブジェクトとメソッド

各属性を操作するには、次のようなクラスまたはインタフェースのオブジェクトを使います。

Table｜属性を操作するために使うクラス/インタフェース

属性	クラス/インタフェース
リクエスト	jakarta.servlet.http.HttpServletRequestインタフェース
セッション	jakarta.servlet.http.HttpSessionインタフェース
アプリケーション	jakarta.servlet.ServletContextインタフェース
ページ	jakarta.servlet.jsp.PageContextクラス

これらのクラス/インタフェースは、属性を操作するために、次のようなメソッドを提供しています。各属性の操作に使うクラス/インタフェースは異なりますが、メソッドの名前、引数、戻り値は統一されています。

getAttributeメソッド

宣　言　：　Object **getAttribute**(String name)

機　能　：　引数に指定した名前の属性から、データを取得します。戻り値がObject型であることに注意してください。指定した属性名が存在しない場合はnullを返します。

setAttributeメソッド

宣　言　：　void **setAttribute**(String name, Object object)

機　能　：　第1引数で指定した名前の属性に、第2引数のデータを設定します。

removeAttributeメソッド

宣　言　：　void **removeAttribute**(String name)

機　能　：　引数で指定した名前の属性を削除します。

getAttributeNamesメソッド

宣　言　：　Enumeration<String> **getAttributeNames**()

機　能　：　属性名の一覧を取得します。戻り値はgetParameterNamesメソッド(→P.70)と同じく、Enumerationオブジェクトです。

16-02 ｜ リクエスト属性を使う

Webアプリケーションでは、サーブレットがリクエストパラメータやデータベースの処理を行い、その結果をJSPが処理してレスポンスを出力する、という方式をよく利用します。サーブレットからJSPに結果を受け渡す手段としては、リクエスト属性やセッション属性が使用さ

れます。ここではリクエスト属性を使ってみます。

　リクエスト属性には任意のオブジェクトを設定することができます。ここではサーブレットからリクエスト属性にBean（Productオブジェクト）を設定し、JSPから取得するプログラムを作成してみましょう。

Fig | リクエスト属性を使ってBeanを渡す

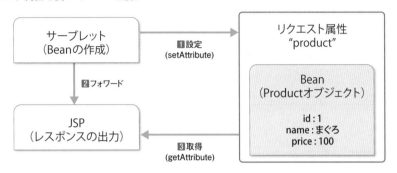

　次のサンプルでは、サーブレットで生成したProductオブジェクトをリクエスト属性に保存し、フォワード先のJSPで表示します。実行結果はP.226と同じです。

■ サーブレットの作成

　まずサーブレットを作成しましょう。WEB-INF¥srcフォルダの中にchapter16フォルダを作成し、その中に次のような内容のAttribute.javaを作成してください。

List | 16-01 Attribute.java

```
package chapter16;

import bean.Product;
import java.io.IOException;
import jakarta.servlet.ServletException;
import jakarta.servlet.http.*;
import jakarta.servlet.annotation.WebServlet;

@WebServlet(urlPatterns={"/chapter16/attribute"})
public class Attribute extends HttpServlet {

    public void doGet (
        HttpServletRequest request, HttpServletResponse response
```

```
    ) throws ServletException, IOException {

        Product p=new Product();
        p.setId(1);
        p.setName("まぐろ");
        p.setPrice(100);

        request.setAttribute("product", p);

        request.getRequestDispatcher("attribute.jsp")
            .forward(request, response);
    }
}
```

■では商品のBean（Productオブジェクト）を生成します。セッタを使って、商品番号、商品名、価格を設定します。

②ではsetAttributeメソッドを用いて、リクエスト属性にBeanを設定します。属性名は「product」としています。

③ではJSPファイル（attribute.jsp）にフォワードします。

■ JSPファイルの作成

フォワード先のJSPファイルを作成しましょう。bookフォルダ内にchapter16フォルダを作成し、その中に次のような内容のattribute.jspを作成してください。

List | 16-02 attribute.jsp

```
<%@page contentType="text/html; charset=UTF-8" %>
<%@include file="../header.html" %>

<%@page import="bean.Product" %>

<% Product p=(Product)request.getAttribute("product"); %>

<%=p.getId() %>:<%=p.getName() %>:<%=p.getPrice() %><br>

<%@include file="../footer.html" %>
```

■ではBeanのクラス（bean.Productクラス）をインポートします。BeanのクラスをJSPで利用するためには、pageディレクティブを使ったインポート（→P.112）が必要です。

■ではスクリプトレットでgetAttributeメソッドを使って、サーブレットで設定した商品のBeanを取得します。getAttributeメソッドの戻り値はObject型なので、Product型に変換します。

■ではJSPの式を用いて、「商品番号：商品名：価格」の形式で商品情報を表示します。取得したBeanに対してゲッタを呼び出し、商品情報を取得します。

Chapter
16
スコープとリクエスト属性

JSPからBeanを利用するには、スクリプトレットや式を使う方法の他に、Chapter20で学ぶアクションタグや、Chapter21で学ぶEL式を使う方法もあります。リクエスト属性に設定されたBeanを取得して利用するという仕組みは同じなのですが、より簡潔にプログラムを記述することができます。

■ コンパイルと実行

① 「compile」ウィンドウでソースファイルをコンパイルします。

compile chapter16¥Attribute.java

② 「tomcat」ウィンドウでTomcatを再起動してから、以下のURLをブラウザで開きます。

http://localhost:8080/book/chapter16/attribute

16-03 │ データベース処理とリクエスト属性

サーブレットからJSPへBeanを渡して、JSPで表示することができました。今度は、サーブレットがデータベースから取得したデータをJSPに渡して、JSPで表示するプログラムを作成してみましょう。これは実用的なWebアプリケーションにも応用できる処理です。

データベースから取得する場合は、結果が1行とは限らないので、先ほどのサンプルのように1つのProductオブジェクトに格納できるとは限りません。そこでP.238のように、データベースの検索結果をProductオブジェクトのリストにしてから、リクエスト属性に保存します。ただし、検索結果をリストにする処理は、ProductDAOクラスのsearchメソッドに実装済みなので、これを使うことで、コードをかなり簡略化できます。

ここで作成するのは、サーブレット側で商品テーブルのすべての行を読み出してProductオブジェクトのリストとし、フォワード先のJSPファイルで表示するプログラムです。実行結果はP.200と同じです。

■ サーブレットの作成

次のプログラムを入力し、WEB-INF¥src¥
chapter16フォルダにAttribute2.javaとして保
存してください。

Attribute2.java ◀⋯ このファイルを作成

List | 16-03 Attribute2.java

```java
package chapter16;

import bean.Product;
import dao.ProductDAO;
import java.io.IOException;
import java.io.PrintWriter;
import jakarta.servlet.ServletException;
import jakarta.servlet.http.*;
import jakarta.servlet.annotation.WebServlet;
import java.util.List;

@WebServlet(urlPatterns={"/chapter16/attribute2"})
public class Attribute2 extends HttpServlet {
    public void doGet (
        HttpServletRequest request, HttpServletResponse response
    ) throws ServletException, IOException {
        PrintWriter out=response.getWriter();
        try {
            ProductDAO dao=new ProductDAO();                        ┄┄1
            List<Product> list=dao.search("");

            request.setAttribute("list", list);                    ┄┄2

            request.getRequestDispatcher("attribute2.jsp")         ┄┄3
                .forward(request, response);

        } catch (Exception e) {
            e.printStackTrace(out);
        }
    }
}
```

1では商品のDAO (ProductDAOクラス) を用いて、全商品の情報を取得します。Product
DAOクラス (→P.235) のオブジェクトを生成してから、searchメソッドを呼び出します。
searchメソッドは、商品のリストをList<Product>型で返します。

2ではsetAttributeメソッドを用いて、リクエスト属性に商品のリストを設定します。属性
名はlistです。

3ではJSPファイル (attribute2.jsp) にフォワードします。

JSPファイルの作成

フォワード先のJSPファイルを作成しましょう。次のJSPファイルを入力し、chapter16フォルダにattribute2.jspとして保存してください。

List | 16-04 attribute2.jsp

```
<%@page contentType="text/html; charset=UTF-8" %>
<%@include file="../header.html" %>

<%@page import="bean.Product, java.util.List" %>                        ■1

<% List<Product> list=(List<Product>)request.getAttribute("list"); %>   ■2

<% for (Product p : list) { %>
    <%=p.getId() %>:<%=p.getName() %>:<%=p.getPrice() %><br>            ■3
<% } %>

<%@include file="../footer.html" %>
```

1ではpageディレクティブを使って、Beanのクラス (bean.Productクラス) と、リストのインタフェース (java.util.Listインタフェース) をインポートします。このように複数のクラスをインポートする場合には、,で区切って並べることができます。

2ではgetAttributeメソッドを使って、サーブレットで設定した商品のリストを取得します。getAttributeメソッドの戻り値はObject型なので、List<Product>型に変換します。

3では拡張for文を用いて、リストに含まれるすべての商品を表示します。ここで注意したいのは、次のように拡張for文のスクリプトレットをいったん%>で閉じることにより、繰り返し処理の中でJSPの式が使えるようになるということです。

```
<% for (Product p : list) { %>
    繰り返し処理
<% } %>
```

上記をスクリプトレットだけで書くと、次のように少し長くなります。繰り返し処理の内容が値の表示ならば、かなり記述を簡略化できるので、上記の方法を使うとよいでしょう。

```
<%
for (Product p : list) {
    out.println(p.getId());
    out.println(":");
    out.println(p.getName());
    out.println(":");
    out.println(p.getPrice());
    out.println("<br>");
}
%>
```

　スクリプトレットで拡張for文を記述すると、<%と%>で囲むために、どうしても通常のJava
プログラムに比べて見づらくなってしまいます。Chapter22で学ぶJSTLを使うと、スクリプ
トレットを使わずに、拡張for文のような繰り返し処理を行うことができます（→P.337）。

■ コンパイルと実行

① 「compile」ウィンドウでソースファイルをコンパイルします。

compile chapter16¥Attribute2.java

② 「tomcat」ウィンドウでTomcatを再起動してから、以下のURLをブラウザで開きます。

http://localhost:8080/book/chapter16/attribute2

---

 getAttributeNamesメソッド

　getAttributeNamesメソッドを使うと、属性名の一覧を取得することができます。このメソッドを使っ
て、リクエスト属性の一覧を取得してみましょう。次のようなスクリプトレットを記述します。

```
<%
List<String> names=Collections.list(request.getAttributeNames());
for (String name : names) {
    out.println(name+" = "+request.getAttribute(name)+"<br>");
}
%>
```

　上記のプログラムは、属性名の一覧を取得し、属性値とともに出力します。たとえば、以下のような出
力が得られます。リクエスト属性には、URI/コンテキストパス/サーブレットパスなども含まれていること
がわかります。

```
jakarta.servlet.forward.request_uri = /book/chapter16/attribute
jakarta.servlet.forward.context_path = /book
```

```
jakarta.servlet.forward.servlet_path = /chapter16/attribute
jakarta.servlet.forward.mapping =
org.apache.catalina.core.ApplicationMapping$MappingImpl@…
```

▶ まとめ

本章では次の事柄を学びました。

- サーブレット/JSPでは、リクエスト属性、セッション属性、アプリケーション属性、ページ属性が使えます。
- 各属性はスコープ（有効範囲）が異なります。
- 各属性を操作するクラス/インタフェースは異なりますが、メソッドは統一されています。
- リクエスト属性を使って、サーブレットからJSPにデータ（Beanやリスト）を渡せます。

次章ではセッションの概要と、セッション属性の使い方について解説します。

練習問題 P.238のSearch.javaと、16-03の商品のリストをフォワード先のJSPファイルで表示するプログラムを参考に、検索した商品の一覧をフォワード先のJSPファイルで表示するプログラムを作成してください。入力用のフォームはJSPファイルで表示します。検索はサーブレットで行い、検索結果はフォワード先のJSPファイルで表示します。

●サンプルの実行画面

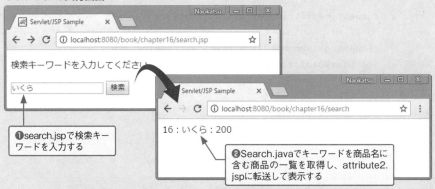

❶search.jspで検索キーワードを入力する

❷Search.javaでキーワードを商品名に含む商品の一覧を取得し、attribute2.jspに転送して表示する

(1) 入力用のJSPファイルはbook¥chapter15¥search.jspと同じ内容です。search.jspをbook¥chapter16フォルダにコピーしてください。
(2) サーブレットのソースファイルは、book¥WEB-INF¥src¥chapter16フォルダにSearch.javaというファイル名で保存してください。
(3) フォワード先のJSPファイルは16-03のattribute2.jspを利用するので、新規に作成する必要はありません。

解答例

List | Search.java

```java
package chapter16;

import bean.Product;
import dao.ProductDAO;
import java.io.IOException;
import java.io.PrintWriter;
import jakarta.servlet.ServletException;
import jakarta.servlet.http.*;
import jakarta.servlet.annotation.WebServlet;
import java.util.List;

@WebServlet(urlPatterns={"/chapter16/search"})
public class Search extends HttpServlet {

    public void doPost (
        HttpServletRequest request, HttpServletResponse response
    ) throws ServletException, IOException {
        PrintWriter out=response.getWriter();
        try {
            String keyword=request.getParameter("keyword");

            ProductDAO dao=new ProductDAO();                    ■1
            List<Product> list=dao.search(keyword);

            request.setAttribute("list", list);                ■2

            request.getRequestDispatcher("attribute2.jsp")     ■3
                .forward(request, response);

        } catch (Exception e) {
            e.printStackTrace(out);
        }
    }
}
```

■1は検索の実行です。商品のDAO (ProductDAOクラス) を使って、キーワードを商品名に含む商品の
リストを取得します。

■2ではsetAttributeメソッドを用いて、リクエスト属性にリストを設定します。属性名はlistです。

■3では16-03で作成したJSPファイル (attribute2.jsp) にフォワードします。フォワード先のJSPファイ
ルは商品のリストを表示します。

17 セッション

本章ではセッションの仕組みと、セッション属性の使い方について学びます。セッションを使うことで、Webアプリケーションでよく利用されるログイン機能や、ショッピングカート機能を実現することができます。

17-01 | セッションとは

セッションは、Webアプリケーションにおいて、各ユーザに固有のデータを格納するための仕組みです。セッションでは、アプリケーションサーバが発行するセッションIDという識別番号を使って、各ユーザを区別します。HTTPは、リクエストを受け取ってレスポンスを返すという単純なプロトコルであり、通常はリクエストをまたいでデータを保持することができません。しかしセッションを利用すれば、ユーザごとに異なるデータを、リクエストをまたいで保持できるようになります。

Chapter16では色々な属性を紹介しましたが、この中で各ユーザに固有のデータを保持するのが、セッション属性です。セッション属性はセッションIDに紐付けられているので、ユーザごとに異なるデータを格納できます。またセッション属性のデータは、リクエストをまたいで保持されるので、ショッピングカート機能などの実現に利用できます。

以下ではセッションが動作する仕組みを説明します。

■ セッションの開始

アプリケーションサーバは、ユーザからのリクエストを受けるとセッションIDを発行し、レスポンスと一緒にユーザへ送信します。レスポンスを受け取ったブラウザは、このセッションIDを保存しておき、2回目以降のアクセス時に利用します。

セッションの保存

Tomcatには、Tomcatの終了時やWebアプリケーションの終了時に、セッションの情報をファイルに保存する機能があります。この機能が有効な場合、TomcatやWebアプリケーションの再起動時に、自動的にファイルからセッションの情報が読み込まれて、セッション属性のデータが復元されます。

デフォルトでは、この機能はTomcat 10では無効で、Tomcat 9以前では有効です。機能を有効にするには、META-INF¥context.xmlのContext要素内に、<Manager pathname="ファイル名"/>と記述します。機能を無効にするには、ファイル名を空にします。

Fig | セッションの開始

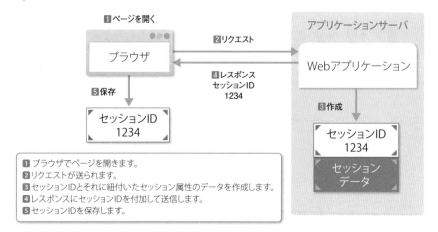

① ブラウザでページを開きます。
② リクエストが送られます。
③ セッションIDとそれに紐付いたセッション属性のデータを作成します。
④ レスポンスにセッションIDを付加して送信します。
⑤ セッションIDを保存します。

　セッションIDの保存には、クッキー（Cookie）と呼ばれる仕組みが使われます。クッキーを使うと、サーバサイドから送信したデータを、クライアントサイドのコンピュータに保存することができます。クッキーについてはChapter18で学びます。

　クッキーが使えない環境では、URLリライティングという仕組みを使うことがあります。URLリライティングでは、URLの一部にセッションIDを埋め込みます。ブラウザが画面にURLを表示すると、他人にセッションIDを見られてしまう危険性があるので、できるだけクッキーを使うとよいでしょう。

2回目以降のアクセス

　ユーザが再び同じサイトのページを開いたとき、ブラウザは保存しておいたセッションIDを、自動的にWebサーバへ送信します。受け取ったセッションIDを使って、Webアプリケーションはセッション属性のデータを取得することができます。

Fig | セッションIDの送信

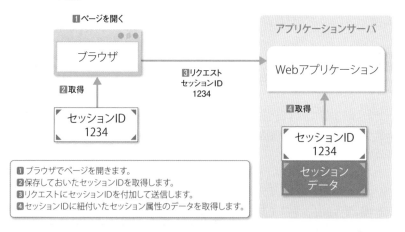

① ブラウザでページを開きます。
② 保存しておいたセッションIDを取得します。
③ リクエストにセッションIDを付加して送信します。
④ セッションIDに紐付いたセッション属性のデータを取得します。

　複数のユーザがWebアプリケーションを利用しているときには、ユーザごとに異なるセッションIDが割り当てられます。したがって、ユーザごとに異なるデータをセッション属性に格納できます。

■ セッションの終了

　セッションを終了させるタイミングは、ユーザが行いたいことがすべて終わったときが適切です。セッションの終了はプログラムから行えます（→P.268）。しかし、適切な終了のタイミングをプログラム側で判断するのは、困難な場合もあります。

　とはいえ、永久にセッションを残すのは問題です。セッションを残すと、付随するセッション属性のデータも残ってしまうので、サーバサイドのメモリやディスクを消費してしまいます。このためアプリケーションサーバは、セッションを開始してから一定の時間が経ったら、自動的にセッションを終了させる機能を備えています。このように時間切れでセッションを終了させることを、セッションタイムアウトと呼びます。

　セッションタイムアウトまでの時間は、デフォルトでは30分に設定されています。web.xml（→P.58）を以下のように修正すると、この時間を変更できます。

```
<web-app …>
    …
    <session-config>
        <session-timeout>時間</session-timeout>
    </session-config>
</web-app>
```

　セッションに関する設定は、session-config要素で行います。セッションタイムアウトの時間を設定するには、session-timeout要素に分単位の時間を記述します。たとえば60分を指定する場合には、次のようになります。

```
<session-config>
    <session-timeout>60</session-timeout>
</session-config>
```

■ セッションを使用するためのAPI

　セッションはjakarta.servlet.HttpSessionインタフェースを使って管理されます。セッションを扱うためには、このインタフェースのインスタンスを取得しなければなりません。取得には、HttpServletRequestインタフェースのgetSessionメソッドを使います。

▌ **getSessionメソッド**

宣 言 ： HttpSession **getSession**()

機 能 ： セッションを開始します。

　セッションがまだ開始されていない場合は、セッションIDを生成して、新しいセッションを開始します。開始されている場合は、既存のインスタンスを取得します。

　セッションIDを取得するには、HttpSessionインタフェースのgetIdメソッドを使います。

▌ **getIdメソッド**

宣 言 ： String **getId**()

機 能 ： セッションIDを取得します。

　セッション属性の設定や取得には、HttpSessionインタフェースの次のメソッドを使います。

▌ **setAttributeメソッド**

宣 言 ： void **setAttribute**(String name, Object object)

機 能 ： 指定した名前の属性に、データ（オブジェクト）を設定します。

▌ **getAttributeメソッド**

宣 言 ： Object **getAttribute**(String name)

機 能 ： 指定した名前の属性から、データ（オブジェクト）を取得します。指定した属性名が存在しない場合はnullを返します。

　これらのメソッドは、Chapter16で紹介したHttpServletRequestインタフェースの同名のメソッド（→P.248）と、引数や戻り値の仕様が同じです。上記の他に、指定した名前の属性を削除するremoveAttributeメソッドや、属性名の一覧を取得するgetAttributeNamesメソッドもあります。

▌ セッションを使ったカウンタ

　セッションを使って簡単なアクセスカウンタを作成してみましょう。ただし通常のアクセスカウンタとは違って、同じユーザからのアクセスのみをカウントアップします。また、セッションIDも表示します。

　WEB-INF¥srcフォルダの中にchapter17フォルダを作成し、その中に次のような内容のCount.javaを作成しください。

Fig | サンプルの実行画面

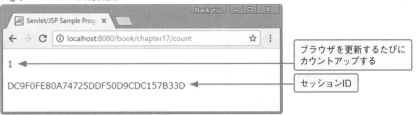

ブラウザを更新するたびに
カウントアップする

セッションID

List | 17-01 Count.java

```java
package chapter17;

import tool.Page;
import java.io.IOException;
import java.io.PrintWriter;
import jakarta.servlet.ServletException;
import jakarta.servlet.http.*;
import jakarta.servlet.http.HttpSession;                                    ■1
import jakarta.servlet.annotation.WebServlet;

@WebServlet(urlPatterns={"/chapter17/count"})
public class Count extends HttpServlet {

    public void doGet (
        HttpServletRequest request, HttpServletResponse response
    ) throws ServletException, IOException {
        PrintWriter out=response.getWriter();
        Page.header(out);

        HttpSession session=request.getSession();                           ■2

        Integer count=(Integer)session.getAttribute("count");              ■3
        if (count==null) count=0;                                           ■4
        count++;
        session.setAttribute("count", count);                              ■5

        out.println("<p>"+count+"</p>");
        out.println("<p>"+session.getId()+"</p>");                         ■6
        Page.footer(out);
    }
}
```

　セッションを利用する場合は、HttpSessionインタフェースをインポートします（■1）。上記
のプログラムでは、jakarta.servlet.http.*をインポートしているので、HttpSessionのインポー
トは省略できますが、説明のために明示的にインポートしました。

2ではgetSessionメソッドを使って、HttpSessionオブジェクトを取得します。セッションがまだ開始していない場合には、セッションを開始します。セッションがすでに開始している場合には、既存のセッションを取得します。

3では、セッション属性からカウンタの値を取得しています。getAttributeメソッドの戻り値はObject型なので、Integer型に変換しておきます。

引数に指定した属性名が見つからない場合、getAttributeメソッドはnullを返します。したがって、3で取得した値がnullの場合は、初回のアクセスということになります。そこで4ででは、変数countの内容がnullかどうかを調べて、nullの場合は0で初期化します。

5ではカウンタの値を+1したあと、setAttributeメソッドで再びセッション属性に保存しています。

6では、現在のcountの値と、getIdメソッドで取得したセッションIDを、ページに表示します。

■ コンパイルと実行

① 「compile」ウィンドウでソースファイルをコンパイルします。

compile chapter17¥Count.java

② 「tomcat」ウィンドウでTomcatを再起動してから、以下のURLをブラウザで開きます。

http://localhost:8080/book/chapter17/count

③ 何度かページを更新して、カウンタの値が1ずつ増加することを確認します。

ユーザごとに異なるセッションIDが割り当てられることを確認するには、複数の異なるブラウザ（たとえばChromeとEdge）を使って、このサーブレットを実行してみてください。各ブラウザに異なるセッションIDが表示され、カウントアップもそれぞれ別々に行われます。

17-02 セッション属性の活用例

セッション属性を使って、簡単なショッピングカートのプログラムを作成してみましょう。カートの情報をセッション属性に保存します。追加する商品を指定するJSPファイルの他に、次のような3種類のサーブレットを作ります。

・カートに商品を追加する
・カート内の商品を表示する
・カートを削除する

Fig | サンプルの実行画面

cart-add.jsp

CartGet.java

CartRemove.java

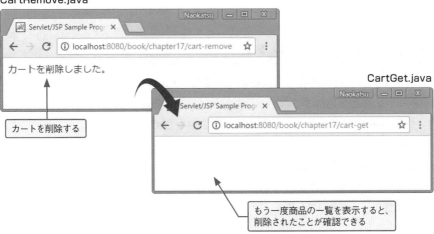

　一般的なカートでは、ユーザが商品情報を入力するのではなく、一覧から商品を選択します。このような本格的なカートは、Chapter25で作成します。

商品を追加するJSPファイル

商品情報を入力するページを作成します。次の
JSPファイルをbook¥chapter17フォルダにcart-add.
jspとして作成しますが、この内容はP.211のinsert.
jspとほぼ同じなので、chapter14フォルダからコピー
して、赤字の部分を修正するとよいでしょう。

これらを作成

List | 17-02 cart-add.jsp

```
<%@page contentType="text/html; charset=UTF-8" %>
<%@include file="../header.html" %>

<p>カートに追加する商品を入力してください。</p>
<form action="cart-add" method="post">
商品名<input type="text" name="name">
価格<input type="text" name="price">
<input type="submit" value="追加">
</form>

<%@include file="../footer.html" %>
```

このJSPから商品と価格を入力して「追加」ボタンを押すと、商品を追加するCartAddサーブレットが呼ばれます。このサーブレットは次節で作成します。「追加」ボタンを押すたびに商品が追加されます。

商品を追加するサーブレット

カートに対する商品の追加処理は、次のような手順で行います。ここではリストをカートに見立てて、カートに商品を追加する場合は、リストに対して商品のBeanを追加します。つまり、リスト内の商品Bean一覧が、カート内の商品一覧を表現しています。

① セッション属性からリストを取得します。
② リストに商品Beanを追加します。
③ セッション属性にリストを設定します。

次のプログラムを入力し、WEB-INF¥
src¥chapter17フォルダにCartAdd.javaと
して保存してください。

このファイルを作成

List | 17-03 CartAdd.java

```java
package chapter17;

import bean.Product;
import tool.Page;
import java.io.IOException;
import java.io.PrintWriter;
import java.util.List;                                          ■1
import java.util.ArrayList;
import jakarta.servlet.ServletException;
import jakarta.servlet.http.*;
import jakarta.servlet.annotation.WebServlet;

@WebServlet(urlPatterns={"/chapter17/cart-add"})
public class CartAdd extends HttpServlet {

    @SuppressWarnings("unchecked")                              ■2
    public void doPost (
        HttpServletRequest request, HttpServletResponse response
    ) throws ServletException, IOException {
        PrintWriter out=response.getWriter();
        Page.header(out);

        String name=request.getParameter("name");
        int price=Integer.parseInt(request.getParameter("price"));

        HttpSession session=request.getSession();               ■3

        List<Product> cart=(List<Product>)session.getAttribute("cart");   ■4
        if (cart==null) {
            cart=new ArrayList<Product>();                      ■5
        }

        Product p=new Product();
        p.setName(name);
        p.setPrice(price);                                      ■6
        cart.add(p);

        session.setAttribute("cart", cart);                    ■7

        out.println("カートに商品を追加しました。");
        Page.footer(out);
    }
}
```

　このサンプルではカートをリストで表現するので、Listインタフェースと ArrayList クラスをインポートします（**1**）。

　2では、doPost メソッドに SuppressWarnings アノテーションを付加します。このアノテーションについては後述します。

　3でセッションを開始したあと、**4**ではセッション属性から cart という名前の属性を取得し、変数 cart に代入します。ここで取得するのは商品 Bean のリストです。

　5はセッション属性からリストが取得できない場合の処理です。getAttribute メソッドが null を返したら、新規に空のリストを作成します。

　6は Bean の作成とリストへの追加です。商品を表す Product クラスのオブジェクトを作成し、リクエストパラメータから取得した商品名と価格を設定して、リストに追加します。これが商品をカートに追加する処理に相当します。

　7では cart という名前で、セッション属性にリストを設定します。setAttribute メソッドを使います。

■ SuppressWarningsアノテーション

　属性を取得する getAttribute メソッドの戻り値は Object 型なので、特定の型のオブジェクトとして操作するためには、型変換が必要になります。先ほどのサーブレットにおいては、次のように List<Product> に変換します。

```
List<Product> cart=(List<Product>)session.getAttribute("cart");
```

　このような型変換を含むプログラムをコンパイルすると、コンパイラが警告を表示する場合があります。具体的には、List<Product> のようにジェネリックスを使った型への変換を行うと、警告が表示されます。

　上記の場合は、次のような警告を表示します。

注意：chapter17¥CartAdd.java の操作は、未チェックまたは安全ではありません。
注意：詳細は、-Xlint:unchecked オプションを指定して再コンパイルしてください。

　このような変換が適切であるかどうかを、コンパイラは判断できないため、プログラマに対して警告を発します。プログラマがこのような型変換をやむを得ず行う場合で、適切であることがわかっているならば、SupressWarning アノテーションにより警告を抑制することができます。

書式　SuppressWarningsアノテーション

@SuppressWarnings(警告の種類)

未チェックまたは安全ではない操作に対する警告は、警告の種類に"unchecked"を指定して抑制します。

```
@SuppressWarnings("unchecked")
```

SuppressWarningsアノテーションは、クラス宣言やメソッド宣言の直前に記述することができます。記述したクラスやメソッドの内部では、指定した種類の警告がすべて抑制されるため、重要な警告を見落とす危険もあります。そのため、できるだけ限られた範囲に対して適用するのがおすすめです。

たとえば、長いメソッドの場合には、SuppressWarningsアノテーションが必要な部分だけを、短いメソッドに切り出す方法もあります。

■ カート内の商品を表示するサーブレット

このサーブレットでは、カート内の商品を表すリストをセッション属性から取得し、すべての商品を表示します。

次のプログラムを入力し、WEB-INF¥src¥chapter17フォルダにCartGet.javaとして保存してください。

src
└ chapter17
　└ CartGet.java ◄·········· このファイルを作成

List | 17-04 CartGet.java

```java
package chapter17;

import bean.Product;
import tool.Page;
import java.io.IOException;
import java.io.PrintWriter;
import java.util.List;
import jakarta.servlet.ServletException;
import jakarta.servlet.http.*;
import jakarta.servlet.annotation.WebServlet;

@WebServlet(urlPatterns={"/chapter17/cart-get"})
public class CartGet extends HttpServlet {

    @SuppressWarnings("unchecked")
    public void doGet (
        HttpServletRequest request, HttpServletResponse response
    ) throws ServletException, IOException {
        PrintWriter out=response.getWriter();
        Page.header(out);
```

```
        HttpSession session=request.getSession();                        1

        List<Product> cart=(List<Product>)session.getAttribute("cart");  2
        if (cart!=null) {
            for (Product p : cart) {
                out.println("<p>");
                out.println(p.getName());
                out.println(":");                                        3
                out.println(p.getPrice());
                out.println("</p>");
            }
        }
        Page.footer(out);
    }
}
```

1はセッションの取得です。ここでは、CartAddサーブレットで開始した既存のセッションを、取得することを想定しています。

2ではセッション属性からリストを取得します。属性名は、商品を追加するサーブレット（CartAdd.java）と同じcartです。

3では拡張for文を用いて、取得したリストからすべての商品Bean（Productオブジェクト）を取り出します。商品名と価格を、「商品名：価格」の形式で出力します。

■ **コンパイルと実行**

① 「compile」ウィンドウで、次の2つのソースファイルをコンパイルします。

compile chapter17¥CartAdd.java

compile chapter17¥CartGet.java

② 「tomcat」ウィンドウでTomcatを再起動してから、以下のURLをブラウザで開きます。

http://localhost:8080/book/chapter17/cart-add.jsp

③ 商品名と価格を入力し、「追加」ボタンを押す作業を何回か繰り返します。

④ 以下のURLをブラウザで開きます。

http://localhost:8080/book/chapter17/cart-get

■ セッション属性の削除

セッション属性からデータを削除するには、次の2つの方法があります。

▶ ① セッション属性を削除する

HttpSessionインタフェースのremoveAttributeメソッドを使って、指定したセッション属性を削除します。

▍**removeAttributeメソッド**

宣　言 ： void **removeAttribute**(String name)
機　能 ： 指定した名前の属性を削除します。

▶ ② セッションを終了させる

HttpSessionインタフェースのinvalidateメソッドを使って、セッションを終了させます。invalidateメソッドを呼び出すと、すべてのセッション属性が削除されます。

▍**invalidateメソッド**

宣　言 ： void **invalidate**()
機　能 ： セッションを終了させて、設定されたすべてのセッション属性を削除します。

　方法①と方法②の違いは、①は指定したセッション属性だけを削除し、②はすべてのセッション属性を削除するという点です。これらは次のように使い分けます。

・①の方法は、一部の属性を削除し、他の属性は残したい場合に使います。削除したい属性名を指定して、1つ1つ削除します。たとえば、カートの内容とログインの状態をセッション属性を使って管理している場合に、①の方法が使えます。購入を確定したとき、カートの内容を削除し、ログインの状態を保つためには、カートに対応する属性だけを削除します。

・②の方法は、すべての属性を削除したい場合に使います。属性名を1つ1つ指定することなく、簡単にすべての属性を削除することができます。

▉ カートを削除するプログラム

　最後にカートを削除するサーブレットを作成します。実行すると、カートを削除したというメッセージを表示します。
　カートを削除した後に、カート内の商品を表示するサーブレット（CartGet.java）を実行すると、空のページが表示されますので、カートが削除されたことが確認できます。
　次のプログラムを入力し、book¥WEB-INF¥src¥chapter17フォルダにCartRemove.javaとして保存してください。

src
└ chapter17
　└ CartRemove.java　◀‥‥‥‥ このファイルを作成

```java
package chapter17;

import tool.Page;
import java.io.IOException;
import java.io.PrintWriter;
import jakarta.servlet.ServletException;
import jakarta.servlet.http.*;
import jakarta.servlet.annotation.WebServlet;

@WebServlet(urlPatterns={"/chapter17/cart-remove"})
public class CartRemove extends HttpServlet {
    public void doGet (
        HttpServletRequest request, HttpServletResponse response
    ) throws ServletException, IOException {
        PrintWriter out=response.getWriter();
        Page.header(out);

        HttpSession session=request.getSession();
        session.removeAttribute("cart");  ┈┈┈┈┈┈1

        out.println("カートを削除しました。");
        Page.footer(out);
    }
}
```

1ではセッション属性のcartを削除します。removeAttributeメソッドを使います。

■ **コンパイルと実行**
──────────────────────────────

① 「compile」ウィンドウで、ソースファイルをコンパイルします。

compile chapter17¥CartRemove.java

② 「tomcat」ウィンドウでTomcatを再起動してから、以下のURLをブラウザで開き、現在のカートの内容を確認します。

http://localhost:8080/book/chapter17/cart-get

③ 以下のURLをブラウザで開き、「カートを削除しました。」と表示されるのを確認します。

http://localhost:8080/book/chapter17/cart-remove

④ 再度②の手順を実行して、何も表示されないことを確認します。

📖 まとめ

本章では次の事柄を学びました。

- セッションは、ユーザごとに異なるデータを管理するための仕組みです。
- ユーザごとに異なるセッションIDを割り当てます。
- ユーザごとに異なるデータを、セッション属性に保存できます。
- セッションを使うと、ログイン機能やショッピングカート機能を実現できます。

次章では、セッションと関連の深いクッキーについて学びます。

練習問題 P.270のCartRemove.javaを参考に、カートを削除したうえでセッションも終了させるサーブレットを作成してください。

ソースファイルは¥WEB-INF¥src¥chapter17フォルダにCartInvalidate.javaというファイル名で保存してください。

解答例

List | CartInvalidate.java

```java
package chapter17;

import tool.Page;
import java.io.IOException;
import java.io.PrintWriter;
import jakarta.servlet.ServletException;
import jakarta.servlet.http.*;
import jakarta.servlet.annotation.WebServlet;

@WebServlet(urlPatterns={"/chapter17/cart-invalidate"})
public class CartInvalidate extends HttpServlet {
    public void doGet (
        HttpServletRequest request, HttpServletResponse response
    ) throws ServletException, IOException {
        PrintWriter out=response.getWriter();
        Page.header(out);

        HttpSession session=request.getSession();
        session.invalidate(); ⋯⋯⋯⋯⋯⋯1

        out.println("カートを削除しました。");
        Page.footer(out);
    }
}
```

　■ではinvalidateメソッドを使って、セッションを終了します。属性名cartに設定したカート情報を含む、すべてのセッション属性が削除されます。

 セッションタイムアウト

　セッション属性を使ったショッピングカートでは、セッションがタイムアウトした場合、カートの内容が消失します。もし、カートの利用者が買い物に長い時間をかけていると、買い物の途中でカートが消失してしまう危険性があります。消失してしまったカートを作り直すのは手間がかかる作業なので、利用者は買い物をやめてしまうかもしれません。

　1つの対策方法は、セッションタイムアウトまでの時間を十分に長く設定することです。前述のように、web.xmlのsession-config要素を編集することで、セッションタイムアウトまでの時間を設定することができます。

　次のように時間を-1に設定することで、セッションタイムアウトを無効にすることも可能です。この場合、セッションは無期限で保存されます。

```
<session-config>
    <session-timeout>-1</session-timeout>
</session-config>
```

　上記の方法の問題点は、不要になったセッションも保存されてしまうため、メモリやディスクを圧迫するということです。この問題点を解決する方法としては、たとえば次のような方法があります。

(1) サイトの利用者に、ログイン名やパスワードを登録してもらいます。
(2) カートの内容をセッション属性に保存するだけでなく、データベースにも保存します。
(3) 利用者ごとに、データベース上のカート情報を管理します。

　この方法の利点は、利用者ごとに情報を管理するため、セッションごとに情報を管理するよりも、不要になる情報の件数が少なくなるということです。一人の利用者が複数のセッションを作成する可能性があるため、セッションごとの管理では不要になる情報が増えます。

　この方法でも、利用者が作成したカートを放置してしまうことは考えられます。しかし、いつか利用者が購入のために戻ってきてくれることに備えてカートの情報を保存しておくのは、利用者に不便をさせないという点で悪くない選択に思われます。

　この方法のもう1つの大きな利点は、利用者が異なる端末からサイトを利用した際にも、カート情報の閲覧や操作が可能だということです。欲しいものができたときにスマートフォンやタブレットを使って商品をカートに入れておき、あとでPCからまとめて購入手続きをする、といった使い方ができるようになります。

18 クッキー

クッキーはクライアントサイドにデータを保存するための仕組みです。主にセッションを実現するために使われますが、本章ではクッキーやセッションに対する理解を深めるために、クッキーを直接操作する方法を学びます。

18-01 | クッキーとは

クッキーはクライアントサイドに保存されるデータ（テキストデータ）です。Chapter17では、セッションIDの保存にクッキーが使用される話をしました。それ以外にもクッキーは、何回目のアクセスかといったユーザの動向を調べるためや、ログイン情報を一時的に保存するためなどに使われます。しかし、前述のとおりクッキーはブラウザ側に保存されるので、使用にあたっては注意するべきことがあります。

■ クッキーの性質

クッキーを利用する際には、以下の性質があることを知っておく必要があります。

▶ ① サイズや個数の制限

保存できるクッキーのサイズや個数には制限が設けられています。ブラウザによって制限が異なる可能性はありますが、RFC6265（https://tools.ietf.org/html/rfc6265）では、以下の仕様を満たすように推奨しています。

・クッキーのサイズは4096バイト以上
・ドメインごとに保存できるクッキー数は50個以上
・全クッキー数は3000個以上

▶ ② クライアントサイドでクッキーを使用不可にできる

ブラウザの設定でクッキーを無効にできるため、サーバがクッキーを必要としていても使えない場合があります。代替手段にURLリライティング（→P.258）がありますが、セキュリティ上の観点から、現在では推奨されていません。最近のWebサイトでは、ログインやショッピングカートなどの機能を利用する際に、クッキーを有効にすることを必須にする傾向があります。

以下の性質については、セキュリティに関係するため、特に注意する必要があります。

▶ ③ 自分が追加したクッキーのみ取得できる

Webアプリケーションが取得できるのは、自分が追加したクッキーだけです。他のWebアプリケーションが追加したクッキーは、取得することができません。この制約は、ブラウザがクッキーに記録されている発行元の情報を使って、発行元に対してだけクッキーを送信することによって、実現しています。

注意が必要なのは、発行元以外のサイトにクッキーを取得される危険性があるということです。たとえば、クロスサイトスクリプティングと呼ばれる攻撃は、発行元のサイト上で悪意のあるスクリプトを実行することにより、本来は取得できないクッキーを発行元以外のサイトが取得します。発行元のサイトに、外部から送り込まれたスクリプトを実行してしまうという脆弱性がある場合に、有効な攻撃手段です。

▶ ④ クッキーはHTTPのヘッダによって送信される

クッキーの送受信にはHTTPのヘッダを使います。クッキーの追加は、レスポンスのヘッダにSet-Cookieフィールドを記述することで行います。クッキーの取得は、リクエストのヘッダにCookieフィールドを記述することで行います。

HTTPSではなくHTTPの場合は、通信が暗号化されていないため、他人に通信を読まれてしまう危険性が高くなります。暗号化されていないヘッダは、ごく普通のテキストデータなので、ヘッダに含まれているクッキーの情報を他人が読むことは容易です。

③と④からわかるように、クッキーは他人に取得されてしまう危険性があります。したがって、クッキーには重要なデータを含めるべきではありません。たとえば、パスワードやクレジットカード情報などを、クッキーを使って管理することは避けるべきです。

一方、セッションIDはクッキーを使って管理します。セッションIDはセッションに対して一時的に割り振られる番号なので、パスワードやクレジットカード情報に比べると、番号自体の重要性は低いといえます。しかし、セッションIDを取得することにより、本来のユーザではない他人がセッションを乗っ取ることができます。これはセッションハイジャックと呼ばれる攻撃です。

セッションハイジャックによって、ユーザが利用していたWebサイトを、ユーザのふりをした攻撃者が利用することができます。たとえば銀行のWebサイトにおいては、攻撃者がユーザの資産を盗み出す可能性があります。また、たとえばSNSのWebサイトにおいては、攻撃者がユーザの情報を閲覧したり、記事を改ざんしたりする可能性があります。したがって、セッションIDも他人に漏洩しないようにする必要があります。

以上をまとめると、クッキーのセキュリティに関しては、以下のような対策が必要です。

・パスワードやクレジットカード情報など、重要なデータはクッキーで管理しない。
・クロスサイトスクリプティングなどへの対策を行い、Webサイトの脆弱性を除去する。
・セキュリティが必要なサービスでは、HTTPではなくHTTPSを利用する。

■ クッキーとセッション

　サーブレット/JSPにおいては、ユーザごとのデータを保存するためにクッキーを直接使うことは少なく、セッションを使うことが一般的です。セッションではクッキーに保存されるのはセッションIDだけで、データそのものはアプリケーションサーバに保存されます。これには重要なデータをクライアントとサーバの間で送受信しなくて済むという利点と、データが改ざんされる危険性が低いという利点があります。

　一方で、クッキーはセッションを実現するために欠かせない機能です。クッキーについて理解しておくことは、セッションをよく理解するために役立ちます。そこで本章では、サーブレット/JSPにおけるクッキーの操作方法を学び、クッキーを使ったプログラムを作成してみることにします。

18-02 | クッキーを使うためのAPI

　クッキーを表すクラスは、jakarta.servlet.http.Cookieクラスです。クッキーを作成するには、Cookieコンストラクタを使います。1つのクッキーは名前と値の組み合わせで構成されており、いずれも文字列 (String型) です。

▌Cookieクラスのコンストラクタ

宣　言 ： **Cookie**(String name, String value)
機　能 ： 指定した名前と値を持つクッキーを作成します。

　クッキーには生存期間があります。デフォルトの生存期間はブラウザが終了するまでです。ブラウザが終了した後にもクッキーを保存し、次回ブラウザを起動したときにもクッキーを使用したい場合には、setMaxAgeメソッドを使って生存期間を設定します。

▌setMaxAgeメソッド

宣　言 ： void **setMaxAge**(int expiry)
機　能 ： クッキーの生存期間を秒単位で指定します。

　setMaxAgeメソッドの引数に指定する値は、次のような働きをします。

Table | setMaxAgeメソッドの引数

値の範囲	機能
正の値	指定した値がクッキーの生存期間になります
負の値	ブラウザが終了するまでがクッキーの生存期間になります
ゼロ	クッキーを削除します

クッキーを追加するには、HttpServletResponseインタフェースのaddCookieメソッドを使います。クッキーを複数追加することも可能です。

▌addCookieメソッド

宣　言　：　void **addCookie**(Cookie cookie)
機　能　：　引数で指定した名前のクッキーをレスポンスに追加します。

クッキーを取得するには、HttpServletRequestインタフェースのgetCookiesメソッドを使います。戻り値はCookieオブジェクトの配列になりますが、クッキーが存在しない場合はnullが返ります。

▌getCookiesメソッド

宣　言　：　Cookie[] **getCookies**()
機　能　：　リクエストに含まれるすべてのクッキーを取得します。

取得したクッキーから名前と値を取得するには、CookieクラスのgetNameメソッドとgetValueメソッドを使います。

▌getNameメソッド

宣　言　：　String **getName**()
機　能　：　クッキーの名前を取得します。

▌getValueメソッド

宣　言　：　String **getValue**()
機　能　：　クッキーの値を取得します。

■ クッキーを追加するサンプル

まず簡単なサンプルでクッキーの動作を確認しましょう。WEB-INF¥srcフォルダの中にchapter18フォルダを作成し、その中に次のような内容のAdd.javaを作成してください。

List | 18-01 Add.java

```java
package chapter18;

import java.io.IOException;
import jakarta.servlet.ServletException;
```

```
import jakarta.servlet.http.*;
import jakarta.servlet.http.Cookie; ──────────────────■1
import jakarta.servlet.annotation.WebServlet;

@WebServlet(urlPatterns={"/chapter18/add"})
public class Add extends HttpServlet {
    public void doGet (
        HttpServletRequest request, HttpServletResponse response
    ) throws ServletException, IOException {

        String name="name";
        String value="value";
        Cookie cookie=new Cookie(name, value); ──────■2
        cookie.setMaxAge(60*60*24); ──────────────────■3
        response.addCookie(cookie); ──────────────────■4
    }
}
```

クッキーを使用する場合は、Cookieクラスをインポートします（■1）。上記のプログラムでは、jakarta.servlet.http.*をインポートしているので、Cookieのインポートは省略できますが、説明のために明示的にインポートしました。

■2では、Cookieクラスのコンストラクタを使って、クッキーを作成しています。クッキーの名前はname、値はvalueにしました。

■3ではsetMaxAgeメソッドにより、クッキーの生存期間を設定しています。生存期間は1日間（60*60*24秒）としました。

■4ではaddCookieメソッドでクッキーを追加します。ここまでの処理により、レスポンスのメッセージヘッダに、以下のようなSet-Cookieヘッダが追加されます。

```
Set-Cookie: name=value; max-age=86400;
```

このサンプルを実行してもブラウザには何も表示されませんが、クッキーは保存されます。コンパイルと実行は、次のGet.javaと一緒に行います。

■ クッキーを取得するプログラム

次に、先ほど保存されたクッキーを取得して表示するサンプルを作成します。次のプログラムを入力し、WEB-INF¥src¥chapter18フォルダにGet.javaとして保存してください。

```
src
  └ chapter18
      └ Get.java ◀········· このファイルを作成
```

```
package chapter18;

import tool.Page;
import java.io.IOException;
import java.io.PrintWriter;
import jakarta.servlet.ServletException;
import jakarta.servlet.http.*;
import jakarta.servlet.annotation.WebServlet;

@WebServlet(urlPatterns={"/chapter18/get"})
public class Get extends HttpServlet {
    public void doGet (
        HttpServletRequest request, HttpServletResponse response
    ) throws ServletException, IOException {
        PrintWriter out=response.getWriter();
        Page.header(out);

        Cookie[] cookies=request.getCookies();                        ━1
        if (cookies!=null) {                                          ━2
            for (Cookie cookie : cookies) {                           ━3
                String name=cookie.getName();
                String value=cookie.getValue();                      ┐
                out.println("<p>"+name+" : "+value+"</p>");          ┘━4
            }
        } else {
            out.println("クッキーは存在しません");
        }

        Page.footer(out);
    }
}
```

■1ではgetCookiesメソッドにより、クッキーの一覧を取得しています。戻り値はCookieオブジェクトの配列ですが、クッキーが存在しないときにはnullが返るので、nullかどうかを■2のif文で調べています。

クッキーが存在する場合は、拡張for文を使って、すべてのクッキーを1つ1つ取り出します（■3）。そして、getNameメソッドと、getValueメソッドを使って、各クッキーの名前と値を取得して出力します（■4）。

■ コンパイルと実行

① 「compile」ウィンドウで2つのソースファイルをコンパイルします。

```
compile chapter18¥Add.java
compile chapter18¥Get.java
```

② 「tomcat」ウィンドウでTomcatを再起動してから、以下のURLをブラウザで開きます。これでクッキー
が保存されます。

`http://localhost:8080/book/chapter18/add`

③ クッキーの一覧を表示するために、以下のURLをブラウザで開きます。

`http://localhost:8080/book/chapter18/get`

Fig | サンプルの実行画面

クッキーの一覧には、Add.javaで追加した以外のクッキーも表示されている可能性がありま
す。たとえば、セッションを使うプログラム (Chapter17) を実行した後ならば、セッション
IDを保持するクッキー (JSESSIONID) が表示されることがあります。

18-03 | 日本語を含むクッキー

P.73で、URLに日本語を含める場合はURLエンコードが必要である、という話をしましたが、
これはクッキーの場合も同じです。クッキーの名前や値に日本語を使用する場合には、レスポ
ンスにクッキーを追加する際にURLエンコードを行い、リクエストからクッキーを取得する
際にURLデコードを行う必要があります。

URLエンコードには、java.net.URLEncoderクラスのstaticメソッドであるencodeを使い
ます。

▌encodeメソッド

機 能 ： static String **encode**(String s, String enc)
　　　　　　throws UnsupportedEncodingException
機 能 ： 引数encで指定した文字エンコーディングを用いて、文字列sをエンコードします。

　文字エンコーディングの指定には、P.55の表で紹介した文字エンコーディング名が使用でき
ますが、UTF-8を使用することが推奨されています。

　デコードには、java.net.URLDecoderクラスのdecodeメソッドを使います。

▎decodeメソッド

宣　言 ： static String **decode**(String s, String enc)
　　　　　　　throws UnsupportedEncodingException

機　能 ： 引数encで指定した文字エンコーディングを用いて、文字列sをデコードします。

　文字エンコーディングは、encodeメソッドで使用したものを指定する必要があります。

　18-02のサンプルでは、クッキー名を「name」、値を「value」としましたが、たとえば「名前」と「値」
のように日本語を使う場合は、クッキーを追加する前に、次のようにURLエンコードします。

```
String name=URLEncoder.encode("名前", "utf-8");
String value=URLEncoder.encode("値", "utf-8");
Cookie cookie=new Cookie(name, value);
cookie.setMaxAge(60*60*24);
response.addCookie(cookie);
```

　また、クッキーの値を表示する場合は、クッキーを取得したあと、画面表示の前にURLデコー
ドを行います。

```
Cookie[] cookies=request.getCookies();
if (cookies!=null) {
    for (Cookie cookie : cookies) {
        String name=URLDecoder.decode(cookie.getName(), "utf-8");
        String value=URLDecoder.decode(cookie.getValue(), "utf-8");
        out.println("<p>"+name+" : "+value+"</p>");
    }
}
```

　日本語のようなマルチバイト文字列を使うときには、文字エンコーディングを意識する必要が
あります。あまり日本語のクッキーを使う機会はないかもしれませんが、URLエンコード
とURLデコードの方法は覚えておいて損はありません。

18-04 ｜ クッキーを使ったカウンタ

　最後に、セッションを使ったカウンタ (→P.260) と同じものを、クッキーを使って作ってみ
ましょう。

Fig | サンプルの実行画面

ブラウザを更新するたびに
カウントアップする

次のプログラムを入力し、¥WEB-INF¥src¥
chapter18フォルダにCount.javaとして保存し
てください。

Count.java ◀········ このファイルを作成

List | 18-03 Count.java

```java
package chapter18;

import tool.Page;
import java.io.IOException;
import java.io.PrintWriter;
import jakarta.servlet.ServletException;
import jakarta.servlet.http.*;
import jakarta.servlet.annotation.WebServlet;

@WebServlet(urlPatterns={"/chapter18/count"})
public class Count extends HttpServlet {
    public void doGet (
        HttpServletRequest request, HttpServletResponse response
    ) throws ServletException, IOException {
        PrintWriter out=response.getWriter();
        Page.header(out);

        Cookie[] cookies=request.getCookies();

        Integer count=null;                           ■1
        if (cookies!=null) {                          ■2
            for (Cookie cookie : cookies) {
                if (cookie.getName().equals("count")) {        ■6
                    count=Integer.valueOf(cookie.getValue());  ■7
                    break;
                }
            }
        }

        if (count==null) count=0;                     ■3
```

```
        if (count==null) count=0; ──────── 3
        count++; ──────────────────── 4

        Cookie cookie=new Cookie("count", count.toString());
        cookie.setMaxAge(60*60*24);                        ┐
        response.addCookie(cookie);                         ├─── 5
                                                           ┘
        out.println(count);
        Page.footer(out);
    }
}
```

クッキーの一覧を取得して内容を調べ、nullでなければ拡張for文で1つ1つ取り出して処理する、という流れはGet.java（→P.278）と同じです。また、クッキーを保存する処理はAdd.java（→P.277）と同じです。

1ではカウンタの値を保持する変数countを宣言し、nullを代入しています。

最初のアクセスの場合、クッキーには何も保存されていないので**2**のif文は無視され、**3**のif文が実行されます。これで変数countの値は0になり、**4**の加算により1となります。後はカウンタの値をcountという名前のクッキーに保存します（**5**）。

2回目以降のアクセスではクッキーが存在しているので、**2**のif文が実行され、逆に**3**のif文は実行されません。

繰り返し処理の内部では、まずクッキーの名前がcountかどうかを調べます（**6**）。名前がcountの場合は、値を取得して整数（Integerオブジェクト）に変換します（**7**）。これはクッキーの値がString型であるためです。

if文を抜けたあとは、先ほどと同じく1を加算し、その値をクッキーに保存します。

■ コンパイルと実行

① 「compile」ウィンドウで、ソースファイルをコンパイルします。

compile chapter18¥Count.java

② 「tomcat」ウィンドウでTomcatを再起動してから、以下のURLをブラウザで開きます。

http://localhost:8080/book/chapter18/count

ページを更新するたびに、カウンタの値が1ずつ増加すれば成功です。

▶ まとめ

本章では次の事柄を学びました。

- クッキーはクライアントサイドに保存されるデータです。
- Webアプリケーションは自分が追加したクッキーだけを取得できます。
- クッキーの送受信にはHTTPのヘッダを使います。
- 重要なデータはクッキーで管理せずに、セッションなどで管理します。
- クッキーの操作にはjakarta.servlet.http.Cookieクラスを使います。

　次章では、外部のファイルからデータを取得するいろいろな方法について解説します。

練習問題

　すべてのクッキーを削除するサーブレットを作成してください。作成したプログラムは、book¥WEB-INF¥src¥chapter18フォルダにRemove.javaというファイル名で保存してください。
　Addサーブレット (→P.277) を実行してから、作成したサーブレットを実行してください。さらにGetサーブレット (→P.278) を実行して、「クッキーは存在しません」と表示されたら成功です。セッションを使うプログラム (Chapter17) の実行後は、セッションIDを保持するクッキー (JSESSIONID) が表示されることがあります。

解答例

List | Remove.java

```java
package chapter18;

import java.io.IOException;
import jakarta.servlet.ServletException;
import jakarta.servlet.http.*;
import jakarta.servlet.annotation.WebServlet;

@WebServlet(urlPatterns={"/chapter18/remove"})
public class Remove extends HttpServlet {
    public void doGet (
        HttpServletRequest request, HttpServletResponse response
    ) throws ServletException, IOException {
        Cookie[] cookies=request.getCookies();
        if (cookies!=null) {
            for (Cookie cookie : cookies) {
                cookie.setMaxAge(0);
                response.addCookie(cookie);            ■1
            }
        }
    }
}
```

　サーブレットAPIには、クッキーを削除するためのメソッドは用意されていません。クッキーを削除するには、setMaxAgeメソッドを使って、生存期間を0に設定したクッキーを追加します (■1)。

19 外部データの読み込み

　本章では、Webアプリケーションの外部からデータを読み込む方法について学びます。いろいろな方法がありますが、ここでは初期化パラメータからの読み込みと、サーバ上に配置したファイルからの読み込みについて解説します。また、読み込んだデータをアプリケーション属性に設定し、後から利用する方法についても学びます。

19-01 | 初期化パラメータ

　初期化パラメータとは、サーブレットやフィルタの設定に用いるパラメータのことです。たとえば次のような用途が考えられます。

・変更される可能性のあるデータファイルのパスを記述しておく。
・動作環境に適したメモリの量やスレッドの数を初期化パラメータに記述しておき、パラメータにしたがってアプリケーションの挙動を調整する。
・お知らせやバージョン情報のメッセージを記述しておく。

　初期化パラメータはweb.xmlに記述します。初期化パラメータの利点は、サーブレットやフィルタのプログラムを変更しなくても、web.xmlを変更するだけで、プログラムに渡すデータを変更できることです。初期化パラメータに応じて動作を変えるようにプログラムを作成しておけば、web.xmlを変更するだけで、プログラムの動作を変更することができます。
　たとえば本書では、データベースに接続するための設定（ユーザ名、パスワード、接続文字列など）をcontext.xmlに記述して、これらをプログラムで読み込んでいます。同様のことがweb.xmlを使ってできるというわけです。
　初期化パラメータには次の種類があります。

① サーブレットの初期化パラメータ
　　指定したサーブレットに対する初期化パラメータです。

② フィルタの初期化パラメータ
　　指定したフィルタに対する初期化パラメータです。

③ コンテキストの初期化パラメータ

Webアプリケーション全体に対する初期化パラメータです。

これらはweb.xmlに記述する方法や、取得するために使用するAPIが異なります。

初期化パラメータの取得タイミング

　初期化パラメータの取得は、任意のタイミングで行うことができます。サーブレットの起動時に初期化パラメータが必要な場合には、initメソッド（→P.155）で取得します。リクエスト処理やレスポンス生成において初期化パラメータを使う場合には、doGet/doPostメソッドで取得する方法と、initメソッドで取得してフィールドなどに保存しておく方法があります。アプリケーションの内容に応じて、プログラムが簡潔になる方法を選ぶとよいでしょう。以降のサンプルでもinitメソッドで取得する場合と、doGet/doPostメソッドで取得する場合があります。

19-02 | サーブレットの初期化パラメータ

　サーブレットの初期化パラメータを使用する場合は、web.xmlのservlet要素（→P.60）の内部に、init-param要素を使って記述します。以下のように、パラメータの名前と値を記述します。

```
<init-param>
    <param-name>名前</param-name>
    <param-value>値</param-value>
</init-param>
```

　サーブレットから初期化パラメータを取得するには、jakarta.servlet.ServletConfigインタフェースを使用します。このオブジェクトはHttpServletクラスのgetServletConfigメソッドで取得します。

▌getServletConfigメソッド

宣　言 ： public ServletConfig **getServletConfig**()
機　能 ： このサーブレットのServletConfigオブジェクトを取得します。

　次に、ServletConfigインタフェースのgetInitParameterメソッドを用いて、初期化パラメータを取得します。引数は取得するパラメータの名前です。

▌ getInitParameterメソッド

宣 言 ： String **getInitParameter**(String name)

機 能 ： 指定した名前の初期化パラメータを取得します。

　なお、フィルタやコンテキストの初期化パラメータを取得するためのインタフェースでも、上記と引数や戻り値が同じgetInitParameterメソッドが利用できます。初期化パラメータの取得にはgetInitParameterメソッドを使う、と覚えておくとよいでしょう。

■ サーブレットの初期化パラメータを読み込むサンプル

　WEB-INFフォルダ内のweb.xmlに、以下の記述を追加してください。

List | 19-01 web.xml

```
<web-app …>
    …
    <servlet>
        <servlet-name>param-servlet</servlet-name>
        <servlet-class>chapter19.ParamServlet</servlet-class>

        <init-param>
            <param-name>message</param-name>
            <param-value>servlet-init-param</param-value>    ──┤❶
        </init-param>
    </servlet>

    <servlet-mapping>
        <servlet-name>param-servlet</servlet-name>
        <url-pattern>/chapter19/param-servlet</url-pattern>
    </servlet-mapping>

</web-app>
```

　❶がサーブレットの初期化パラメータを記述するinit-param要素です。パラメータ名はmessage、値はservlet-init-paramにしました。このように初期化パラメータをweb.xmlから読み込む場合は、サーブレットのURLマッピングもweb.xmlに記述する必要があります。

　以下は、サーブレットの初期化パラメータを取得して表示するサーブレットの例です。

Fig | サンプルの実行画面

　WEB-INF¥srcフォルダの中にchapter19フォルダを作成し、以下のような内容のParamServlet.javaを作成してしてください。

src

chapter19

ParamServlet.java

これらを作成

List | 19-02 ParamServlet.java

```java
package chapter19;

import java.io.IOException;
import java.io.PrintWriter;
import jakarta.servlet.ServletConfig;          ①
import jakarta.servlet.ServletException;
import jakarta.servlet.http.*;

public class ParamServlet extends HttpServlet {

    private String message;                      ②

    public void init() throws ServletException {  ③
        ServletConfig config=getServletConfig();
        message=config.getInitParameter("message");  ④
    }

    public void doGet (
        HttpServletRequest request, HttpServletResponse response
    ) throws ServletException, IOException {
        PrintWriter out=response.getWriter();
        out.println(message);                    ⑤
    }
}
```

　サーブレットの初期化パラメータを取得する場合は、ServletConfigインタフェースをインポートします（①）。

②はinitメソッドで取得した初期化パラメータを保存するためのprivateフィールドです。

③のinitメソッドは、このサーブレットの起動時に1回だけ実行されます。メソッドの内部では、getServletConfigメソッドでServletConfigオブジェクトを取得し、getInitParameterメソッドでサーブレットの初期化パラメータを取得して、**②**のmessageフィールドに保存しています（**④**）。

そしてdoGetメソッドの中で、messageフィールドの内容を出力しています（**⑤**）。

■ コンパイルと実行

① 「compile」ウィンドウでソースファイルをコンパイルします。

compile chapter19¥ParamServlet.java

② 「tomcat」ウィンドウでTomcatを再起動してから、以下のURLをブラウザで開きます。

http://localhost:8080/book/chapter19/param-servlet

19-03 | フィルタの初期化パラメータ

フィルタの初期化パラメータも、サーブレットの場合とほぼ同じ手順で取得することができます。フィルタの初期化パラメータは、web.xmlのfilter要素の内部に、init-param要素を使って記述します。

```
<init-param>
    <param-name>名前</param-name>
    <param-value>値</param-value>
</init-param>
```

フィルタから初期化パラメータを取得するには、jakarta.servlet.FilterConfigインタフェースのgetInitParameterメソッド（→P.286）を使います。メソッドの呼び出しに必要なFilterConfigオブジェクトは、フィルタのinitメソッドの引数として取得できます。

■ フィルタの初期化パラメータを読み込むサンプル

ここでは初期化パラメータを読み込んで画面に出力するフィルタを作成します。フィルタの作成後に19-02のParamServletサーブレットを実行すると、サーブレットの出力の前にフィルタの出力が挿入されます。

Fig｜フィルタの初期化パラメータ

まず、WEB-INFフォルダ内のweb.xmlに、以下の記述を追加してください。

List｜19-03 web.xml

```xml
<?xml version="1.0"?>
<web-app …>
    …
    <filter>
        <filter-name>param-filter</filter-name>
        <filter-class>chapter19.ParamFilter</filter-class>

        <init-param>
            <param-name>message</param-name>
            <param-value>filter-init-param</param-value>
        </init-param>
    </filter>

    <filter-mapping>
        <filter-name>param-filter</filter-name>
        <url-pattern>/chapter19/param-servlet</url-pattern>
    </filter-mapping>
</web-app>
```

このようにweb.xmlから初期化パラメータを読み込む場合、フィルタの適用範囲もweb.xmlで記述する必要があります。ここではParamServletサーブレットのみに適用されるようにしています。

フィルタの初期化パラメータを記述しているのが**1**のinit-param要素です。パラメータ名はmessage、値はfilter-init-paramにしました。

次に、この初期化パラメータを取得して画面に表示するフィルタを作成します。以下のファイルを入力し、book¥WEB-INF¥src¥chapter19¥ParamFilter.javaとして保存してください。

List | 19-04 ParamFilter.java

```java
package chapter19;

import java.io.IOException;
import java.io.PrintWriter;
import javax.servlet.Filter;
import javax.servlet.FilterChain;
import javax.servlet.FilterConfig;
import javax.servlet.ServletException;
import javax.servlet.ServletRequest;
import javax.servlet.ServletResponse;

public class ParamFilter implements Filter {
    private String message;

    public void init(FilterConfig config) throws ServletException {
        message=config.getInitParameter("message");                    ┈┈┈ ①
    }

    public void doFilter(
        ServletRequest request, ServletResponse response,
        FilterChain chain
    ) throws IOException, ServletException {
        PrintWriter out=response.getWriter();
        out.println(message);       ┈┈┈┈ ②
        chain.doFilter(request, response);
    }

    public void destroy() {}
}
```

①はフィルタの初期化を行うinitメソッド (→P.142) です。引数のFilterConfigオブジェクト (config) を使ってgetInitParameterメソッドを呼び出し、フィルタの初期化パラメータを取得します。

doFilterメソッド内では、①で取得したパラメータの値を、フィルタの前処理として出力します (②)。

■ コンパイルと実行

① 「compile」ウィンドウでソースファイルをコンパイルします。

compiler chapter19¥FilterServlet.java

② 「tomcat」ウィンドウでTomcatを再起動してから、以下のURLをブラウザで開きます。

http://localhost:8080/book/chapter19/param-servlet

19-04 | コンテキストの初期化パラメータ

コンテキストの初期化パラメータは、web.xmlのweb-app要素の直下に、context-param要素を使って記述します。param-name要素とparam-value要素を使って、パラメータの名前と値を記述するのは、これまでと同じです。この初期化パラメータは、このTomcatで稼働するすべてのサーブレットやJSPから取得することができます。

```
<context-param>
    <param-name>名前</param-name>
    <param-value>値</param-value>
</context-param>
```

コンテキストの初期化パラメータを取得するには、jakarta.servlet.ServletContextインタフェースを使用します。このインタフェースのオブジェクトは、HttpServletクラスのgetServletContextメソッドを用いて取得します。

▌getServletContextメソッド

宣 言 ： ServletContext **getServletContext**()
機 能 ： このサーブレットのServletContextオブジェクトを取得します。

初期化パラメータの取得には、サーブレットやフィルタの初期化パラメータを取得する場合と同様に、getInitParameterメソッドを使います。

■ コンテキストの初期化パラメータを読み込むサンプル

コンテキストの初期化パラメータを取得して表示するサーブレットの例です。

Fig｜サンプルの実行画面

コンテキストの初期化パラメータを設定するために、WEB-INF¥web.xmlを開いて、以下の記述を追加してください。

List | 19-05 web.xml

```xml
<?xml version="1.0"?>
<web-app …>
    …
    <context-param>
        <param-name>message</param-name>
        <param-value>context-param</param-value>
    </context-param>

</web-app>
```
■

■はコンテキストの初期化パラメータを記述するcontext-param要素です。パラメータ名は
message、値はcontext-paramにしました。

次はサーブレットを作成します。以下のファイルを入力し、book¥WEB-INF¥src¥chapter19¥ParamContext.javaとして保存してください。

src
chapter19
ParamContext.java ◀┄┄┄ このファイルを作成

List | 19-06 ParamContext.java

```java
package chapter19;

import java.io.IOException;
import java.io.PrintWriter;
import javax.servlet.ServletContext;              ■
import javax.servlet.ServletException;
import javax.servlet.http.*;
import javax.servlet.annotation.WebServlet;

@WebServlet(urlPatterns={"/chapter19/param-context"})
public class ParamContext extends HttpServlet {

    public void doGet (
        HttpServletRequest request, HttpServletResponse response
    ) throws ServletException, IOException {
        PrintWriter out=response.getWriter();
        ServletContext context=getServletContext();              ■
        out.println(context.getInitParameter("message"));              ■
    }
}
```

このサンプルでは、doGetメソッドの中で初期化パラメータを取得しています。
コンテキストの初期化パラメータを取得するために、ServletContextインタフェースをイン

ポートします（**1**）。

　doGetメソッドでは、HttpServletクラスのgetServletContextメソッドを使って、ServletContextオブジェクトを取得します（**2**）。次に、getInitParameterメソッドで初期化パラメータを取得し、画面に出力しています（**3**）。

■ コンパイルと実行

① 「compile」ウィンドウでソースファイルをコンパイルします。

compile chapter19¥ParamContext.java

② 「tomcat」ウィンドウでTomcatを再起動してから、以下のURLをブラウザで開きます。

http://localhost:8080/book/chapter19/param-context

19-05 | ファイルの読み込み

　ここではWebアプリケーションが動作しているサーバ上のファイルを読み込む方法を学びます。Webアプリケーションが使うデータを、サーバ上にファイルとして準備しておき、読み込んで利用するために使います。読み込むファイルとしては、テキストや画像などのデータファイルや、Webアプリケーションの動作を制御するための設定ファイルなどが考えられます。

　本書では扱いませんが、ファイルの読み込みと同様に、ファイルの書き込みも可能です。Webアプリケーションが扱うデータは、一般にデータベースを使って保存しますが、簡単なデータはファイルに保存することもできます。

　ファイルを読み書きするためには、サーバ上におけるファイルのパスが必要です。サーバ上のパスを取得するには、初期化パラメータの取得でも利用したServletContextインタフェースの、getRealPathメソッドを使います。

▌ getRealPathメソッド

宣　言 ： String **getRealPath**(String path)
機　能 ： 指定した仮想パスに対応する物理パスを取得します。

　getRealPathメソッドは、指定した仮想パスを物理パスに変換します。変換ができない場合にはnullを返します。

　仮想パスとは、Webアプリケーション上のファイルのパスです。コンテキストルートを起点とするパスを指定します。

　物理パスとは、Webアプリケーションが動作するサーバ上のパスです。物理パスの形式は、動作環境（マシンやOS）が使用する形式になります。取得した物理パスは、ファイル入出力を行うクラスで使用することができます。

■ 設定ファイルの例

　ファイルを読み込むサーブレットを作成してみましょう。読み込むファイルの例として、以下のような形式の設定ファイルを用意します。

名前A=値A
名前B=値B
・・・

　このように各行が「キー＝値」の形式になっているテキストファイルを、プロパティファイルと呼びます。Javaには、プロパティファイルをオブジェクトとして扱うためのユーティリティクラスである、java.util.Propertiesが用意されていますので、本サンプルではこれを利用します。
　次のファイルを入力し、book¥WEB-INF¥setting.txtとして保存してください。WEB-INFフォルダ以下に保存するのは、Webアプリケーションを利用するユーザから見えないようにするためです。

List | 19-07 setting.txt

```
debug=yes
memory=1048576
network=12.34.56.78
```

■ ファイルを読み込むサーブレット

　設定ファイルを読み込んで、内容を表示するサーブレットの例です。

Fig | サンプルの実行画面

次のファイルを入力し、book¥WEB-INF¥src¥
chapter19¥File.javaとして保存してください。

List | 19-08 File.java

```java
package chapter19;

import tool.Page;
import java.io.IOException;
import java.io.PrintWriter;
import java.io.FileInputStream;
import java.util.Properties;
import jakarta.servlet.ServletContext;
import jakarta.servlet.ServletException;
import jakarta.servlet.http.*;
import jakarta.servlet.annotation.WebServlet;

@WebServlet(urlPatterns={"/chapter19/file"})
public class File extends HttpServlet {
    public void doGet (
        HttpServletRequest request, HttpServletResponse response
    ) throws ServletException, IOException {
        PrintWriter out=response.getWriter();
        Page.header(out);

        ServletContext context=getServletContext();
        String path=context.getRealPath("/WEB-INF/setting.txt");

        FileInputStream in=new FileInputStream(path);
        Properties p=new Properties();
        p.load(in);
        in.close();

        for (String key : p.stringPropertyNames()) {
            out.println("<p>"+key+" : "+p.getProperty(key)+"</p>");
        }

        Page.footer(out);
    }
}
```

① ② ③ ④ ⑤ ⑥ ⑦

このサンプルでは、ファイルを読み込むためのFileInputStreamクラス、プロパティファイ
ルを扱うためのPropertiesクラス、サーバ上の物理パスを取得するためのServletContextイン
タフェースをインポートします（■）。

2 ではgetServletContextメソッドによりServletContextオブジェクトを取得し、**3** では
getRealPathメソッドにより設定ファイルのサーバ上のパスを取得します。getRealPathメソッ
ドの引数には、コンテキストルートを起点とするパスを指定します。

4 では設定ファイルを開きます。**3** で取得したパスを使って、FileInputStreamオブジェク
トを作成します。

5 では、Propertiesオブジェクトを生成し、loadメソッドを使ってファイルを読み込みます。
Propertiesクラスは、設定ファイル内の「名前=値」という記述から、名前と値の組を取り出し
ます。

▌ loadメソッド

宣　言　：　void **load**(InputStream inStream)
機　能　：　入力ストリームを読み込み、キーと値の組をハッシュテーブルに格納します。

6 ではstringPropertyNamesメソッドを使って、Propertiesオブジェクトに保存された名前
の一覧を取得します。戻り値はSetなので、拡張for文を使って要素を取り出せます。

▌ stringPropertyNamesメソッド

宣　言　：　Set<String> **stringPropertyNames**()
機　能　：　Propertiesオブジェクトに保存された名前の一覧を取得します。

7 では名前と値の組を出力します。Propertiesオブジェクトから値を取得するには、
getPropertyメソッドを使います。

▌ getPropertyメソッド

宣　言　：　String **getProperty**(String key)
機　能　：　指定された名前に対応する値を返します。

■ **コンパイルと実行**

① 「compile」ウィンドウでソースファイルをコンパイルします。

compile chapter19¥File.java

② 「tomcat」ウィンドウでTomcatを再起動してから、以下のURLをブラウザで開きます。

http://localhost:8080/book/chapter19/file

19-06 | アプリケーション属性を使う

アプリケーション属性の概要についてはP.247で解説しました。アプリケーション属性を使えば、同じWebアプリケーション内にあるサーブレット/JSP間で、データを共有することができます。この属性は、Webアプリケーションを起動してから終了するまで保存されます。

アプリケーション属性の設定と取得には、コンテキストの初期化パラメータやファイルの読み込みでも使用した、ServletContextオブジェクトを利用します。他の属性(→P.248)と同様に、属性の操作にはsetAttributeメソッドやgetAttributeメソッドを使います。

■ アプリケーション属性を設定するサンプル

アプリケーション属性を設定するサーブレットの例です。19-05のように設定ファイルから読み込んだ内容を、アプリケーション属性に保存します。属性に保存することによって、以後は設定内容を属性から取得することができるようになります。設定ファイルを繰り返し読み込まなくなるので、処理を効率化できます。

次のファイルを入力し、book¥WEB-INF¥src¥chapter19¥Attribute.javaとして保存してください。

src
└ chapter19
　　└ Attribute.java ◀········ このファイルを作成

List | 19-09 Attribute.java

```java
package chapter19;

import tool.Page;
import java.io.FileInputStream;
import java.io.IOException;
import java.io.PrintWriter;
import java.util.Properties;
import jakarta.servlet.ServletContext; ················1
import jakarta.servlet.ServletException;
import jakarta.servlet.http.*;
import jakarta.servlet.annotation.WebServlet;

@WebServlet(urlPatterns={"/chapter19/attribute"})
public class Attribute extends HttpServlet {
    public void doGet (
        HttpServletRequest request, HttpServletResponse response
    ) throws ServletException, IOException {
        PrintWriter out=response.getWriter();
        Page.header(out);
```

```
        String path=context.getRealPath("WEB-INF/setting.txt");
        FileInputStream in=new FileInputStream(path);                    2
        Properties p=new Properties();
        p.load(in);
        in.close();

        for (String name : p.stringPropertyNames()) {
            context.setAttribute(name, p.getProperty(name));             3
        }
        out.println("アプリケーション属性を設定しました。");

        Page.footer(out);
    }
}
```

1では、アプリケーション属性の操作に必要なServletContextインタフェースをインポートします。

2は設定ファイルの読み込みです。この部分は19-05のプログラム（File.java）と同様です。

3では設定ファイルから名前と値の組を1つ1つ取り出して、setAttributeメソッドでアプリケーション属性に設定しています。

■ アプリケーション属性を取得するサンプル

先ほどのサーブレットで設定したアプリケーション属性を確認してみましょう。アプリケーション属性の一覧を取得して表示するサーブレットを作成します。

Fig | サンプルの実行画面

　このプログラムは、設定されているすべてのアプリケーション属性を表示します。属性の内容はお使いの環境によって異なります。多くの場合は、Tomcatの作業用フォルダや、JSPをサーブレットに変換するために使用するクラスパスなどが、属性に含まれています。これらと一緒に、先ほどのサーブレットで設定した「debug」「memory」「network」の項目が、表示されることを確認してください。

　次のファイルを入力し、book¥WEB-INF¥src¥chapter19¥Attribute2.javaとして保存してください。

List | 19-10 Attribute2.java

```java
package chapter19;

import tool.Page;
import java.io.IOException;
import java.io.PrintWriter;
import java.util.Collections;
import java.util.List;
import jakarta.servlet.ServletContext;
import jakarta.servlet.ServletException;
import jakarta.servlet.http.*;
import jakarta.servlet.annotation.WebServlet;

@WebServlet(urlPatterns={"/chapter19/attribute2"})
public class Attribute2 extends HttpServlet {
    public void doGet (
        HttpServletRequest request, HttpServletResponse response
    ) throws ServletException, IOException {
        PrintWriter out=response.getWriter();
        Page.header(out);

        ServletContext context=getServletContext();
        List<String> list=Collections.list(context.getAttributeNames()); ┄┄┄ ■1
        for (String name : list) {
            out.println("<p>"+name+" : ");
            out.println(context.getAttribute(name)); ┄┄┄ ■2
            out.println("</p>");
        }

        Page.footer(out);
    }
}
```

外部データの読み込み

Chapter **19**

 1 では、getAttributeNamesメソッド（→P.248）によりアプリケーション属性名の一覧を取得し、String型のリストに変換しています。

 2 では、**1** のリストを拡張for文で処理し、取り出した属性名に対応する値をgetAttributeメソッドで取得して、画面に出力しています。

■ コンパイルと実行

① 「compile」ウィンドウで、以下の2つのソースファイルをコンパイルします。

 compile chapter19¥Attribute.java

 compile chapter19¥Attribute2.java

② 「tomcat」ウィンドウでTomcatを再起動してから、以下の2つのURLをブラウザで開きます。

 http://localhost:8080/book/chapter19/attribute

 http://localhost:8080/book/chapter19/attribute2

■ アプリケーション属性の内容に応じて動作を変えるサーブレット

　取得したアプリケーション属性の内容に応じて、動作を変化させるサーブレットを作成してみましょう。この手法を利用すると、アプリケーション属性を使って、Webアプリケーションの動作を制御することができます。

　ここで作成するサーブレットは、P.294で作成した設定ファイル（book¥WEB-INF¥setting.txt）の内容に応じて、出力するメッセージを以下のように変化させます。

・設定ファイルに「debug=yes」と記述されている場合

　「デバッグモードで実行します。」と表示します。

・設定ファイルの「memory」が1000000よりも小さい場合

　「省メモリモードで実行します。」と表示します。

Fig | サンプルの実行画面

設定ファイルの内容
により表示が変わる

次のファイルを入力し、book¥WEB-INF
¥src¥chapter19¥Attribute3.javaとして保存
してください。

このファイルを作成

List | 19-11 Attribute3.java

```java
package chapter19;

import tool.Page;
import java.io.IOException;
import java.io.PrintWriter;
import jakarta.servlet.ServletContext;
import jakarta.servlet.ServletException;
import jakarta.servlet.http.*;
import jakarta.servlet.annotation.WebServlet;

@WebServlet(urlPatterns={"/chapter19/attribute3"})
public class Attribute3 extends HttpServlet {
    public void doGet (
        HttpServletRequest request, HttpServletResponse response
    ) throws ServletException, IOException {
        PrintWriter out=response.getWriter();
        Page.header(out);

        ServletContext context=getServletContext();

        String debug=(String)context.getAttribute("debug");
        if (debug.equals("yes")) {
            out.println("<p>デバッグモードで実行します。</p>");   ■1
        }

        int memory=Integer.parseInt(
            (String)context.getAttribute("memory"));
        if (memory<1000000) {                                    ■2
            out.println("<p>省メモリモードで実行します。</p>");
        }

        Page.footer(out);
    }
}
```

■1では属性名debugを取得し、文字列（String）に変換します。値がyesならば、「デバッグモードで実行します。」と出力します。

■2では属性名memoryを取得し、IntegerクラスのparseIntメソッドを使って、整数（int）に変換します。値が1000000よりも小さければ、「省メモリモードで実行します。」と出力します。

■ コンパイルと実行

① 「compile」ウィンドウでソースファイルをコンパイルします。

compile chapter19¥Attribute3.java

② 「tomcat」ウィンドウでTomcatを再起動してから、以下の2つのURLをブラウザで開きます。

http://localhost:8080/book/chapter19/attribute

http://localhost:8080/book/chapter19/attribute3

　上記を実行したら、設定ファイル（setting.txt）のdebugとmemoryの行を次のように書き換えて保存してください。

```
debug=no
memory=524288
```

　次にもう一度Attribute.javaとAttribute3.javaを実行すると、表示が変わっているはずです。

■ まとめ

　本章では次の事柄を学びました。

- 初期化パラメータはサーブレットやフィルタの設定に用いるパラメータです。
- 初期化パラメータはweb.xmlに記述します。
- 初期化パラメータの種類にはサーブレット、フィルタ、コンテキストがあります。
- Webアプリケーションが動作するサーバ上のファイルを読み書きすることができます。
- アプリケーション属性を使うと、Webアプリケーション内のすべてのサーブレット/JSP間で、データを共有することができます。

　次章では、JSPのアクションタグについて解説します。

練習問題 P.297で作成したAttribute.javaでは、設定ファイルを読み込んで、その内容をアプリケーション属性に保存しました。これを変更して、サーブレットの起動時に一度だけ設定ファイルを読み込むようにしてください。

　プログラムは、book¥WEB-INF¥src¥chapter19フォルダにAttribute4.javaというファイル名で保存してください。

解答例

List | Attribute4.java

```java
package chapter19;

import tool.Page;
import java.io.FileInputStream;
import java.io.IOException;
import java.io.PrintWriter;
import java.util.Properties;
import jakarta.servlet.ServletContext;
import jakarta.servlet.ServletException;
import jakarta.servlet.http.*;
import jakarta.servlet.annotation.WebServlet;

@WebServlet(urlPatterns={"/chapter19/attribute4"})
public class Attribute4 extends HttpServlet {

    public void init() throws ServletException {
        try {  ······················1
            ServletContext context=getServletContext();
            String path=context.getRealPath("WEB-INF/setting.txt");
            FileInputStream in=new FileInputStream(path);
            Properties p=new Properties();
            p.load(in);
            in.close();
            for (String name : p.stringPropertyNames()) {
                context.setAttribute(name, p.getProperty(name));
            }
        } catch (IOException e) {
            throw new ServletException(
                "ファイルの読み込みに失敗しました。");        2
        }
    }

    public void doGet (
        HttpServletRequest request, HttpServletResponse response
    ) throws ServletException, IOException {
        PrintWriter out=response.getWriter();
        Page.header(out);
        out.println("アプリケーション属性を設定しました。");
        Page.footer(out);
    }
}
```

Attribute.javaのようにdoGetメソッドで読み込みを行う場合、doGetメソッドのthrowsには
IOExceptionが含まれているので、例外処理を記述しなくてもコンパイルできます。一方、initメソッド
のthrowsにはIOExceptionが含まれていないので、例外処理を記述しないとコンパイルエラーになります。
ここではinitメソッドを使うので、IOExceptionに関するtry-catchを記述する必要があります（■）。
■のcatchブロックでは、「ファイルの読み込みに失敗しました」というメッセージを格納した
ServletExceptionオブジェクトを生成し、スローします。

 ## 初期化パラメータの取得

初期化パラメータの取得は、initメソッドで行う方法(1)と、doGet/doPostメソッドなどで行う方法(2)
があります。initメソッドはサーブレットの起動時に一度だけ実行するので、初期化パラメータをinitメソッ
ドで取得しておく方が一見効率的に思えますが、果たしてそうなのかどうかを実験してみました。

方法（1）では、取得した初期化パラメータを保存するためのHashMapを用意します。

```
private HashMap<String, String> map=new HashMap<String, String>();
```

initメソッドにおいて、初期化パラメータ（ここではコンテキストパラメータ）を取得し、HashMapに保
存します。

```
ServletContext context=getServletContext();
for (String name : Collections.list(context.getInitParameterNames())) {
    map.put(name, context.getInitParameter(name));
}
```

doGetメソッドにおいて、上記のHashMapから初期化パラメータを取得します。初期化パラメータ名
はnameとしました。ここまでが方法(1)です。

```
out.println(name+" = "+map.get(name));
```

方法(2)では、doGetメソッドにおいてgetInitParameterメソッドを呼び出し、初期化パラメータを取
得します。

```
out.println(name+" = "+context.getInitParameter(name));
```

方法(1)と方法(2)をそれぞれ繰り返して時間を計測したところ、実行時間は同等でした。
getInitParameterメソッドの内部では、毎回設定ファイルを読み込むのではなく、HashMapなどを使って、
メモリ上に保持されている初期化パラメータを取得していると思われます。

以上の実験から、initメソッド以外で初期化パラメータを取得しても、非効率にはならないということ
がいえます。ただし、初期化パラメータをHashMapに保存するのではなく、通常の変数に保存する場合
には、方法(1)の方が効率がよくなる可能性があります。

Chapter

20 アクションタグ

本章ではJSPのアクションタグについて学びます。アクションタグを活用することにより、JSPからJavaプログラムを除去して、サーブレットとの使い分けを明確にすることが可能です。

20-01 │ アクションタグとアクション

アクションタグは、あらかじめ用意されたJavaプログラムを、JSPから呼び出すための仕組みです。JSPファイル内にアクションタグを記述すると、そのアクションタグに対応するJavaプログラムを呼び出すことができます。

Fig │ アクションタグ

JSPにあらかじめ用意されているアクションタグは、<jsp:...>のような形式で記述し、これにより提供される機能を**標準アクション**と呼びます。本書では、この標準アクションについて解説します。

一方で、開発者が独自のタグを作成することもできます。独自に作成したタグのことを、**カスタムタグ**と呼び、関連するカスタムタグ群をまとめたものを**タグライブラリ**と呼びます。他の開発者が作成したタグライブラリを利用することもできます。

アクションを活用すると、JSPのスクリプトレットや式に含まれるJavaプログラムを除去することができます。Javaプログラムを使って行ういろいろな処理を、アクションで代替できるためです。

標準アクションには次ページのようなものがあります。本書では業務でよく使用される、Beanを扱うためのアクションと、画面遷移を行うためのアクションに絞り込んで解説します。

Table | JSPの標準アクション一覧

アクションタグ	解説
<jsp:forward>	他のリソース（JSP、HTML、サーブレット）へフォワードします
<jsp:include>	他のリソース（JSP、HTML、サーブレット）をインクルードします
<jsp:useBean>	beanを生成したり、属性に保存されたBeanを取得します
<jsp:setProperty>	beanのプロパティにデータを設定します（セッタと同じ）
<jsp:getProperty>	beanのプロパティからデータを取得します（ゲッタと同じ）
<jsp:body>	カスタムタグのbody部を記述します
<jsp:doBody>	タグファイルで、タグのbody部を実行します
<jsp:invoke>	タグファイルで受け取ったフラグメントを実行します
<jsp:attribute>	タグの属性をタグ本体に記述します
<jsp:element>	動的にXML要素を追加します
<jsp:output>	XML形式のJSPタグファイルで出力形式を指定します
<jsp:root>	XML形式のJSPのルート要素で、名前空間などを記述します
<jsp:text>	XML形式のJSPでテンプレートとなるテキストデータを定義します
<jsp:scriptlet>	XML形式のJSPでスクリプトレットを記述します
<jsp:expression>	XML形式のJSPで式を記述します
<jsp:declaration>	XML形式のJSPで宣言を記述します

20-02 | Beanを扱うためのアクション

まずはBeanを扱うための<jsp:useBean>、<jsp:getProperty>、<jsp:setProperty>の使い方について解説します。

■ JSPからBeanを取得する際の問題点

Chapter09では、サーブレットからJSPにフォワードする方法を学びました。サーブレットはJavaプログラムによる処理を行うのに向いていて、JSPはHTMLを出力するのに向いています。フォワードを行うのは、サーブレットにリクエストパラメータやデータベースの処理を担当させ、JSPにレスポンスの出力を担当させることが目的です。それぞれに得意な処理を担当させることによって、Webアプリケーション全体を簡潔に記述することができます。

問題は、サーブレットが処理した結果をJSPから取得する際に必要な記述が、あまり簡潔でない点です。たとえばP.250のサンプルでは、サーブレットが生成した商品のBeanをリクエスト属性に設定し、JSPから取得しました。どんな記述が必要だったか、確認してみましょう。

❶ Beanのクラスをインポートするために、次のようなpageディレクティブが必要です。

```
<%@page import="bean.Product" %>
```

❷ Beanのオブジェクトをリクエスト属性から取得するために、次のようなスクリプトレットが必要です。

```
<% Product p=(Product)request.getAttribute("product"); %>
```

❸ Beanのプロパティを取得するために、次のようなゲッタを呼び出します。以下は価格を取得する例です。

```
<%=p.getPrice() %>
```

以上のような方法で、リクエスト属性からBeanを取得し、プロパティの値を取得することができます。しかし、Beanの取得はよく行う処理なので、もっと簡潔に記述できれば便利です。

上記の方法では、スクリプトレットや式の中に、Javaプログラムを記述しています。もし、Javaプログラムを使わずにBeanを操作する方法があれば、Javaプログラムはサーブレットに記述し、JSPではレスポンスの出力だけを行う、という役割の分担をより明確にすることができます。

また、JSPファイルからJavaプログラムを除去することによって、Javaプログラミングに詳しくないスタッフがJSPファイルを編集することが容易になり、作業の分担が進みます。不用意にJavaプログラムを変更してしまう危険も減らすことができます。

実はアクションタグを使って、Beanを操作することができます。ここでは、Beanを取得するuseBeanアクションと、プロパティを取得するgetPropertyアクションを学びます。

▌ Bean関連のアクション

useBeanアクションを使うと、スクリプトレットを使わずに、Beanのオブジェクトを生成したり、属性に保存されているBeanのオブジェクトを取得することができます。useBeanアクションは次のように記述します。

書式 useBeanアクション

```
<jsp:useBean id="Bean名" class="クラス" scope="スコープ" />
```

記法は同じですが、Beanのオブジェクトが生成済みかどうかに応じて、生成か取得かが変わります。

▶ Bean名

Beanの名前です。Beanを取得する際の属性名と、以後のアクションでBeanを操作する際の名前を兼ねています。

▶ クラス

Beanのクラスをパッケージ名.クラス名の形式で指定します。

▶ スコープ

Beanを取得または設定する属性のスコープ（→P.245）です。以下のいずれかを記述することができます。記述を省略すると、pageが指定されたものと見なされます。

Table | スコープの記述

記述	意味	有効範囲
page	ページ属性	JSPファイル内
request	リクエスト属性	リクエスト内
session	セッション属性	セッション内
application	アプリケーション属性	Webアプリケーション内

　useBeanアクションは、末尾が/>になっていることに注意してください。本書で学ぶ、冒頭が<jsp:...で始まるアクションタグは、いずれも末尾が/>です。
　Beanのプロパティを取得するには、getPropertyアクションを使います。

書式　getPropertyアクション

<jsp:getProperty name="Bean名" property="プロパティ名" />

　getPropertyアクションを使うと、アクションタグを記述した場所に、取得したプロパティの値が埋め込まれます。これにより、JSPの式でゲッタを記述しなくても、取得した値を出力することができます。取得したプロパティが、String型以外のオブジェクトだった場合は、オブジェクトに対してtoStringメソッドが呼び出されて、文字列に変換されます。また、intやcharなどのプリミティブ型についても、文字列に変換されます。
　setPropertyアクションを使うと、プロパティを設定することができます。プロパティを取得するgetPropertyアクションの対になるアクションで、セッタの代わりとなります。

書式　setPropertyアクション

<jsp:setProperty name="Bean名" property="プロパティ名" value="値" />

アクションタグでBeanを取得するプログラム

Chapter16で作成した、サーブレットが生成したBeanをJSPから取得して表示するサンプルを、アクションタグを使って改良してみましょう。

Fig | サンプル実行画面

サーブレットで生成したBeanをJSPに送って表示させる

JSPにフォワードするサーブレットは、WEB-INF¥srcフォルダの中にchapter20フォルダを作成し、その中にTag.javaとして作成します。

これはAttribute.java（→P.249）とほぼ同じ内容なので、コピーして編集すると簡単でしょう。異なるのは赤字の部分だけです。

これらを作成

List | 20-01 Tag.java

```java
package chapter20;

import bean.Product;
import java.io.IOException;
import jakarta.servlet.ServletException;
import jakarta.servlet.http.*;
import jakarta.servlet.annotation.WebServlet;

@WebServlet(urlPatterns={"/chapter20/tag"})
public class Tag extends HttpServlet {
    public void doGet (
        HttpServletRequest request, HttpServletResponse response
    ) throws ServletException, IOException {

        Product p=new Product();
        p.setId(1);
        p.setName("まぐろ");
        p.setPrice(100);

        request.setAttribute("product", p);
        request.getRequestDispatcher("tag.jsp")
            .forward(request, response);
    }
}
```

フォワード先のJSPファイルは、まずbook¥chapter20フォルダを作成し、その中に以下のような内容のtag.jspを作成してください。

book
chapter20
tag.jsp
······· これらを作成

List | 20-02 tag.jsp

```
<%@page contentType="text/html; charset=UTF-8" %>
<%@include file="../header.html" %>

<jsp:useBean id="product" class="bean.Product" scope="request" /> ———❶

<p>
<jsp:getProperty name="product" property="id" />:
<jsp:getProperty name="product" property="name" />:      ⌐
<jsp:getProperty name="product" property="price" />          ├─❷
</p>                                                     ⌐

<%@include file="../footer.html" %>
```

❶のuseBeanアクションは、サーブレット側ですでにBeanが生成されているため、このBeanを取得する処理になります。Beanの属性名はproduct、Beanのクラスはbean.Productクラスで、リクエスト属性からBeanを取得します。

❷はgetPropertyアクションを使ったプロパティの取得です。Bean名は❶のuserBeanアクションに記述したproductを使います。プロパティから商品番号 (id)、商品名 (name)、価格 (price) を取得して出力します。

attribute.jsp (→P.250) とtag.jspを比較してみてください。attribute.jspに記述されていたJavaプログラムの部分が、tag.jspではタグに置き換わっています。

■ コンパイルと実行

① 「compile」ウィンドウでソースファイルをコンパイルします。
   compile chapter20¥Tag.java
② 「tomcat」ウィンドウでTomcatを再起動してから、以下のURLをブラウザで開きます。
   http://localhost:8080/book/chapter20/tag

▉ Beanを生成するJSP

次はuseBeanアクションを使って、新たにbeanを生成するプログラムを書いてみましょう。1つのJSPファイルの中でBeanを生成した後に、プロパティの設定と取得を行います。

Fig | サンプルの実行画面

JSPファイルは、book¥chapter20フォルダの中にtag2.jspとして作成してください。内容は次のとおりです。

List | 20-03 tag2.jsp

```
<%@page contentType="text/html; charset=UTF-8" %>
<%@include file="../header.html" %>


<jsp:useBean id="product" class="bean.Product" />            1


<jsp:setProperty name="product" property="id" value="2" />
<jsp:setProperty name="product" property="name" value="サーモン" />   2
<jsp:setProperty name="product" property="price" value="100" />


<jsp:getProperty name="product" property="id" />:
<jsp:getProperty name="product" property="name" />:          3
<jsp:getProperty name="product" property="price" />


<%@include file="../footer.html" %>
```

1はuseBeanアクションを使ったBeanの生成です。productというBean名で、bean.ProductクラスのBeanを生成します。スコープの指定を省略したので、ページ属性に保存されます。

2はsetPropertyアクションを使ったプロパティの設定です。商品番号(id)、商品名(name)、価格(price)を設定します。

3はgetPropertyアクションを使ったプロパティの取得です。**2**で設定したプロパティを取得して出力します。

■ JSPファイルの実行

① 以下のURLをブラウザで開きます。

http://localhost:8080/book/chapter20/tag2.jsp

20-03 アクションタグを使ったフォワードとインクルード

サーブレットから他のリソースへフォワードする場合はforwardメソッドを(→P.128)、インクルードする場合はincludeメソッドを使いますが(→P.131)、JSPでフォーワードやインクルードを行う場合は、アクションを利用します。これらのアクションは、内部でforwardメソッドやincludeメソッドを使用して実現されているので、基本的な動作はサーブレットの場合と同じです。

forwardアクションとincludeアクション

forwardアクションは、JSPから他のサーブレットやJSPに処理を移す機能です。

書式 forwardアクション

```
<jsp:forward page="パス" />
```

パスにはフォワード先のサーブレットやJSPファイルを指定します。パスの記法は、getRequestDispatcherメソッドの引数と同様です(→P.128)。パスの先頭に/を記述すると、コンテキストルートを起点とするパスを指定することができます。フォワード先に指定できるのは、同じアプリケーションサーバ上にあるサーブレットやJSPファイルだけです。

一方、JSPから他のサーブレットやJSPを呼び出す場合は、includeアクションを使います。フォワードとは違い、呼び出されたサーブレットやJSPの処理が終わると、呼び出し元のJSPに処理が戻ります。

書式 includeアクション

```
<jsp:include page="パス" />
```

パスにはインクルードするサーブレットやJSPファイルを指定します。パスの記法はフォワードと同様です

forwardアクションを使ったJSPファイル

forwardアクションを使って、フォワードを行うJSPファイルを作成してみましょう。実行すると、Chapter09で作成したforward.jsp(→P.130)にフォワードします。

Fig | サンプルの実行画面

次のJSPファイルを入力し、book¥chapter20フォルダにtag-forward.jspとして保存してください。

List | 20-04 tag-forward.jsp

```
<%@page contentType="text/html; charset=UTF-8" %>

<jsp:forward page="/chapter9/forward.jsp" /> ·················■
```

■ではforwardアクションを使って、chapter9フォルダのforward.jspにフォワードします。

■ JSPファイルの実行

① 以下のURLをブラウザで開きます。

http://localhost:8080/book/chapter20/tag-forward.jsp

■ includeアクションを使ったJSPファイル

同じく、includeアクションを使ってインクルードを行うJSPファイルを作成してみましょう。実行すると、Chapter09で作成したinclude1.jspとinclude2.jsp（→P.133）をインクルードします。

Fig | サンプルの実行画面

次のJSPファイルを入力し、book¥chapter20フォルダにtag-include.jspとして保存してください。

List | 20-05 tag-include.jsp

```
<%@page contentType="text/html; charset=UTF-8" %>

<jsp:include page="/chapter9/include1.jsp" />
<jsp:include page="/chapter9/include2.jsp" />                    1
```

includeアクションを使って、chapter9フォルダのinclude1.jspとinclude2.jspをインクルードします（1）。

■ JSPファイルの実行

① 以下のURLをブラウザで開きます。

http://localhost:8080/book/chapter20/tag-include.jsp

20-04 │ includeディレクティブとincludeアクション

以下はincludeディレクティブ（→P.104）とincludeアクションの比較です。前者はJSPをサーブレットに変換する際に、後者は変換後のサーブレットがリクエストを処理する際に、インクルードを行います。以下では、ファイルA（JSP）からファイルBをインクルードする状況を想定しています。

■ includeディレクティブ

以下、includeディレクティブの場合です。

・AにBを埋め込んだ後に、Aをサーブレットに変換してコンパイルします。変換結果は1つのサーブレットになります。

・Bは内容をそのままAに埋め込める形式であることが必要です。したがって、Bに指定できるのはJSP/HTML/テキストなどです。

・Bの内容を変更した場合には、Aをサーブレットに変換してコンパイルする処理が発生します。頻繁にBを変更する場合には、性能が低下する可能性があります。

・この方式は、Bの内容をあまり変更しない場合に向いています。サーブレットが1つにまとまっており、Bの内容を出力する処理も組み込まれているため、効率よく実行できます。

includeアクション

以下、includeアクションの場合です。

- BがJSPファイルの場合には、AとBをそれぞれサーブレットに変換してコンパイルします。変換結果は2つのサーブレットになります。Aのサーブレットがリクエストを処理する際に、Bのサーブレットを実行し、Bの出力をレスポンスに含めます。
- BがHTMLやテキストの場合には、Aだけをサーブレットに変換してコンパイルします。Aのサーブレットがリクエストを処理する際に、Bを読み込んでレスポンスに含めます。
- Bにサーブレットを指定することもできます。BのサーブレットにURLを割り当てたうえで、includeアクションにはコンテキストルートを起点とするパスを指定します（例：/chapter3/hello）。Bのサーブレットは、別途コンパイルしておく必要があります。Aのサーブレットがリクエストを処理する際に、Bのサーブレットを実行し、Bの出力をレスポンスに含めます。
- この方式は、Bの内容を頻繁に変更する場合に向いています。Bの内容を変更しても、Aをサーブレットに変換してコンパイルする処理は発生しません。

以下の図はBにJSPファイルを指定した場合の動作です。

Fig | JSPファイルに対する動作の違い

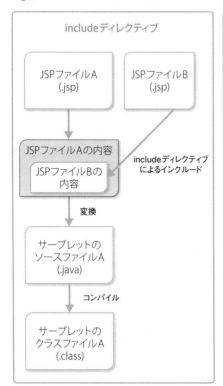
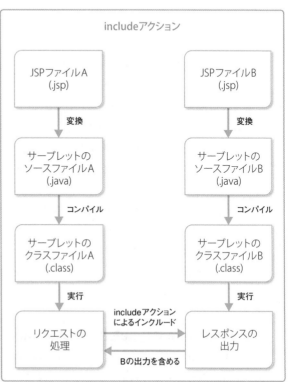

　ディレクティブかアクションかに関わらず、別のファイルをインクルードすると、文字化けに悩まされることが少なくありません。ここではインクルードにおける文字エンコーディングの扱いについて、いくつかの注意点を紹介します。

■ インクルードされるJSPファイルの文字エンコーディング

　JSPの仕様では、文字エンコーディングが明示的に指定されていないJSPファイルは、ISO-8859-1 (Latin-1) という文字エンコーディングを使って読み込むことが規定されています。しかし、ISO-8859-1はアルファベット用の文字エンコーディングなので、日本語などを含むJSPファイルは適切に読み込むことができません。結果として、JSPファイルが実行できなかったり、出力が文字化けしたりします。そのため、日本語を含むJSPファイルについては、日本語を表現できる文字エンコーディング（UTF-8など）を使って保存したうえで、使用した文字エンコーディングを明示する必要があります。

　文字エンコーディングを指定する手段としては、すでに紹介したpageディレクティブのcontentType属性がありますが、この他にpageディレクティブのpageEncoding属性を使うこともできます。この2つの違いは次のとおりです。

contentType属性　　：JSPファイルの読み込みとレスポンスの出力に使う文字エンコーディングを指定します。

pageEncoding属性　：JSPファイルの読み込みに使う文字エンコーディングを指定します。

　さて、インクルードするJSPファイルをA、インクルードされるJSPファイルをBとしましょう。AとBのいずれに関しても文字エンコーディングを指定する必要があるので、それぞれのファイルにpageディレクティブを記述します。このとき、上記のcontentTypeとpageEncodingには、次のような使い方があります。

▶ ① AとBの両方でcontentTypeを使う方法

　AとBの文字エンコーディングが一致している場合に使える方法です。Tomcatでは、contentTypeに指定した値がファイル間で異なると、includeディレクティブの使用時にはエラーとなり実行できません。includeアクションの使用時には実行でき、レスポンス出力の文字エンコーディングは、最初に読み込まれたcontentTypeが決定します。

▶ ② AではcontentTypeを使い、BではpageEncodingを使う方法

　AとBの文字エンコーディングが、一致する場合にも異なる場合にも使える方法です。pageEncoding属性の書式は、次のとおりです。

```
<%@page pageEncoding="文字エンコーディング" %>
```

　本書の場合は、JSPファイルの文字エンコーディングがすべて同じ (UTF-8) なので、どちらの方法も使えます。本章のサンプル (tag-include.jsp) では、①の方法を使いました。Chapter25のサンプル (menu.jsp) では、②の方法を使っています。

■ インクルードされるHTMLファイルの文字エンコーディング

　インクルードにおいて、HTMLファイルを読み込むために使用する文字エンコーディングは、JSPの仕様では決められていません。そのためアプリケーションサーバによって、使用する文字エンコーディングが異なる可能性があります。

　本書で使用するTomcat 10においては、日本語を含むHTMLファイルをincludeディレクティブでインクルードすると、文字化けが発生します。includeアクションでインクルードする場合には、環境変数CATALINA_OPTS (→P.20) で指定した文字エンコーディングと、HTMLファイルの文字エンコーディングが一致していれば、文字化けは発生しません。

　JSPファイルを読み込むために使用する文字エンコーディングについては、前述のようにpageディレクティブで指定することができます。そのため、日本語を含むHTMLファイルに関しては、ファイルの拡張子を.htmlから.jspに変更して、JSPファイルにするのがおすすめです。JSPファイルにしたうえで、pageディレクティブを記述し、contentTypeやpageEncodingを使って、適切な文字エンコーディング (UTF-8など) を指定します。

　なお、本書のJSPファイルがインクルードしているbook¥header.htmlやbook¥footer.htmlは、英数字や記号だけで構成されているので、問題なくインクルードが可能です。

▶ まとめ

　本章では次の事柄を学びました。

- ・ Javaプログラムで行ういろいろな処理を、アクションタグで実現することができます。
- ・ useBeanアクションは、Beanの取得または生成を行います。
- ・ getPropertyアクションは、Beanのプロパティを取得します。
- ・ setPropertyアクションは、Beanのプロパティを設定します。
- ・ forwardアクションは、他のサーブレット/JSPへのフォワードを行います。
- ・ includeアクションは、他のサーブレット/JSPのインクルードを行います。
- ・ includeディレクティブとincludeアクションには動作の違いがあります。

　次章ではBeanの操作をより簡潔に記述できる、ELについて学びます。

21 EL

ELはExpression Languageの略で、式言語という意味です。ELを使うと、Beanやプロパティを取得する処理を、非常に簡潔に記述できます。この章では、ELによるBeanの扱いやメソッド呼び出しのほか、ELの条件式、演算子、暗黙オブジェクトについても学びます。

21-01 | ELによるBeanとプロパティの取得

ELを使って、Beanやプロパティを取得する方法を学びましょう。属性に設定されたBeanを取得し、取得したBeanからプロパティの値を取得します。前章ではアクションタグを使いましたが、ELを使うと、より簡潔なプログラムでBeanやプロパティを操作することができます。

Beanやプロパティを取得するという1つの目的を達成するために、何種類もの方法が提供されているのは、不思議に感じるかもしれません。最初にJSPが登場してから、より多彩な処理を行ったり、より簡潔にプログラムを記述したりすることを目的として、いくつもの新機能が追加されてきました。同じ目的を達成するための機能が何とおりも提供されているのは、段階的に機能を追加したり、改良したり、置き換えたりしたためです。

たとえばBeanを操作するプログラムは、スクリプトレット、式、アクションタグ、ELのいずれを使っても記述することができます。どの方法を使っても構わないのですが、ELは特に簡単な記述でBeanやプロパティを操作することが可能なので、きっと便利に感じることでしょう。

EL式の記法

ELを使って記述した式のことを、EL式と呼びます。EL式は、JSPの式（<%=...%>）のように、値をWebページに出力するために使うことができます。

EL式は、${ 〜 }のように記述します。〜の部分にはいろいろな式を記述することができますが、式の結果がどうであれ、最終的に出力されるのはString型の値です。String型以外のオブジェクトはtoStringメソッドでString型に変換され、intやcharなどのプリミティブ型も文字列に変換されます。

また、式を評価する際に、数値として評価可能な文字列は、数値演算の対象にすることができます。たとえば"123"のような文字列に対して、+のような演算子を適用すると、自動的に数値に変換されて演算が行われます。文字列が属性、プロパティ、変数に格納されている場合も同様です。

EL式の用途として特に学んでおきたいのは、Beanのプロパティを取得する記法です。

${属性名.プロパティ名}

属性にBeanが設定されているときに、上記のように記述するだけで、属性に設定された
Beanを取得し、さらにBeanのプロパティを取得することができます。Beanのクラス名について、
まったく記述しないで済むことに注目してください。

今までに学んだ他の方法と比較してみましょう。

▶ スクリプトレットと式を使う場合

Beanクラスのインポート、Beanを取得する処理、ゲッタを使ったプロパティを取得する処
理や型変換が必要です。

▶ アクションタグを使う場合

useBeanアクションとgetPropertyアクションが必要です。useBeanアクションではBeanの
クラスを明示する必要があります。

他の方法と比べて、ELではとても簡単にBeanのプロパティが取得できることがわかります。

Beanのプロパティに他のBeanが格納されているときには、次のように扱います。たとえば、
属性に設定されたBean(A)のプロパティXに、他のBean(B)が格納されているとします。
Bean(B)は以下の式で取得できます。

${属性名.プロパティX}

このとき、Bean(B)のプロパティYは以下の式で取得できます。

${属性名.プロパティX.プロパティY}

プロパティYに、さらに別のBeanが格納されている場合も同様です。

🗒 ELとスコープ

ELでスコープを扱う方法を学んでみましょう。ELには、各スコープに保存された属性を処理
するための、便利な機能があります。

Beanを属性から取得するとき、アクションタグの場合にはpage、request、session、applica
tionといったスコープの指定が必要でした（→P.308）。しかしELの場合には、属性の内容が
Beanかどうかに関わらず、スコープの指定を省略することができます。これは、指定した名前

に一致する属性名を、複数のスコープから自動的に検索するためです。ELは次のような順序で属性名を探します。

① ページ属性
② リクエスト属性
③ セッション属性
④ アプリケーション属性

　属性名が見つかったら、属性に設定された値（Beanなど）を取得し、EL式に記述されたプロパティなどを出力します。属性名が見つからなかったときには、何も出力しません。エラーメッセージなどを出力することはなく、先の処理に進みます。

　スコープを明示的に記述することもできます。スコープを指定するには、暗黙オブジェクトであるpageScope（ページ属性）、requestScope（リクエスト属性）、sessionScope（セッション属性）、applicationScope（アプリケーション属性）のいずれかを記述します。

　たとえばリクエスト属性からBeanを取得するには、次のようなEL式を記述します。

${requestScope.属性名.プロパティ名}

　スコープを指定する必要があるのは、複数のスコープに同じ名前の属性が設定されている場合です。たとえば、ページにもリクエストにも属性Aがある場合に、リクエストの属性Aを取得したいときには、スコープ（requestScope）を指定します。

　取得したい属性と同じ名前の属性が、検索順序が早いスコープに設定されていない限り、スコープは省略することができます。

■ ELを使ったプログラム

　ELを使ってBeanを取得するプログラムを作りましょう。このサンプルでは、サーブレット側で生成したBeanをリクエスト属性に保存し、フォワード先のJSPから取得して表示します。

Fig｜ELを使ったBeanの取得

JSPにフォワードするサーブレットは、WEB-INF¥
srcフォルダの中にchapter21フォルダを作成し、その中
にEL.javaとして作成します。

これはAttribute.java（→P.249）とほぼ同じ内容なので、
コピーして編集しましょう。異なるのは赤字の部分だ
けです。

List | 21-01 EL.java

```java
package chapter21;

import bean.Product;
import java.io.IOException;
import jakarta.servlet.ServletException;
import jakarta.servlet.http.*;
import jakarta.servlet.annotation.WebServlet;

@WebServlet(urlPatterns={"/chapter21/el"})
public class EL extends HttpServlet {
    public void doGet (
        HttpServletRequest request, HttpServletResponse response
    ) throws ServletException, IOException {

        Product p=new Product();
        p.setId(1);
        p.setName("まぐろ");
        p.setPrice(100);

        request.setAttribute("product", p);

        request.getRequestDispatcher("el.jsp")
            .forward(request, response);
    }
}
```

フォワード先のJSPファイルを作成しましょう。まず
book¥chapter21フォルダを作成し、その中に次のよう
な内容のel.jspを作成してください。

List | 21-02 el.jsp

```
<%@page contentType="text/html; charset=UTF-8" %>
<%@include file="../header.html" %>

<p>${product.id}:${product.name}:${product.price}</p> ................■

<%@include file="../footer.html" %>
```

■はELを使ったプロパティの取得です。サーブレットがリクエスト属性に設定したBeanの属性名はproductなので、EL式のBean名にはproductを指定します。スコープの指定は記述していないことに注目してください。

プロパティ名には、商品番号（id）、商品名（name）、価格（price）を指定します。各プロパティの値を取得したら、「商品番号：商品名：価格」の形式で出力します。

tag.jsp（→P.310）と比較してみてると、el.jspは大幅に簡潔になっています。

■ **コンパイルと実行**

① 「compile」ウィンドウでソースファイルをコンパイルします。

compile chapter21¥EL.java

② 「tomcat」ウィンドウでTomcatを再起動してから、以下のURLをブラウザで開きます。

http://localhost:8080/book/chapter21/el

21-02 | ELによるメソッドの呼び出し

ELの主要な用途はBeanのプロパティを操作することですが、他の使い方もあります。次のように記述することで、任意のクラスのインスタンスメソッドを呼び出すことができます。

${オブジェクト.メソッド(引数)}

同じくクラスメソッドの場合には、次のように記述します。

${クラス.メソッド(引数)}

■ メソッドを呼び出すプログラム

　ELによるメソッド呼び出しを使って、乱数を生成して出力するプログラムを作成してみましょう。ここでは生成した乱数をそのまま出力しますが、このプログラムを応用すると、広告のバナーをランダムに選んで表示したり、占いやクジのようなちょっとした遊びを作ったりすることができます。

Fig | サンプルの実行画面

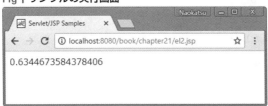

　次のJSPファイルを入力し、book¥chapter21フォルダにel2.jspとして保存してください。

List | 21-03 el2.jsp

```
<%@page contentType="text/html; charset=UTF-8" %>
<%@include file="../header.html" %>

${Math.random()}        ─1

<%@include file="../footer.html" %>
```

　1ではELを用いて、java.lang.Mathクラスのrandomメソッドを呼び出します。randomメソッドは0.0以上1.0未満の乱数を返すクラスメソッドです。ここでは生成した乱数をそのまま出力します。

　なお、Mathクラスでは不要ですが、インポートが必要なクラスを使用する場合は、pageディレクティブのimport属性（→P.112）を使用してください。

■ JSPファイルの実行

① 以下のURLをブラウザで開きます。

　http://localhost:8080/book/chapter21/el2.jsp

　ブラウザでページを更新してみてください。更新するたびに表示される数値が変化します。

21-03 | ELの演算子

ELでは次のような演算子を利用して、演算や条件式を記述することができます。一方、条件分岐や繰り返しを記述する場合は、ELには該当する構文がないので、次章で紹介するJSTLを組み合わせる必要があります。

Table | ELの演算子

分類	演算子	説明	別名
算術	+	加算	なし
	-	減算	なし
	*	乗算	なし
	/	除算	div
	%	剰余	mod
比較	==	等しい	eq
	!=	等しくない	ne
	<	小さい	lt
	>	大きい	gt
	<=	以下	le
	>=	以上	ge
	empty	nullまたは空	なし
論理	&&	論理積	and
	||	論理和	or
	!	否定	not
三項	a ? b : c	「a」の場合は「b」、「a」以外の場合は「c」	なし
参照	[] .	オブジェクトの参照	なし

いくつかの演算子には別名があります。たとえば${a>1}と${a gt 1}は同じで、${a==1}と${a eq 1}も同じです。これらはJSPをXML形式で記述する場合（本書では扱いません）などに、<や>の記号が記述できないときに使います。

empty演算子は、対象がnullまたは空であるときにtrueを返す演算子です。「empty 変数」のように、先にemptyを記述し、後に調べる対象を記述します。

◼ 三項演算子を使ったサンプル

ELの三項演算子はJavaと同じく、次のような記法により、簡単な条件分岐を記述できます。

```
${条件式 ? 値A ： 値B}
```

　ここではメソッドの呼び出しと組み合わせて、三項演算子を使ってみましょう。メソッドの呼び出しで0.0以上1.0未満の乱数を生成して、乱数が0.5未満ならば「あたり」、0.5以上ならば「はずれ」を出力します。それぞれ約1/2の確率で、「あたり」または「はずれ」になります。

Fig | サンプルの実行結果

　次のJSPファイルを入力し、chapter21フォルダにel3.jspとして保存してください。

List | 21-04 el3.jsp

```
<%@page contentType="text/html; charset=UTF-8" %>
<%@include file="../header.html" %>

${Math.random()<0.5 ? "あたり" ： "はずれ"} ·················1

<%@include file="../footer.html" %>
```

　■ではELを用いて、Mathクラスのrandomメソッドを呼び出します。三項演算子を使って、生成した乱数が0.5未満ならば「あたり」、0.5以上ならば「はずれ」を出力します。

■ JSPファイルの実行

① 以下のURLをブラウザで開きます。

　http://localhost:8080/book/chapter21/el3.jsp

　ブラウザでページを更新してみてください。何度か更新するうちに、表示が「あたり」または「はずれ」に変化します。

■ オブジェクトを参照する演算子

演算子の[]と.は、プロパティや要素の取得に使います。すでに学んだように、Beanのプロパティは以下の形式で取得できますが、ここで使用しているのが.演算子です。

Bean名.プロパティ名

一方、[]演算子を使ってBeanのプロパティを取得することもできます。[]と.のどちらを使うのかは、プログラマが選択することができます。

Bean名["プロパティ名"]

[]と.は、リストやマップの要素を取得するためにも使えます。通常、これらのオブジェクトから要素を取り出すにはgetメソッドを使用しますが、たとえばリストの場合は、次のように配列へのアクセスのような記法が使用できます。

リスト[添字]

また、キーに対応する要素をマップから取得するには、[]を使う記法と、.を使う記法があります。

マップ[キー]
マップ.キー

■ リストやマップから要素を取り出すサンプル

[]演算子と.演算子を使って、配列、リスト、マップから要素を取得し、出力するプログラムを作成してみましょう。

Fig | サンプルの実行画面

次のJSPファイルを入力し、chapter21フォルダにel4.jspとして保存してください。

Chapter
21

EL

List | 21-05 el4.jsp

```jsp
<%@page contentType="text/html; charset=UTF-8" %>
<%@include file="../header.html" %>

<%@page import="java.util.List, java.util.ArrayList" %>     1
<%@page import="java.util.Map, java.util.HashMap" %>

<%
int[] array={0, 1, 2};                                      2
request.setAttribute("array", array);

List<String> list=new ArrayList<>();
list.add("zero");
list.add("one");                                            3
list.add("two");
request.setAttribute("list", list);

Map<String, String> map=new HashMap<>();
map.put("zero", "零");
map.put("one", "壱");                                        4
map.put("two", "弐");
request.setAttribute("map", map);
%>

${array[1]}<br>
${list[2]}<br>
${map["one"]}<br>                                            5
${map.two}

<%@include file="../footer.html" %>
```

1 はpageディレクティブを使ったインポートです。リスト関連はListインタフェースとArrayListクラス、マップ関連はMapインタフェースとHashMapクラスをインポートします。

2 は配列、**3** はリスト、**4** はマップの作成です。ここではプログラムを簡単にするために、同じJSPファイルの中でスクリプトレットを使って、配列/リスト/マップを作成しました。

5 はEL式です。[]と.を使って、配列/リスト/マップの要素を取得して出力します。マップの場合には、[]による記法と.による記法の両方が使えることに注目してください。

■ JSPファイルの実行

① 以下のURLをブラウザで開きます。

http://localhost:8080/book/chapter21/el4.jsp

21-04 | ELの暗黙オブジェクト

JSPの暗黙オブジェクトについては以前学びました（→P.107）。ELにも以下の暗黙オブジェクトがあります。JSPの暗黙オブジェクトとは名前が異なりますが、似た働きの暗黙オブジェクトもあります。

Table | ELの暗黙オブジェクト

名前	機能
pageContext	JSPのpageContextに相当するPageContextオブジェクト
pageScope	ページスコープ
requestScope	リクエストスコープ
sessionScope	セッションスコープ
applicationScope	アプリケーションスコープ
param	リクエストパラメータ（要素はString）
paramValue	複数の値を持つリクエストパラメータ（要素はStringの配列）
header	ヘッダ（要素はString）
headerValue	複数の値を持つヘッダ（要素はStringの配列）
initParam	初期化パラメータ
cookie	クッキー（→P.273）

pageContext以外の暗黙オブジェクトは、名前と値の組を管理しています。演算子の[]や.を使って名前を指定すると、値を取得できます。たとえばparamに対して、リクエストパラメータ名を指定すると、対応するリクエストパラメータの値を取得することが可能です。

また、取得したリクエストパラメータの値はString型ですが、前述のようにEL式では、数値として認識可能な文字列ならば、そのまま数値演算に使用することもできます。

■ リクエストパラメータの取得

暗黙オブジェクトを使って、リクエストパラメータを出力するプログラムを作成してみましょう。これはP.121のサンプルを、ELを使って書き換えたものです。フォームを設置したel5-1.jspで価格と個数を入力すると、el5-2.jspに転送されて計算結果が表示されます。

Fig | サンプルの実行画面

次のJSPファイルを入力し、chapter21フォルダに el5-1.jsp、el5-2.jspとして保存してください。el5-1. jspの内容はP.121のtotal-in.jspとほぼ同じ内容なので、 chapter8フォルダからコピーして、転送先だけ修正す るとよいでしょう。

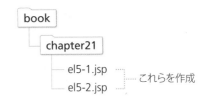

List | 21-06 el5-1.jsp

```
<%@page contentType="text/html; charset=UTF-8" %>
<%@include file="../header.html" %>


<form action="el5-2.jsp" method="post">
<input type="text" name="price">
円×
<input type="text" name="count">
個=
<input type="submit" value="計算">
</form>


<%@include file="../footer.html" %>
```

List | 21-07 el5-2.jsp

```
<%@page contentType="text/html; charset=UTF-8" %>
<%@include file="../header.html" %>


${param.price}円×
${param.count}個=
${param.price*param.count}円


<%@include file="../footer.html" %>
```

1 では、ELの暗黙オブジェクトであるparamに演算子を適用して、リクエストパラメータの値を取得しています。次のように[]演算子を使用しても、同じ結果になります。

```
${param["price"]}円×
${param["count"]}個=
```

2 では、取得したリクエストパラメータの値を使って、計算を行います。取得した値はString型ですが、このようにELを使うと、文字列を数値と見なしたい場合には自動で数値に変換されます。JSPの式だけで書かれた、P.121のtotal-out.jspと比べてみてください。型変換のための処理が省かれて、かなり簡略化されていることがわかります。

■ JSPファイルの実行

① 以下のURLをブラウザで開きます。

　http://localhost:8080/book/chapter21/el5-1.jsp

▶まとめ

　本章ではELについて次の事柄を学びました。

・ 非常に簡単な記法でBeanやプロパティを取得できます。

・ メソッドを呼び出すことができます。

・ 条件式を記述したり、三項演算子と組み合わせたりすることができます。

・ 算術、比較、論理などの演算子を使うことができます。

・ 演算子の[]と.を使って、配列、リスト、マップから要素を取得することができます。

・ 暗黙オブジェクトを使って、リクエストパラメータなどを取得することができます。

　次章では繰り返しや条件分岐などの処理をタグで記述することができる、JSTLについて学びます。

練習問題　P.329で作成したel5-2.jspを参考に、次ページのような動作をするプログラムを、ELを用いて作成してください。ブラウザでJSPファイルを開く際に、URLの末尾に次のようなリクエストパラメータを付けるものとします。

?user=myname

　JSPファイルは、book¥chapter21フォルダにel6.jspとして保存します。

●サンプルの実行画面

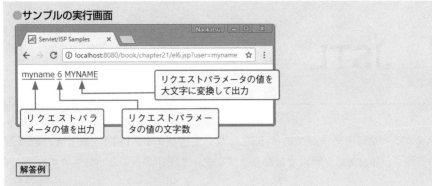

Chapter
21

EL

myname 6 MYNAME

リクエストパラメータの値を
大文字に変換して出力

リクエストパラ
メータの値を出力

リクエストパラメー
タの値の文字数

解答例

List | el6.jsp

```jsp
<%@page contentType="text/html; charset=UTF-8" %>
<%@include file="../header.html" %>


${param.user} ·················· 1
${param.user.length()} ·········· 2
${param.user.toUpperCase()} ······ 3


<%@include file="../footer.html" %>
```

1では暗黙オブジェクトのparamを使って、リクエストパラメータを取得します。

2では取得したリクエストパラメータに対して、lengthメソッドを呼び出し、文字数を取得します。リクエストパラメータの値はString型として取得されますので、Stringクラスのメソッドを使用できます。

3では取得したリクエストパラメータに対して、toUpperCaseメソッドを呼び出し、大文字に変換します。

スクリプトレットからELに値を渡す

同じJSPファイル内でスクリプトレットとELの両方を使うときに、スクリプトレットからEL式に値を渡すには、pageContextを使う方法があります。たとえば次のように、スクリプトレットで変数messageを宣言したとします。

```jsp
<% String message="hello"; %>
```

この変数をEL式から参照することはできません。そこで、暗黙オブジェクトのpageContextを使って、ページ属性に登録します。

```jsp
<% pageContext.setAttribute("message", message); %>
```

属性に登録すれば、EL式から参照することができます。ページ属性を使うことの利点は、ページ外のプログラムに影響を与えないことです。

22 JSTL

本章ではタグライブラリの一種であるJSTLについて学びます。JSTLを使うと、繰り返しや条件分岐の処理を、Javaプログラムではなくタグを使って記述することができます。

22-01 | JSTL

JSTL (Jakarta Standard Tag Library、以前はJavaServer Pages Standard Tag Library) は、カスタムタグを集めたタグライブラリ (→P.305) の一種です。タグライブラリはプログラマが自分で開発することも、他のプログラマが開発したタグライブラリを利用することもできます。JSTLの特徴は、Jakarta EEにおける標準のタグライブラリであることです。

カスタムタグを使うことによって、スクリプトレットや式に記述していたJavaプログラムを、タグに置き換えることができます。JSPからJavaプログラムを除去することによって、Javaプログラミングに詳しくないスタッフでもJSPファイルを編集しやすくなり、分業が進みます。Webアプリケーションのプロジェクトには、プログラマだけではなく、デザイナーなどのスタッフが参加することもあるので、分業がしやすいことは利点です。

■ カスタムタグのファイル

JSTLに限らず、カスタムタグは以下のファイルで構成されています。

▶ クラスファイル
タグが提供する機能を実装したJavaのクラスファイルです。

▶ TLD (Tag Library Descriptor) ファイル
タグの設定を記述したファイルです。

一般にタグライブラリでは、入手やインストールを簡単にするために、上記のファイルをJARファイルにまとめています。タグライブラリは次のような手順で利用します。

① タグライブラリのJARファイルを入手します。
② JARファイルをWebアプリケーションのWEB-INF¥libフォルダ以下に配置します。
③ JSPに後述するtaglibディレクティブを記述し、カスタムタグを使用します。

■ JSTLの導入

　JSTLを利用するには、JSTLのJARファイルを入手して、Webアプリケーションに導入する必要があります。本書の環境にはJSTLを導入済みなので、すぐにJSTLを使っていただけます。

　JSTLをご自身で導入される場合に備えて、導入方法を紹介します。JSTLのJARファイルには複数の提供元がありますが、本書ではMaven Central Repositoryが提供するJARファイルを利用します。Maven Central Repositoryは、プロジェクト管理ツールのMavenなどを対象にした、オープンソースソフトウェアの保管場所です。

Maven Central Repository

https://central.sonatype.com/

　JARファイルは以下の2つに分かれています。各ファイルについて、バージョン一覧のURLと、JARファイルのURLを示します。

① jakarta.servlet.jsp.jstl

バージョン一覧：

https://central.sonatype.com/artifact/org.glassfish.web/jakarta.servlet.jsp.jstl/3.0.1/versions

JARファイル：

https://repo1.maven.org/maven2/org/glassfish/web/jakarta.servlet.jsp.jstl/3.0.1/jakarta.servlet.jsp.jstl-3.0.1.jar

② jakarta.servlet.jsp.jstl-api

バージョン一覧：

https://central.sonatype.com/artifact/jakarta.servlet.jsp.jstl/jakarta.servlet.jsp.jstl-api/3.0.0/versions

JARファイル：

https://repo1.maven.org/maven2/jakarta/servlet/jsp/jstl/jakarta.servlet.jsp.jstl-api/3.0.0/jakarta.servlet.jsp.jstl-api-3.0.0.jar

　本書改訂時の最新版は、①が3.0.1、②が3.0.0でした。上記のJARファイルをダウンロードしたら、Webアプリケーションの WEB-INF¥libフォルダにコピーします。これで導入は完了です。

　他のバージョンを使いたい場合は、バージョン一覧のページでBrowseを選択した後に、ファイル一覧からJARファイルを選択してダウンロードします。もし、バージョン一覧のページが開けない場合は、Maven Central Repositoryのトップページで、「jakarta.servlet.jsp.jstl」や「jakarta.servlet.jsp.jstl-api」を検索してみてください。

JSTLの機能

JSTLのバージョンによって、対応するJSPやTomcatのバージョンが異なります。古いバージョンのJSTLやTomcatを利用する際にはご注意ください。

Table | JSTL/JSP/Tomcatのバージョン

JSTL	JSP	Tomcat
3.0	3.1	10.1
2.0	3.0	10.0
1.2	2.3	9.0, 8.5, 8.0

JSTLに含まれるカスタムタグ群は、機能別に分類されています。下記のように、タグの分類にはCore、XML、I18N、SQL、Functionsがあります。

Table | JSTLの構成

タグ	内容
Core	繰り返し、条件分岐、変数の操作など
XML	XMLドキュメントの操作
I18N	国際化機能のサポート（数値や日付のフォーマットなど）
SQL	データベースの操作
Functions	文字列の加工など

本書はJSTLの中でも、基本的な操作を提供するCoreタグと呼ばれる部分を利用します。Coreタグには次のようなものがあります。

Table | Coreタグの構成

分類	タグ	内容
変数	set	変数の設定
	remove	変数の削除
フロー制御	if	条件分岐
	choose	複数の条件分岐
	forEach	繰り返し
	forTokens	文字列の分割
URL管理	import	インクルード
	redirect	リダイレクト
	url	URLの生成
その他	catch	例外処理
	out	出力

　上記の表における「変数」は、属性（ページ、リクエスト、セッション、アプリケーション）に設定されたオブジェクトです。Javaにおける通常の変数と区別するために、スコープ変数と呼ばれることがあります。本章においては、簡単に「変数」と呼ぶことにします。

▊ taglibディレクティブ

　タグライブラリを利用するJSPファイルには、taglibディレクティブを記述する必要があります。

```
<%@taglib prefix="接頭辞" uri="URI" %>
```

　接頭辞は、カスタムタグを利用する際に、先頭に付加する文字列です。URIは、タグライブラリを識別するための文字列です。
　上記の記述はタグライブラリにより内容が決まっています。Coreタグの場合には、一般に次のようなtaglibディレクティブを記述します。

```
<%@taglib prefix="c" uri="jakarta.tags.core" %>
```

　JSTLの各タグに対する接頭辞とURIは次のとおりです。

Table | 接頭辞とURI

タグ	接頭辞	URI
Core	c	jakarta.tags.core
XML	x	jakarta.tags.xml
I18N	fmt	jakarta.tags.fmt
SQL	sql	jakarta.tags.sql
Functions	fn	jakarta.tags.functions

　なお、上記のURIはJakarta EEにおける記法です。Java EEの場合、たとえばCoreタグは次のように記述していました。他のタグも同様です。

```
http://java.sun.com/jsp/jstl/core
```

▊ TLDファイルの配置とtaglibディレクティブの記述

　カスタムタグの中には、JARファイルにTLDファイルが含まれておらず、別途配置する必要があるものもあります。本書で使用するJSTLの場合には、JARファイルにTLDファイルが

含まれているので、別途配置する必要はありません。以下の説明は、必要になったときにお読みいただいても大丈夫です。

TLDファイルを別途配置する場合には、配置の仕方によって、taglibディレクティブにおけるURIの指定方法が変化します。

▶ ① パスを直接指定する

TLDはWebアプリケーション内の任意の場所に配置します。たとえば、WEB-INFフォルダ以下にmytag.tldを配置したとします。

taglibディレクティブのURIには、TLDのパスを直接指定します。

```
<%@taglib prefix="mytag" uri="/WEB-INF/mytag.tld" %>
```

▶ ② web.xmlでマッピングする

web.xml（→P.58）に「URIとTLDファイルの場所のマッピング（対応関係）」を記述します。たとえば、先ほどと同じくWEB-INFフォルダ以下にmytag.tldを配置したとすると、web.xmlに次のようなマッピングを記述します。

```
<web-app …>
    …
    <jsp-config>
        <taglib>
            <taglib-uri>myuri</taglib-uri>
            <taglib-location>/WEB-INF/mytag.tld</taglib-location>
        </taglib>
    </jsp-config>
</web-app>
```

jsp-config要素はJSPに関する設定を行うもので、タグライブラリの設定に関してはtaglib要素を使用します。taglib-uri要素でtaglibディレクティブのURIに記述する文字列を指定し、tablib-location要素で実際のURIを指定します。

上記のような設定をすると、taglibディレクティブで次のような記述が可能になります。

```
<%@taglib prefix="mytag" uri="myuri" %>
```

taglibディレクティブのURIを簡潔にできることが、この方法の利点です。

22-02 │ JSTLによる繰り返し

まずJSTLのCoreタグの中で特に利用される場面の多い、<c:forEach>による繰り返し処理について解説します。今までスクリプトレットを使って記述していた繰り返しの処理を、タグで記述することができます。

<c:forEach>タグは次のように記述します。<c:forEach>タグと</c:forEach>タグの間に記述した処理を繰り返します。繰り返しの条件や回数などの詳細は、属性で指定します。

```
<c:forEach 属性="値" ...>
    処理
</c:forEach>
```

<c:forEach>タグに記述できる属性は次のとおりです。

Table │ <c:forEach>タグの属性

名前	必須	動的	型	内容
items	×	○	java.lang.Object	繰り返しの対象となるコレクション
begin	×	○	int	取り出す最初の要素の添字
end	×	○	int	取り出す最後の要素の添字
step	×	○	int	1回の繰り返しで進める要素数
var	×	×	java.lang.String	取り出した要素を格納する変数の名前
varStatus	×	×	java.lang.String	現在の繰り返しの状態を示す変数の名前

・必須に○と示した属性は、必ず指定する必要がある属性です。×と示した属性は、指定してもしなくてもかまいません。
・動的に○と示した属性には、プログラムの実行時に変化する値を指定することができます。×と示した属性には、プログラムの実行前に決定している値だけを指定することが可能です。

■ リストの要素を取り出す

<c:forEach>タグは次のように使うと、リストから要素を1個ずつ取り出して処理することができます。Javaの拡張for文に相当する機能を、タグを使って実現することが可能です。

書式 **リストを処理する<c:forEach>タグ**

```
<c:forEach var="変数" items="リスト">
    繰り返し処理
</c:forEach>
```

▶ 変数

リストから取得した要素を格納する変数です。<c:forEach>タグは、リスト内の要素を1個ずつ取り出して、変数に格納します。

▶ リスト

繰り返しの対象になるリストです。リスト内のすべての要素について、処理を繰り返します。リストの代わりに、配列を指定したり、リスト以外のコレクションを指定したりすることもできます。

■ リストの要素を取り出すサンプル

サーブレットがデータベースから取得した商品のリストを、JSPから取得して出力するプログラムを作成してみましょう。動作は16-03のプログラムと同じですが、JSTLとELを活用することによって、JSPファイルが簡潔になっています。

Fig | サンプルの実行画面

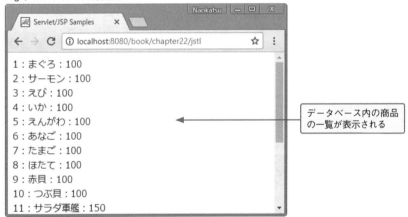

データベース内の商品の一覧が表示される

JSPにフォワードするサーブレットは、まずWEB-INF¥srcフォルダの中にchapter22フォルダを作成し、その中にJSTL.javaとして作成します。

これはAttribute2.java（→P.252）とほぼ同じ内容なので、コピーして編集しましょう。異なるのは赤字の部分だけです。

これらを作成

List | 22-01 JSTL.java

```java
package chapter22;

import bean.Product;
import dao.ProductDAO;
import java.io.IOException;
import java.io.PrintWriter;
import jakarta.servlet.ServletException;
import jakarta.servlet.http.*;
import jakarta.servlet.annotation.WebServlet
import java.util.List;

@WebServlet(urlPatterns={"/chapter22/jstl"})
public class JSTL extends HttpServlet {
    public void doGet (
        HttpServletRequest request, HttpServletResponse response
    ) throws ServletException, IOException {
        PrintWriter out=response.getWriter();
        try {
            ProductDAO dao=new ProductDAO();
            List<Product> list=dao.search("");

            request.setAttribute("list", list);

            request.getRequestDispatcher("jstl.jsp")
                .forward(request, response);

        } catch (Exception e) {
            e.printStackTrace(out);
        }
    }
}
```

　次にフォワード先のJSPファイルを作成しましょ
う。bookフォルダの中にchapter22フォルダを作成し、
その中に以下のような内容のjstl.jspを作成してくだ
さい。

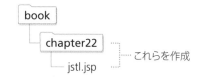
これらを作成

List | 22-02 jstl.jsp

```jsp
<%@page contentType="text/html; charset=UTF-8" %>
<%@include file="../header.html" %>

<%@taglib prefix="c" uri="jakarta.tags.core" %>  ──────────────── 1

<c:forEach var="p" items="${list}">  ──────────────── 2
```

```
        ${p.id}:${p.name}:${p.price}<br> ──────────────── 3
</c:forEach>

<%@include file="../footer.html" %>
```

1はtaglibディレクティブです。JSTLのCoreタグを使用する場合の定型文です。

次に、サーブレット側でリクエスト属性に保存したリストから、すべての商品のBeanを取り出して表示します。2の<c:forEach>タグでは、変数(var)にはpを、リスト(items)には${list}を指定しました。P.319で解説したように、EL式ではいずれかのスコープに保存されたデータを、属性名(list)で取得することができます。

3はプロパティの取得と出力です。ELを使って、商品のBeanから商品番号(id)、商品名(name)、価格(price)のプロパティを取得し、出力します。

■ コンパイルと実行

① 「compile」ウィンドウでソースファイルをコンパイルします。

compile chapter22¥JSTL.java

② 「tomcat」ウィンドウでTomcatを再起動してから、以下のURLをブラウザで開きます。

http://localhost:8080/book/chapter22/jstl

JSTLの効用

16-03のプログラム(attribute2.jsp)と、今回のプログラム(jstl.jsp)を比較してみましょう。attribute2.jspでは、サーブレットがデータベースから取得した商品のリストを、JSPのスクリプトレットと式を使って出力しました(→P.253)。

```
<% for (Product p : list) { %>
    <%=p.getId() %>:<%=p.getName() %>:<%=p.getPrice() %><br>
<% } %>
```

jstl.jspでは、JSTLとELを使って、同じ処理を次のように記述しています。

```
<c:forEach var="p" items="${list}">
    ${p.id}:${p.name}:${p.price}<br>
</c:forEach>
```

JSTLを使うことによって、スクリプトレットで記述していたJavaの拡張for文を除去できます。またELを使うことによって、式に記述していたゲッタの呼び出しを除去できます。

22-03 | 開始値と終了値を指定した繰り返し

JSTLの<c:forEach>タグを使って、リストに対する繰り返しを行う方法を学びました。一方で、Javaのfor文のように、開始値と終了値を指定した繰り返しを行うこともできます。

書式 <c:forEach>タグで繰り返し回数を指定する

```
<c:forEach var="変数" begin="開始値" end="終了値">
  繰り返す処理
</c:forEach>
```

▶ 変数

繰り返しを制御する変数です。変数の値は開始値から終了値まで、繰り返しのたびに1ずつ増加します。

▶ 開始値と終了値

最初の繰り返しにおける変数の値と、最後の繰り返しにおける変数の値です。

数値を出力するプログラム

JSTLによる繰り返しを使って、1から9までの数値を出力するプログラムを作成してみましょう。少しプログラムを変更するだけで、1から20までの出力や、1から100までの出力なども実現できます。

Fig | サンプルの実行画面

次のJSPファイルを入力し、chapter22フォルダにjstl-for.jspとして保存してください。

```
book
  chapter22
    jstl-for.jsp  ◀······ このファイルを作成
```

List | 22-03 jstl-for.jsp

```
<%@page contentType="text/html; charset=UTF-8" %>
<%@include file="../header.html" %>
<%@taglib prefix="c" uri="jakarta.tags.core" %>

<c:forEach var="i" begin="1" end="9">  ·············■1
    ${i}<br>  ·······································■2
</c:forEach>

<%@include file="../footer.html" %>
```

■1ではJSTLによる繰り返しを用いて、1から9まで繰り返します。繰り返しの間、変数iには1から9までの数値が順番に格納されます。

■2ではELを用いて、iの数値を出力します。

■ **JSPファイルの実行**

① 以下のURLをブラウザで開きます。

http://localhost:8080/book/chapter22/jstl-for.jsp

▊ 選択肢を生成するプログラム

数値を出力するプログラムを応用して、より実用性のあるプログラムを作成してみましょう。セレクトボックスの選択肢を生成するプログラムです。

Fig | サンプルの実行画面

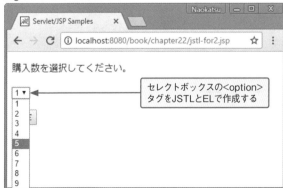

選択肢を選んで「確定」ボタンを実行すると、購入数が表示されます。購入数を表示するプログラムは、Chapter06のSelect.javaを利用しています。

P.86で解説したとおり、セレクトボックスの選択肢を表現するには<option>タグを使います。

```
<option value="1">1</option>
<option value="2">2</option>
<option value="3">3</option>
...
<option value="9">9</option>
```

JSTLの繰り返しと次のようなELを組み合わせると、多数の選択肢を手作業で並べる必要がなくなります。繰り返しによって変数iの値を1から9まで変化させれば、1から9までの選択肢を生成することができます。

```
<option value="${i}">${i}</option>
```

次のJSPファイルを入力し、chapter22フォルダにjstl-for2.jspとして保存してください。

book
　chapter22
　　jstl-for2.jsp ◀┈┈┈ このファイルを作成

List | 22-04 jstl-for2.jsp

```
<%@page contentType="text/html; charset=UTF-8" %>
<%@include file="../header.html" %>

<%@taglib prefix="c" uri="jakarta.tags.core" %>

<p>購入数を選択してください。</p>
<form action="/book/chapter6/select" method="post">
<select name="count">

<c:forEach var="i" begin="1" end="9"> ┈┈┈┈┈1
    <option value="${i}">${i}</option> ┈┈┈┈┈2
</c:forEach>

</select>
<p><input type="submit" value="確定"></p>
</form>

<%@include file="../footer.html" %>
```

■ ではJSTLによる繰り返しを用いて、変数iを1から9まで変化させます。

■ ではELと変数iを用いて、1から9までの選択肢を生成します。

■ JSPファイルの実行

① 以下のURLをブラウザで開きます。

http://localhost:8080/book/chapter22/jstl-for2.jsp

22-04 | JSTLを使った条件分岐

JSTLはJavaのif文やif-else文に相当するタグも提供しています。これらのタグを使って、条件分岐を行う方法を学びましょう。

■ if文に相当する処理

if文に相当するタグは\<c:if>です。\<c:if>タグに記述できる属性は次のとおりです。

Table | \<c:if>タグの属性

名前	必須	動的	型	内容
test	○	○	boolean	条件式
var	×	×	java.lang.String	条件式の評価結果を格納する変数の名前
scope	×	×	java.lang.String	変数のスコープ

標準的な\<c:if>タグの使い方は次のとおりです。条件式はELを使って記述することができます。

書式　\<c:if>タグ

```
<c:if test="条件式">
    条件が成立したときの出力
</c:if>
```

■ \<c:if>タグを使ったサンプル

\<c:if>タグを使ったプログラムを作成してみましょう。1/2の確率で「あたり！」と表示します。残り1/2の確率では、何も表示しません。

Fig｜サンプルの実行画面

どちらかが表示される

次のJSPファイルを入力し、chapter12フォルダにjstl-if.jspとして保存してください。

book
└ chapter22
　　└ jstl-if.jsp ◀········ このファイルを作成

List｜22-05 jstl-if.jsp

```
<%@page contentType="text/html; charset=UTF-8" %>
<%@include file="../header.html" %>
<%@taglib prefix="c" uri="jakarta.tags.core" %>

抽選結果：
<c:if test="${Math.random()<0.5}">
    あたり！                                    ❶
</c:if>

<%@include file="../footer.html" %>
```

<c:if>タグのtest属性には条件式を記述します。上記の条件式は、randomメソッドの戻り値が0.5より小さい場合にtrueになり、「あたり！」が出力されます（❶）。

■ JSPファイルの実行

① 以下のURLをブラウザで開きます。

　http://localhost:8080/book/chapter22/jstl-if.jsp

何度か更新するうちに、表示が「抽選結果：あたり！」または「抽選結果：」に変化します。

■ if-else文に相当する処理

if-else文に相当するタグは<c:choose>です。条件が成立した場合の処理は<c:when>タグ、成立しなかった場合の処理は<c:otherwise>タグを使って記述します。

書式 <c:choose>タグ

```
<c:choose>
    <c:when test="条件式1">条件1が成立したときの出力</c:when>
    <c:when test="条件式2">条件2が成立したときの出力</c:when>
            ...
    <c:otherwise>どの条件も成立しなかったときの処理</c:otherwise>
</c:choose>
```

条件式は<c:when>タグのtest属性に記述しますが、<c:if>タグと同様にELを使って記述することができます。また<c:when>は複数記述することができます。

<c:choose>タグを使ったサンプル

<c:choose>タグを使ったプログラムを作成してみましょう。101から200までの数値を、以下のように10個ずつの組にして、改行しながら表示します。

Fig | サンプルの実行画面

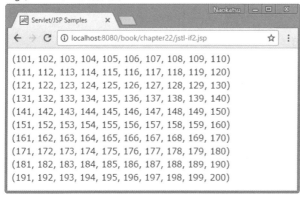

次のJSPファイルを入力し、chapter20フォルダにjstl-if2.jspとして保存してください。

jstl-if2.jsp ◄········ このファイルを作成

List | 22-06 jstl-if2.jsp

```
<%@page contentType="text/html; charset=UTF-8" %>
<%@include file="../header.html" %>
<%@taglib prefix="c" uri="jakarta.tags.core" %>

<c:forEach var="i" begin="101" end="200"> ································1
    <c:choose>
```

```
            <c:when test="${i%10==1}">(${i},</c:when> ──────── 2
            <c:when test="${i%10==0}">${i}<br></c:when> ──────── 3
            <c:otherwise>${i},</c:otherwise> ──────────── 4
        </c:choose>
    </c:forEach>

    <%@include file="../footer.html" %>
```

1は<c:forEach>タグを使った繰り返しです。101から200まで繰り返します。現在の値は変数iに格納されます。

<c:choose>タグを使った条件分岐では、まずiを10で割った余りが1のとき（101や201など）に、「(数値,」のように出力します（**2**）。このように、条件式は<c:when>タグのtest属性に記述します。また、ここでは条件式と出力にELを使うことにより、iが数値なのか文字列なのかを意識する必要がなくなっています（→P.318）。

3ではiを10で割った余りが0のとき（200や300など）に「数値)」と改行（HTMLの
タグ）を出力します。

4では<c:otherwise>タグを使って、**2**と**3**以外の場合（102や103など）の処理を行います。この場合は「数値,」のように出力します。

■ JSPファイルの実行

① 以下のURLをブラウザで開きます。

http://localhost:8080/book/chapter22/jstl-if2.jsp

22-05 その他のCoreタグ

まだ紹介していないCoreタグについて、機能と使用例を簡単に紹介します。前述のとおり、ここでは属性に保存されるデータを「変数」と表現しています。これは各タグが持つ属性と区別するためです。

■ <c:setタグ>

変数に値を設定するタグです。設定した値は、EL式で取得したり、出力したりすることができます。

Table | <c:set>タグの属性

名前	必須	動的	型	内容
var	×	×	java.lang.String	変数名
value	×	○	java.lang.String	設定する値
target	×	○	java.lang.String	変数名(プロパティ設定時)
property	×	○	java.lang.String	プロパティ名
scope	×	×	java.lang.String	変数のスコープ

・scopeはpage/request/session/applicationのいずれかです。省略時はpageになります。
・targetとpropertyは、オブジェクトのプロパティを設定する場合に使用します。オブジェクトはプロパティ名に対応する
　セッタを備えている必要があります。
・targetにはマップ(java.util.Mapオブジェクト)を指定することもできます。この場合、propertyはマップのキーを表します。
・targetにオブジェクトやマップを指定する際には、${オブジェクト名}や${マップ名}のように、EL式を記述します。

　以下は<c:set>タグを使ったプログラム例です。
次のJSPファイルを入力し、chapter20フォルダ
にjstl-set.jspとして保存してください。

book
└ chapter22
　　└ jstl-set.jp　◀······· このファイルを作成

List | 22-07 jstl-set.jsp

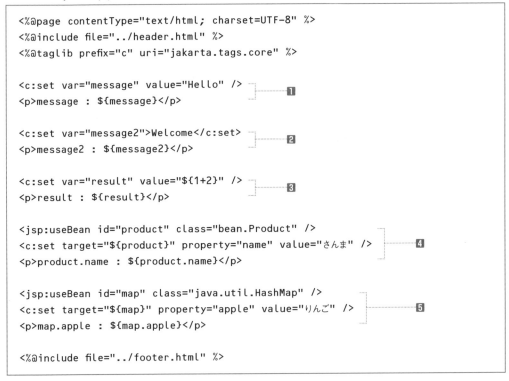

```jsp
<%@page contentType="text/html; charset=UTF-8" %>
<%@include file="../header.html" %>
<%@taglib prefix="c" uri="jakarta.tags.core" %>

<c:set var="message" value="Hello" />       ┐
<p>message : ${message}</p>                  ┘ 1

<c:set var="message2">Welcome</c:set>        ┐
<p>message2 : ${message2}</p>                ┘ 2

<c:set var="result" value="${1+2}" />        ┐
<p>result : ${result}</p>                    ┘ 3

<jsp:useBean id="product" class="bean.Product" />        ┐
<c:set target="${product}" property="name" value="さんま" />   ├ 4
<p>product.name : ${product.name}</p>                    ┘

<jsp:useBean id="map" class="java.util.HashMap" />       ┐
<c:set target="${map}" property="apple" value="りんご" />    ├ 5
<p>map.apple : ${map.apple}</p>                          ┘

<%@include file="../footer.html" %>
```

■では、変数messageに対して値「Hello」を設定し、出力します。この<c:set>タグの動作は、以下のようなJavaプログラムに相当します。pageContextはページ属性を操作するための暗黙オブジェクトです（→P.107）。

```
pageContext.setAttribute("message", "Hello");
```

2では、変数message2に対して値「Welcome」を設定し、出力します。このように、設定値をvalue属性に記述する代わりに、<c:set>タグと</c:set>タグの間に記述することもできます。

3では、変数resultに対して1+2の計算結果を設定し、出力します。このように<c:set>タグのvalue属性には、EL式を記述することもできます。

4はオブジェクトの使用例です。商品Bean（Productオブジェクト）を生成した後に、nameプロパティに値「さんま」を設定し、出力します。

5はマップの使用例です。マップ（java.util.HashMapオブジェクト）を生成した後に、キー「apple」に対して値「りんご」を設定し、出力します。

■ JSPファイルの実行

① 以下のURLをブラウザで開きます。

http://localhost:8080/book/chapter22/jstl-set.jsp

Fig｜サンプルの実行画面

<c:remove>タグ

変数を削除するタグです。

349

Table | <c:remove>タグの属性

名前	必須	動的	型	内容
var	○	×	java.lang.String	変数名
scope	×	×	java.lang.String	変数のスコープ

　以下の例では、<c:set>タグを使って作成した変数messageを、<c:remove>タグを使って削除しています。2つめの${message}は、変数messageの削除後なので、何も出力されません。

```
<c:set var="message" value="Hello" />
<p>message : ${message}</p>

<c:remove var="message" />
<p>message : ${message}</p>
```

<c:forTokens>タグ

　指定した区切り文字で文字列を分割し、部分文字列を取得するタグです。分割後の部分文字列のことをトークンと呼びます。繰り返しごとに、1個ずつトークンを取り出します。java.util.StringTokenizerクラスに似た機能を持つタグです。

Table | <c:forTokens>タグの属性

名前	必須	動的	型	内容
items	○	○	java.lang.String	分割される文字列
delims	○	○	java.lang.String	区切り文字の集合
begin	×	○	int	繰り返しを開始するトークンの番号
end	×	○	int	繰り返しを終了するトークンの番号
step	×	○	int	1回の繰り返しで進めるトークン数
var	×	×	java.lang.String	取得したトークンを格納する変数名
varStatus	×	×	java.lang.String	繰り返しの状態を示す変数名

・delimsには複数の区切り文字を指定することができます。例えば「,:」を指定すると、「,」と「:」が区切り文字になります。
・beginやendに指定するトークンの番号は、0, 1, 2, ...のように、0から始まり1ずつ増加します。
・varやvarStatusで指定した変数は、<c:forTokens>タグの子要素で使用できます。

　たとえば「黒,青,赤,緑,黄,白」のように「,」で区切られた文字列を分割して、1つ1つ出力する場合は、次のようにします。

```
<c:forTokens items="黒,青,赤,緑,黄,白" delims="," var="color">
<p>${color}</p>
</c:forTokens>
```

<c:import>タグ

指定したURLのリソースを取得するタグです。JSPのincludeアクション（→P.312）と似ていますが、より細かい制御が可能です。

Table | <c:import>タグの属性

名前	必須	動的	型	内容
url	○	○	java.lang.String	インポートするリソースのURL
var	×	×	java.lang.String	インポートの結果を格納する変数名
scope	×	×	java.lang.String	変数のスコープ
varReader	×	×	java.lang.String	インポートの結果を読み出すReaderの変数名
context	×	○	java.lang.String	外部コンテキスト名
charEncoding	×	○	java.lang.String	インポートするリソースの文字エンコーディング

インポートするリソースの場所に応じて、次のように指定方法が異なります。

▶ ① 同じコンテキストのリソース

パスをurlに指定します。/から始まらないパスは、<c:import>タグを記述したJSPファイルが存在するフォルダが起点となります。

```
<c:import url="jstl-set.jsp" var="message" />
```

/から始まるパスは、コンテキストルートが起点となります。

```
<c:import url="/chapter3/hello" var="message" />
```

▶ ② 異なるコンテキストのリソース

コンテキストルートを起点とするパスをurlに指定し、コンテキスト名をcontextに指定します。urlとcontextは、いずれも/から始まる必要があります。

```
<c:import url="/html" context="/manager" />
```

異なるコンテキストからインポートを行う場合には、META-INF¥context.xmlのContextタグにおいて、crossContext属性にtrueを設定する必要があります。

```
<Context reloadable="true" crossContext="true" >
```

▶ ③ 異なるサーバのリソース

httpやhttpsから始まる絶対URL（→P.31）をurl属性に指定します。

```
<c:import url="https://tomcat.apache.org/" />
```

📖 <c:redirect>タグ

指定したURLにリダイレクトするタグです。

Table | <c:redirect>タグの属性

名前	必須	動的	型	内容
url	×	○	java.lang.String	リダイレクト先のURL
context	×	○	java.lang.String	外部コンテキスト名

urlとcontextの使い方は、<c:import>タグと同様です。同じコンテキスト、異なるコンテキスト、異なるサーバのリソースへのリダイレクトが可能です。

たとえば、Apache TomcatのWebページにリダイレクトする場合は、次のようにします。

```
<c:redirect url="https://tomcat.apache.org/" />
```

📖 <c:url>タグ

パラメータ付きのURLを作成するタグです。パラメータをURLエンコード（→P.73）する機能があるので、日本語のパラメータを含むURLを作成する際に有用です。

Table | <c:url>タグの属性

名前	必須	動的	型	内容
var	×	×	java.lang.String	作成したURLを格納する変数名
scope	×	×	java.lang.String	変数のスコープ
value	×	○	java.lang.String	処理されるURL
context	×	○	java.lang.String	外部コンテキスト名

valueとcontextの使い方は、<c:import>タグや<c:redirect>タグのurlやcontextと同様です。

パラメータを指定するには、<c:url>タグの子要素として、以下の<c:param>タグを記述します。

Table | <c:param>タグの属性

名前	必須	動的	型	内容
name	○	○	java.lang.String	パラメータ名
value	×	○	java.lang.String	パラメータの値

たとえば以下のプログラムでは、同じコンテキスト（bookアプリケーション）の/chapter8/greeting-out.jspを指すURLを作成すると同時に、リクエストパラメータ名「user」に対して、値「ひぐぺん工房」を設定します。

```
<c:url var="result" value="/chapter8/greeting-out.jsp">
    <c:param name="user" value="ひぐぺん工房" />
</c:url>
<p>${result}</p>
```

上記において、変数resultの内容は、以下のようなURLエンコードされたURLになります。

/book/chapter8/greeting-out.jsp?user=%E3%81%B2%E3%81%90%E3%81%BA%E3%82%93%E5%B7%A5%E6%88%BF

<c:catch>タグ

子要素の評価中に発生した例外をキャッチするタグです。

Table | <c:catch>タグの属性

名前	必須	動的	型	内容
var	×	×	java.lang.String	キャッチした例外を格納する変数

次の例では、整数を0で除算することによって発生する例外（java.lang.ArithmeticException）を、<c:catch>タグでキャッチして、変数exceptionに格納しています。

```
<c:catch var="exception">
    <% int a=2, b=0, c=a/b; %>
</c:catch>
${exception}
```

<c:out>タグ

出力を行うタグです。単純にEL式を出力するだけならば、<c:out>を使わなくても、JSPに

EL式を直接記述すれば済みます。一方、HTMLやXMLにおいて特別な意味を持つ文字をエスケープしたい場合には、<c:out>が有用です。

Table | <c:out>タグの属性

名前	必須	動的	型	内容
value	○	○	java.lang.String	評価する式
default	×	○	java.lang.String	評価結果がnullの場合に出力する値
escapeXml	×	○	java.lang.String	評価結果内の文字をエスケープするかどうか

escapeXmlにはtrueまたはfalseを指定します。デフォルトのtrueでは、XMLやHTMLにおいて特別な意味を持つ「<」「>」「&」「'」「"」などの文字をエスケープ(他の表現に置換)して、通常の文字と同様に扱えるようにします。

たとえば以下のプログラムでは、「a<b && a>c」という文字列を変数messageに保存した後に、<c:out>タグで出力しています。

```
<c:set var="message" value="a<b && a>c" />
<c:out value="${message}" />
```

画面には「a<b && a>c」と表示されますが、出力されたページのソースを表示すると、以下のように「<」「&」「>」が、「<」「&」「>」に置換されていることがわかります。

a<b && a>c

▶ まとめ

本章ではJSTLについて次の事柄を学びました。

- JSTLはJakarta EEに採用されている標準的なタグライブラリです。
- JSTLを導入するには、JARファイルをWEB-INF/libフォルダにコピーします。
- <c:forEach>タグを使うと、繰り返しができます。
- <c:if>タグや<c:choose>タグを使うと、条件分岐ができます。条件式はELで記述します。
- JSTLやELを利用して、JSPからJavaプログラムを除去することで、Javaプログラミングに詳しくないスタッフでも、JSPファイルを編集しやすくします。

次章では、Webアプリケーション全体をモデル、ビュー、コントローラという3つの要素に分類する、MVCパターンについて学びます。

練習問題 スクリプトレットと式を用いて記述された次のプログラムを、JSTLとELを用いて書き直してください。

List | loop.jsp

```
<%@page contentType="text/html; charset=UTF-8" %>
<%@include file="../header.html" %>

<% for (int i=1; i<10; i++) { %>
    <%=i %>×<%= i %>=<%=i*i %><br>
<% } %>

<%@include file="../footer.html" %>
```

上記のプログラムを実行するには、プログラムを入力して、book¥chapter22フォルダにloop.jspというファイル名で保存してください。

●問題の実行画面

解答例

List | loop2.jsp

```
<%@page contentType="text/html; charset=UTF-8" %>
<%@include file="../header.html" %>

<%@taglib prefix="c" uri="jakarta.tags.core" %>

<c:forEach var="i" begin="1" end="9">   ……………1
    ${i}×${i}=${i*i}<br>   ………………2
</c:forEach>

<%@include file="../footer.html" %>
```

1では<c:forEach>タグにより、変数iが1から9になるまで繰り返します。繰り返す内容は、ELと変数iを使った計算と画面表示です(2)。

Column | **JSTLのSQLタグ**

　Coreタグ以外のJSTLタグの例として、SQLタグを紹介します。SQLタグを使うと、データベースに対してSQL文を発行し、検索/追加/更新/削除などの操作を行うことができます。サーブレットと連携したり、スクリプトレットを使ったりしなくても、タグを記述するだけでデータベースの操作が可能です。SQLタグには次のようなものがあります。

Table | SQLタグの種類

タグ	内容
setDataSource	データベースへの接続
query	検索
update	追加/更新/削除
transaction	トランザクションの定義
param	パラメータの指定
dateParam	日付型パラメータの指定

　SQLタグを使うには、次のようなtaglibディレクティブを記述します。接頭辞はsqlを使うのが一般的です。

```
<%@taglib prefix="sql" uri="jakarta.tags.sql" %>
```

　たとえばqueryタグを使って、本書の商品（product）テーブルから全ての行を取得するには、次のように記述します。dataSource属性にデータソースを、sql属性にSQL文を指定します。Javaプログラムで指定するデータソースはjava:/comp/env/jdbc/bookですが、SQLタグではjdbc/bookだけを指定すれば大丈夫です。

```
<sql:query var="rs" dataSource="jdbc/book" sql="select * from product"/>
```

　検索結果はvar属性で指定した変数（ここではrs）から取得できます。全ての行を表示するには、たとえばforEachタグを使って、次のようなプログラムを記述します。

```
<c:forEach var="p" items="${rs.rows}">
    ${p.id}:${p.name}:${p.price}<br>
</c:forEach>
```

Part

→»

03

実践編

23

MVCとFront Controller

MVCとFront Controller（フロントコントローラ）は、どちらもデザインパターン（→P.231）の一種です。これら2つのパターンに準拠することで、効率的なWebアプリケーション開発が可能になります。

23-01 | MVCパターンとは

MVCパターンは、元々はSmalltalkというプログラミング言語において開発された手法です。本書ではJavaによるWebアプリケーションに対して、MVCパターンを適用する方法を学びます。MVCパターンは、Webアプリケーションを構成する各種のプログラムを、**モデル**（Model）、**ビュー**（View）、**コントローラ**（Controller）の3種類に分類します。

■ MVCパターンを適用しないWebアプリケーション

最初に、MVCパターンを適用しないWebアプリケーションについて考えてみましょう。典型的なWebアプリケーションには、次のような処理が必要です。

① リクエストの処理
② データの生成、設定、取得
③ レスポンスの出力

ブラウザが送信したリクエストを①で受信し、②でデータの処理を行って、③でレスポンスを出力します。②の処理については、データベースの操作を伴う場合もあります。

①〜③の処理は、1つのプログラムの中に混在させることができます。しかし、プログラムが大規模になるにつれて、開発や変更が難しくなります。

たとえば、開発したショッピングサイトをリニューアルすることを考えてみましょう。リニューアルによってサイトの外観は変わりますが、ショッピングの本質的な内容については変わらないとします。この場合、レスポンスを出力する処理については変更が必要ですが、リクエストやデータの処理については、できるだけ変更しない方が効率的です。

しかし、1つのプログラムの中にいろいろな処理が混在していると、他の処理に影響を与えずに特定の処理だけを変更することが困難になります。プログラムの中から変更するべき処理を見つけるのが難しくなりますし、変更するべきでない処理を不用意に変更してしまう危険も高まります。

Fig | 処理が混在しているプログラムの変更

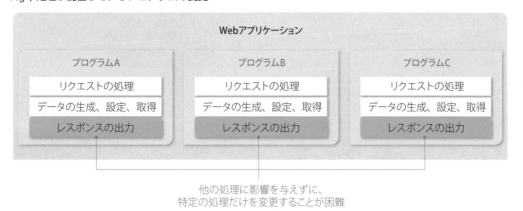

Column ### MVCパターンの歴史

MVCパターンの歴史を簡単に紹介します。

1970年代	Smalltalk-76にMVCが導入されました。
1980年代	Smalltalk-80のクラスライブラリにMVCが実装されました。
1988年	『The Journal of Object Technology』誌に、MVCに関する論文が掲載されました。
1996年	NeXT（後にAppleが買収）のWebObjectsがMVCを採用しました。当初はObjective-Cで記述されていましたが、後にJavaに移植され、JavaでMVCが流行する契機を作りました。
2000年代	MVCを採用したJavaフレームワークのStruts（2000年）やSpring（2002年）が普及しました。Django（Python）やRails（Ruby）など、Java以外でもMVCは活用されています。

■ MVCパターンを適用したWebアプリケーション

　簡単かつ安全にWebアプリケーションを変更することを可能にするには、プログラムを適切に分割して、特定の部分だけを変更できるようにすることが効果的です。そのための方法の1つがMVCパターンです。Webアプリケーションのプログラムを構成する方法として、MVCパターンは唯一の解法ではありませんが、特徴を理解して適用すれば有益です。

　StrutsやSpringといった広く使われているWebアプリケーション開発用フレームワークも、MVCパターンを採用しています。フレームワークとは、アプリケーションの開発を効率化するためのソフトウェアの枠組みのことです。実際の業務では、フレームワークを利用してWebアプリケーションを開発する場合も多いでしょう。MVCパターンについて学んでおくと、フレームワークの構造を理解する上でも役立ちます。

　MVCパターンを適用したWebアプリケーションは、次のような構成になります。本書でこれまで学んできたような、サーブレット、JavaBeans（Bean）、JSPを組み合わせてWebアプリケーションを構築する手法は、実はMVCパターンに沿っています。

Fig | MVCパターン

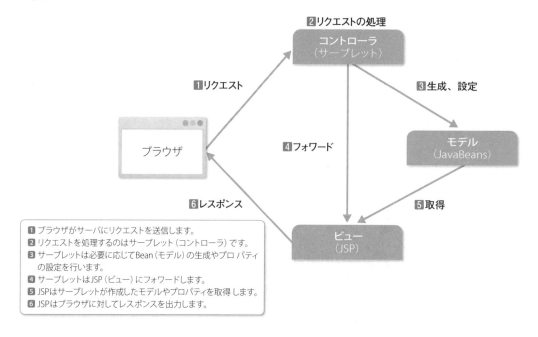

2 リクエストの処理

コントローラ
（サーブレット）

1 リクエスト

3 生成、設定

ブラウザ

4 フォワード

モデル
（JavaBeans）

6 レスポンス

5 取得

ビュー
（JSP）

1 ブラウザがサーバにリクエストを送信します。
2 リクエストを処理するのはサーブレット（コントローラ）です。
3 サーブレットは必要に応じてBean（モデル）の生成やプロパティ
　の設定を行います。
4 サーブレットはJSP（ビュー）にフォワードします。
5 JSPはサーブレットが作成したモデルやプロパティを取得します。
6 JSPはブラウザに対してレスポンスを出力します。

　モデル、ビュー、コントローラの役割について整理してみましょう。

▶ モデル（Model）

　アプリケーションに必要なデータを保持し、データに対する操作を行います。このような処理のことを、ビジネスロジックと呼ぶことがあります。たとえばショッピングサイトでは、購入した商品の一覧を管理する処理や、合計金額を計算する処理などが、ビジネスロジックに相当します。モデルには主にJavaBeansを使用します。

▶ ビュー（View）

　モデルのデータを取得し、ユーザに対して表示します。ビューには主にJSPを使用します。

▶ コントローラ（Controller）

　ユーザからの入力を受け取って、モデルの生成や設定を行います。ビューへのフォワードも行います。コントローラには主にサーブレットを使用します。

　MVCパターンを効果的に活用するためには、モデル、ビュー、コントローラに対して、それぞれの役割に沿った処理をさせることが必要です。役割とは異なる処理は、可能な限り混在させないようにします。役割を独立させることで、たとえばサイトの見た目だけを変更したいときに、モデルやコントローラはそのまま流用してビューだけ変更する、といった修正ができるようになります。

23-02 | Front Controllerパターン

JavaによるWebアプリケーションの開発において、MVCパターンとともに使用されることが多いのが、Front Controllerパターンです。Front Controllerパターンでは、フロントコントローラと呼ばれるサーブレットをWebアプリケーションの唯一の入口として、すべてのリクエストを処理させます。リクエストの処理からレスポンスの出力までの流れを一本化することによって、似通った処理を重複して作成してしまう問題を回避し、プログラムの見通しをよくすることが狙いです。

■ Front Controllerパターンを適用しないWebアプリケーション

最初に、Front Controllerパターンを適用しないWebアプリケーションについて考えてみましょう。たとえばWebアプリケーションに、データベースの検索機能と、データベースへの追加機能があるとします。各機能はサーブレットとJSPを組み合わせて実現します。

検索機能を使うときには、検索サーブレットに対してリクエストを送信します。追加機能を使うときには、追加サーブレットに対してリクエストを送信します。機能ごとに、リクエストを処理するサーブレットが異なります。

Fig | 機能別にサーブレットを分ける

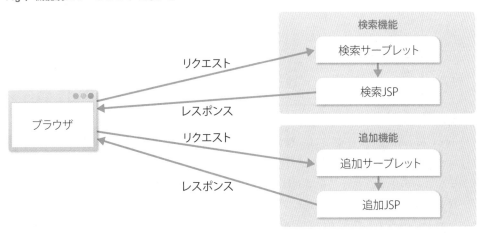

このような構成でもWebアプリケーションを開発することは可能です。本書でこれまでに作成したWebアプリケーションも、機能ごとにサーブレットが異なりました。

問題は、どのサーブレットにも共通する処理を、重複して作成してしまう点です。たとえば、サーブレットからJSPにフォワードする処理や、例外が発生した際にエラーメッセージを表示する処理などは、どのサーブレットにも共通しています。機能ごとにサーブレットが異なると、このような共通の処理を何度も記述することになります。これはプログラムの分量を増大さ

せ、見通しを悪くする原因になります。

また、サーブレット間で処理の方針を一致させるのが難しくなることも問題です。たとえば、あるサーブレットは例外が発生した際にエラーメッセージを出力するが、別のサーブレットは出力しない、といった不一致が生ずる可能性があります。場合によっては、発見が難しい不具合の原因になったり、セキュリティにかかわる問題になったりすることも考えられます。

Front Controllerパターンを適用したWebアプリケーション

このような問題を回避する方法の1つが、Front Controllerパターンです。機能ごとにサーブレットを作成するのではなく、フロントコントローラと呼ばれる1つのサーブレットだけを作成します。すべてのリクエストは、フロントコントローラが処理します。

Fig | 1つのサーブレットから機能別のアクションに分岐する

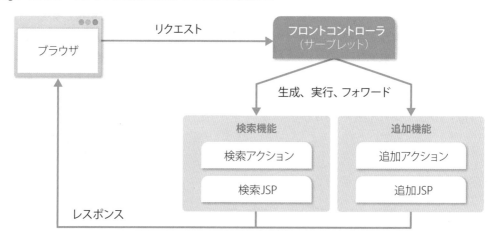

Front Controllerパターンでは、機能ごとにサーブレットを作成する代わりに、**アクション**と呼ばれるJavaのクラスを作成します。アクションはサーブレットではありません。Webアプリケーションの中で、サーブレットはフロントコントローラだけです。

アクションという名称は、Strutsフレームワークに由来します。他のフレームワークでは、アクションに相当するクラスのことを、別の名称で呼ぶことがあります。本書ではStrutsにならって、アクションという名称を使うことにします。

フロントコントローラは全機能に共通の処理を行います。リクエストの処理を行い、要求された機能に対応するアクションを生成して実行します。たとえば、検索が要求されたら検索アクション、追加が要求されたら追加アクションを生成し、実行します。

アクションの実行を終えたら、フロントコントローラに戻ります。フロントコントローラはアクションの実行結果に応じて、JSPファイルを選択し、フォワードします。たとえば、検索の場合は検索用のJSPファイル、追加の場合は追加用のJSPファイルにフォワードします。フォ

ワード先のJSPは、レスポンスを出力します。

　このようにフロントコントローラを唯一のサーブレットにすることによって、すべてのリクエストに対し、アクションの実行とJSPへのフォワードという共通の処理を行うことができます。Webアプリケーション全体を通じて、リクエストの処理からレスポンスの出力までの処理の流れを統一することができます。

■ MVCパターンとFront Controllerパターンの適用

　Front Controllerパターンを適用するには、フロントコントローラとアクションのクラスを作成する必要があります。アクションのクラスは機能ごとに作成しますが、本書ではすべてのアクションに共通する機能をActionクラスとして宣言し、各アクションはActionクラスのサブクラスとして宣言することにします。

Fig | アクションのクラス

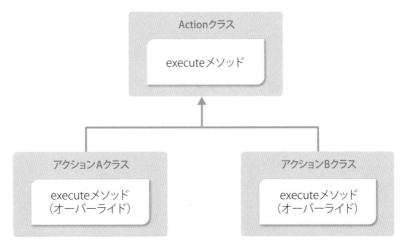

　アクションはフロントコントローラから実行できる必要があります。そこで、すべてのアクションにexecuteという共通のメソッドを宣言して、フロントコントローラから呼び出すことにします。

　アクションという名称と同様に、executeという名称も、Strutsフレームワークに由来します。他のフレームワークでは、別の名称で呼ぶことがあります。本書ではStrutsにならって、executeという名称を使うことにします。

　MVCパターンとFront Controllerパターンを適用した場合の、Webアプリケーションによる処理の流れを確認してみましょう。

Fig | MVCパターンとFront Controllerパターンの適用

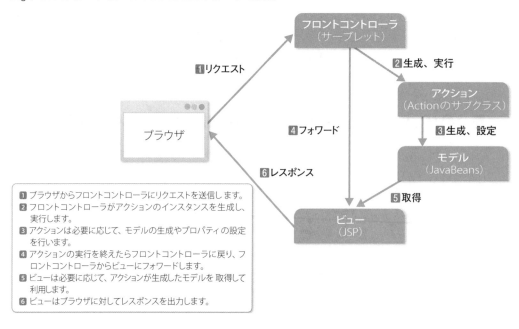

1. ブラウザからフロントコントローラにリクエストを送信します。
2. フロントコントローラがアクションのインスタンスを生成し、実行します。
3. アクションは必要に応じて、モデルの生成やプロパティの設定を行います。
4. アクションの実行を終えたらフロントコントローラに戻り、フロントコントローラからビューにフォワードします。
5. ビューは必要に応じて、アクションが生成したモデルを取得して利用します。
6. ビューはブラウザに対してレスポンスを出力します。

■ アクションのスーパークラス

すべてのアクションのスーパークラスである、Actionクラスを作成しましょう。次のプログラムを入力し、WEB-INF¥src¥toolフォルダにAction.javaとして保存してください。

List | 23-01 Action.java

```
package tool;

import jakarta.servlet.http.HttpServletRequest;
import jakarta.servlet.http.HttpServletResponse;

public abstract class Action {                                              1
    public abstract String execute(                                        2
        HttpServletRequest request, HttpServletResponse response
    ) throws Exception;
}
```

1はActionクラスの宣言です。Actionクラスは抽象メソッドのexecuteを含むので、抽象クラスになります。

❷のexecuteメソッドは抽象メソッドにして、具体的な処理は記述しないことにします。Actionクラスのサブクラスにおいて、executeメソッドをオーバーライドし、各機能の処理を記述します。

executeメソッドには引数として、サーブレットと同様に、リクエスト(request)とレスポンス(response)を渡すことにします。リクエストはリクエストパラメータの取得や、リクエスト属性の設定などに使います。レスポンスはJSPで出力するので、本書のアクションでは使いません。

executeメソッドの戻り値は文字列(String型)にして、フォワード先のURLを返すことにします。たとえば、アクションを実行した後にlist.jspにフォワードする場合には、戻り値を"list.jsp"にします。フロントコントローラは、アクションの戻り値で指定されたJSPファイルにフォワードします。

■ フロントコントローラのクラス

フロントコントローラとなるサーブレットを作成しましょう。次のプログラムを入力し、WEB-INF¥src¥toolフォルダにFrontController.javaとして保存してください。

このファイルを作成

List | 23-02 FrontController.java

```java
package tool;

import java.io.IOException;
import java.io.PrintWriter;
import jakarta.servlet.ServletException;
import jakarta.servlet.http.*;
import jakarta.servlet.annotation.WebServlet;

@WebServlet(urlPatterns={"*.action"})                                    ❶
public class FrontController extends HttpServlet {

    public void doPost(                                                  ❷
        HttpServletRequest request, HttpServletResponse response
    ) throws ServletException, IOException {
        PrintWriter out=response.getWriter();
        try {
            String path=request.getServletPath().substring(1);          ❸
            String name=path.replace(".a", "A").replace('/', '.');      ❹
            Action action=(Action)Class.forName(name).
                getDeclaredConstructor().newInstance();                 ❺
```

```
            String url=action.execute(request, response);──────────6
            request.getRequestDispatcher(url).───────────────────7
                forward(request, response);
        } catch (Exception e) {
            e.printStackTrace(out);
        }
    }

    public void doGet(────────────────────────────────────────8
        HttpServletRequest request, HttpServletResponse response
    ) throws ServletException, IOException {
        doPost(request, response);
    }
}
```

　フロントコントローラは、○○.actionのようなURLを受け取ると、chapter△△.○○Action
のようなパッケージ名.クラス名の形式に、文字列処理を使って加工します。そしてクラスの
インスタンスを生成し、executeメソッドを呼び出すことにより、アクションを実行します。
　具体的なURLやアクションのクラス名の例を使って、フロントコントローラがアクション
を実行するまでの処理を説明しましょう。たとえば、データベースに対して検索を行うアク
ションを、次のURLで呼び出すとします。このURLをフォームのaction属性に指定します。

Search.action

　フォームを送信すると、フロントコントローラは、次のようなアクションのクラス名を作成
し、インスタンスを生成して、executeメソッドを呼び出します。

chapter23.SearchAction

　以下、フロントコントローラのプログラムにおいて、この処理をどのように行うのかを説明
します。
　1はURLパターンの指定です。フロントコントローラのサーブレットを、末尾が.actionで
終わるURLに対応づけます。Search.actionのようなURLを開くと、フロントコントローラが
実行されます。
　2はPOSTリクエストを処理するdoPostメソッドです。**8**のGETリクエストを処理する
doGetメソッドは、このdoPostメソッドを呼び出します。したがって、POSTリクエストの場
合も、GETリクエストの場合も、同じ処理を行います。
　3はパスの取得です。HttpServletRequestインタフェースのgetServletPathメソッドを使っ
て、フロントコントローラが呼び出されたパスを取得します。

▌getServletPathメソッド

宣　言 ： String **getServletPath**()

機　能 ： リクエストのURLに含まれる、サーブレットのパスを取得します。

たとえば、次のようなパスが得られます。

```
/chapter23/Search.action
```

Stringクラスのsubstringメソッドを使って、先頭の1文字を除去します。

▌substringメソッド

宣　言 ： String **substring**(int beginIndex)

機　能 ： 文字列のbeginIndex番目の文字から末尾までを、部分文字列として返します。

先頭の1文字を除去したパスは、次のようになります。

```
chapter23/Search.action
```

4では引き続きパスを加工します。パスの.aをAに置換します。

```
chapter23/SearchAction
```

次に、/を.に置換します。

```
chapter23.SearchAction
```

ここまでの処理によって、パスをパッケージ名.クラス名という形式に加工し、アクションのクラス名が得られます。

5はアクションの生成です。アクションのクラス名を使って、インスタンスを作成します。ClassクラスのforNameメソッドとgetDeclaredConstructorメソッド、ConstructorクラスのnewInstanceメソッドを次のように使います。

```
Class.forName(クラス名).getDeclaredConstructor().newInstance()
```

▌forNameメソッド

宣　言 ： static Class<?>　**forName**(String className)

機　能 ： 指定した名前のクラスまたはインタフェースに関連付けられた、Classオブジェクトを返します。

▍getDeclaredConstructorメソッド

宣 言 ： Constructor\<T\> **getDeclaredConstructor**(Class\<?\>... parameterTypes)

機 能 ： Classオブジェクトが表すクラスの、コンストラクタ（Constructorオブジェクト）を返します。

▍newInstanceメソッド

宣 言 ： T **newInstance**(Object... initargs)

機 能 ： Constructorオブジェクトが表すコンストラクタを使って、新しいインスタンスを生成します。

6はアクションの実行です。生成したアクションのインスタンスに対して、executeメソッドを呼び出します。実装はこれからですが、各アクションはフォワード先のURLを返すようにしますので、ここで戻り値を変数urlに取得しておきます。

7はフォワードの実行です。**6**で取得したフォワード先のURLを、RequestDispatcherインタフェースのforwardメソッド（→P.128）に渡すことによって、指定されたフォワード先にフォワードします。

■ コンパイルと実行

---

① 「compile」ウィンドウでソースファイルをコンパイルします。FrontController.javaをコンパイルすると、Action.javaもコンパイルされます。

compile tool¥FrontController.java

アクションやフロントコントローラの実行は、以降で解説する検索アクションや追加アクションを作成する際に行います。

23-03 │ 検索アクションの作成

具体的なアクションの例として、データベースの検索を行うアクションを作成してみましょう。Actionクラスのサブクラスとして、SearchActionクラスを宣言し、executeメソッドを記述します。

検索キーワードを入力するためのJSPファイルと、検索結果を表示するためのJSPファイルも必要です。前者をsearch.jsp、後者をlist.jspとします。

最初にsearch.jspで検索キーワードを入力し、検索ボタンを選択します。すると、フロントコントローラがSearchActionクラスのインスタンスを生成し、executeメソッドを実行します。続いて、フロントコントローラがlist.jspにフォワードし、list.jspが検索結果をレスポンスとして出力します。

Fig | サンプルの実行画面

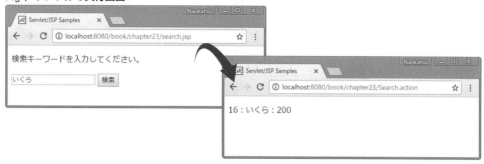

入力用JSPファイルの作成

　検索キーワードを入力するためのJSPファイルを作
成しましょう。bookフォルダの中にchapter23フォル
ダを作成し、その中にsearch.jspを作成しますが、こ
のファイルは、P.206のsearch.jspとほぼ同じ内容です。
chapter14フォルダからコピーして、赤字の部分だけ
修正するとよいでしょう。

List | 23-03 search.jsp

```
<%@page contentType="text/html; charset=UTF-8" %>
<%@include file="../header.html" %>

<p>検索キーワードを入力してください。</p>
<form action="Search.action" method="post">  ……………………………1
<input type="text" name="keyword">
<input type="submit" value="検索">
</form>

<%@include file="../footer.html" %>
```

　このフォームの転送先は「Search.action」とします（1）。これでFrontControllerサーブレッ
トから、次に作成するSearchActionが実行されます。

検索アクションの作成

　検索の処理を行うアクションを作成しましょ
う。WEB-INF¥srcフォルダの中にchapter23フォ
ルダを作成し、その中に次のような内容の
SearchAction.javaを作成してください。

```
package chapter23;

import bean.Product;
import dao.ProductDAO;
import tool.Action;
import jakarta.servlet.http.*;
import java.util.List;

public class SearchAction extends Action {
    public String execute(
        HttpServletRequest request, HttpServletResponse response
    ) throws Exception {

        String keyword=request.getParameter("keyword");            ━━1

        ProductDAO dao=new ProductDAO();
        List<Product> list=dao.search(keyword);                    ━━2

        request.setAttribute("list", list);                        ━━3

        return "list.jsp";                                         ━━4
    }
}
```

1では、search.jspで入力された検索キーワードを、リクエストパラメータから取得します。
2は検索の実行です。ProductDAOクラスのsearchメソッド（→P.235）を使っています。
3では、検索を実行した結果（商品のリスト）を、リクエスト属性に設定します。

前述のように、各アクションはフォワード先のURLを返すようにしますので、4ではこれから作成するlist.jspを返しています。実際のフォワード処理は、フロントコントローラ（→P.365）が行います。

■ 出力用JSPファイルの作成

SearchActionの戻り値として返されるlist.jspを作成しますが、内容はP.339のjstl.jspと同じなので、chapter22フォルダからコピーして、ファイル名を変更するとよいでしょう。

```
book
  └ chapter23
      └ list.jsp  ◀┈┈┈┈┈┈ このファイルを作成
```

```
<%@page contentType="text/html; charset=UTF-8" %>
<%@include file="../header.html" %>
```

```
<%@taglib prefix="c" uri="jakarta.tags.core" %>

<c:forEach var="p" items="${list}">
    ${p.id}:${p.name}:${p.price}<br>
</c:forEach>

<%@include file="../footer.html" %>
```

1はリストの出力です。JSTLの<c:forEach>タグを使って、リクエスト属性に保存されたリストを処理し、商品Beanのプロパティを取得しています。

■ コンパイルと実行

① 「compile」ウィンドウでソースファイルをコンパイルします。
   compile chapter23¥SearchAction.java
② 「tomcat」ウィンドウでTomcatを再起動してから、以下のURLをブラウザで開きます。
   http://localhost:8080/book/chapter23/search.jsp
③ 商品名を入力して、「検索」ボタンを選択してください。

23-04 | 追加アクションの作成

もう1つの具体的なアクションの例として、データベースに対してデータを追加するアクションを作成してみましょう。基本的な構造は同じで、Actionクラスのサブクラスとして作成します。

ここではアクションに加えて、商品名と価格を入力するためのJSPファイルを作成します。検索結果を表示するためのJSPファイル（list.jsp）は、前ページで作成したものを流用します。

Fig | サンプルの実行画面

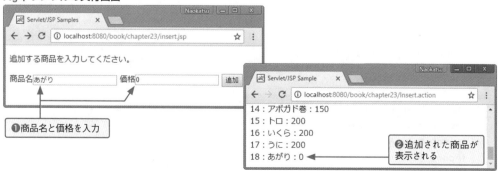

入力用JSPファイルの作成

　商品名と価格を入力するためのJSPファイルを作成しましょう。次のJSPファイルをbook¥chapter23フォルダの中に作成しますが、これはP.211のinsert.jspとほぼ同じ内容なので、chapter14フォルダからコピーして、赤字の部分を修正しましょう。

```
book
  └ chapter23
       └ insert.jsp ◄·············· このファイルを作成
```

List | 23-06 insert.jsp

```
<%@page contentType="text/html; charset=UTF-8" %>
<%@include file="../header.html" %>

<p>追加する商品を入力してください。</p>
<form action="Insert.action" method="post">
商品名<input type="text" name="name">
価格<input type="text" name="price">
<input type="submit" value="追加">
</form>

<%@include file="../footer.html" %>
```

　追加アクションを実行するために、<form>タグのaction属性にInsert.actionを指定します。

追加アクションの作成

　追加の処理を行うアクションを作成しましょう。次のプログラムを入力し、book¥WEB-INF¥src¥chapter23フォルダにInsertAction.javaとして保存してください。

```
src
  └ chapter23
       └ InsertAction.java ◄·············· このファイルを作成
```

List | 23-07 InsertAction.java

```
package chapter23;

import bean.Product;
import dao.ProductDAO;
import tool.Action;
import jakarta.servlet.http.*;
import java.util.List;
```

```java
public class InsertAction extends Action {
    public String execute(
        HttpServletRequest request, HttpServletResponse response
    ) throws Exception {

        String name=request.getParameter("name");
        Integer price=Integer.parseInt(request.getParameter("price"));    ■1

        Product p=new Product();
        p.setName(name);
        p.setPrice(price);
        ProductDAO dao=new ProductDAO();
        dao.insert(p);                                                    ■2

        List<Product> list=dao.search("");
        request.setAttribute("list", list);                              ■3

        return "list.jsp";                                               ■4
    }
}
```

■1 はリクエストパラメータの取得です。商品名 (name) と価格 (price) を取得します。

■2 は追加の実行です。ProductDAO クラスの insert メソッドを使います。

■3 はリクエスト属性の設定です。検索を実行した結果 (商品のリスト) を、リクエスト属性に設定します。

■4 では SearchAction の場合と同じく、フォワード先である list.jsp を返します。

■ コンパイルと実行

① 「compile」ウィンドウでソースファイルをコンパイルします。

compile chapter23¥InsertAction.java

② 「tomcat」ウィンドウで Tomcat を再起動してから、以下の URL をブラウザで開きます。

http://localhost:8080/book/chapter23/insert.jsp

③ 商品名と価格を入力して、「追加」ボタンを選択してください。

▶ まとめ

本章では MVC パターンについて、次の事柄を学びました。

・プログラムをモデル、ビュー、コントローラに分割します。

- Webアプリケーションでは、モデルにJavaBeans、ビューにJSP、コントローラにサーブレットを使用します。
- 見通しがよく修正が容易なプログラムにすることが目的です。

本章ではFront Controllerパターンについて、次の事柄を学びました。

- フロントコントローラと呼ばれるサーブレットに、リクエストを一括して処理させます。
- 機能ごとにサーブレットを作成する代わりに、アクションを作成します。
- リクエストの処理からレスポンスの出力までの流れを統一することが目的です。

次章からは、これまでに学んだ知識を活用して、実践的なWebアプリケーションを開発します。Chapter24ではログイン機能を、Chapter25ではショッピングサイトを作成します。

練習問題 P.372のInsertAction.javaを参考に、「〇〇」と「〇〇づくし」という2種類の商品を同時に追加するアクションを作成してください。たとえば、商品名「かんぱち」と価格「100」を入力すると、次のような2種類の商品が追加されます。「〇〇づくし」は「〇〇」の5倍の価格にします。

- 商品名「かんぱち」、価格「100」
- 商品名「かんぱちづくし」、価格「500」

● サンプルの実行画面

商品名と価格を入力するためのJSPファイルは、book¥chapter23フォルダにinsert2.jspというファイル名で作成しますが、これはP.211のinsert.jspとほぼ同じ内容です。コピーして、以下の赤字の部分を修正するのがおすすめです。

```
<form action="Insert2.action" method="post">
```

また、アクションのJavaプログラムは、WEB-INF¥src¥chapter23フォルダにInsert2Action.javaというファイル名で保存してください。
結果の出力には、P.370のlist.jspを使います。

解答例

List | Insert2Action.java

```java
package chapter23;

import bean.Product;
import dao.ProductDAO;
import tool.Action;
import jakarta.servlet.http.*;
import java.util.List;

public class Insert2Action extends Action {
    public String execute(
        HttpServletRequest request, HttpServletResponse response
    ) throws Exception {

        String name=request.getParameter("name");
        int price=Integer.parseInt(request.getParameter("price"));

        Product p=new Product();
        p.setName(name);
        p.setPrice(price);
        ProductDAO dao=new ProductDAO();
        dao.insert(p);

        p.setName(p.getName()+"づくし");
        p.setPrice(p.getPrice()*5);                         ■1
        dao.insert(p);

        List<Product> list=dao.search("");
        request.setAttribute("list", list);

        return "list.jsp";
    }
}
```

　InsertAction.javaとの違いは、商品「○○づくし」を追加している■1の部分です。
　ここでは生成済みの商品のBeanに対して、ゲッタとセッタを使って、商品名を「○○」から「○○づくし」に変更し、価格を5倍に変更します。次のように、新しくBeanを生成した上で追加を実行することもできます。

```java
Product p2=new Product();
p2.setName(name+"づくし");
p2.setPrice(price*5);
dao.insert(p2);
```

24 Webアプリケーション開発の実践（ログイン機能）

本章では、実際のWebアプリケーションが備えている代表的な機能の例として、ログイン機能を作成します。今までに本書で解説したデータベースやセッションを活用しますので、ぜひ学んだことを確認してみてください。

24-01 | ログイン機能の仕組み

ログイン機能とは、ログイン名とパスワードの組み合わせを使って、ユーザを識別する機能のことです。ユーザを識別することによって、Webアプリケーションはユーザごとに異なる情報を管理したり、異なるサービスを提供したり、課金したりすることができます。

ログイン機能はいろいろなWebアプリケーションで使われています。たとえばショッピング、掲示板、ブログ、メール、チャット、ゲームなど、個々のユーザを区別する必要があるWebアプリケーションのほとんどは、ログイン機能を備えています。そこで本書でも、実践的なWebアプリケーションの作成例として取り上げることにしました。

本章で作成するログイン機能のサンプルは、次章で作成するショッピングサイトのサンプルと連携して動作します。一方で、本章のサンプルは次章のサンプルから独立しているので、他のWebアプリケーションに組み込んで使用することもできます。もし、本書を読んだ後に、本書のサンプルとは異なるWebアプリケーション（たとえば掲示板など）を作成する場合には、ログイン機能を組み込んで使っていただくことが可能です。このような応用を想定して、本章のログイン機能と、次章のショッピングサイトを、別々のサンプルにしておきました。

ログイン機能の実現方法

ログイン機能を実現する具体的な方法を検討しましょう。ここではセッションとデータベースを使って、次ページの図のような仕組みを作ります。

以降のアクセスでは、ユーザがページを開くと、ブラウザはセッションIDをWebサーバに送信します。ユーザがログイン済みかどうかは、セッションIDに紐付けられたセッション属性から、顧客情報が取得できたかどうかで調べることができます。取得できたらログイン済み、取得できなかったら未ログインということです。

Fig │ セッションを利用したログイン機能の実現

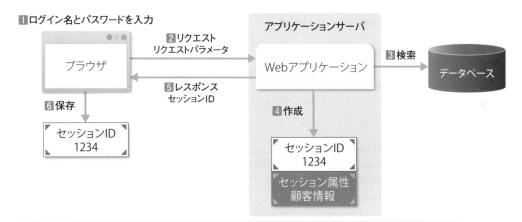

① フォームからログイン名とパスワードを入力します。
② ログイン名とパスワードは、リクエストパラメータとしてWebアプリケーションに送信されます。
③ Webアプリケーションは、ログイン名とパスワードの組み合わせがデータベースに登録されているかどうかを調べます。
④ 登録されていたら、セッション属性に顧客情報(ログイン名とパスワード)を設定します。
　 登録されていなかったら、顧客情報を格納しません。
⑤ Webアプリケーションは、セッションIDを含むレスポンスをブラウザに送信します。
⑥ ブラウザはクッキーにセッションIDを保存します。

顧客データの作成

　ログイン機能を実現するためには、ログイン名とパスワードを登録したデータベースが必要です。そこで、データベース上に次のような列を持つ顧客情報のテーブル(customer)を作成しましょう。

Table │ customerテーブルの構造

列名	id	login	password
データ型	int	varchar(100)	varchar(100)
制約	auto_increment primary key	not null unique	not null
意味	顧客番号	ログイン名	パスワード

　ログイン名(login)にunique制約(→P.185)を指定しているのは、顧客間でログイン名が重複しないようにするためです。
　顧客テーブルを作成するためのSQLスクリプトを用意しました。SQLスクリプトのファイルはwork¥sample¥sql¥customer.sqlです。入力することもできますが、入力量が多いので、本書のサンプルをそのまま利用されることをおすすめします。

List | 24-01 customer.sql

```sql
drop table customer if exists;

create table customer (
    id int auto_increment primary key,
    login varchar(100) not null unique,
    password varchar(100) not null
);

insert into customer(login, password) values('ayukawa', 'SweetfishRiver1');
insert into customer(login, password) values('samejima', 'SharkIsland2');
insert into customer(login, password) values('wanibuchi', 'CrocodileChasm3');
insert into customer(login, password) values('ebihara', 'ShrimpField4');
insert into customer(login, password) values('kanie', 'CrubBay5');
```

上記の内容は、P.187のSQLと基本的に同じです。各SQL文についての解説はそちらを参照してください。

SQLスクリプトの実行

SQLスクリプトをH2で実行して、実際に顧客テーブルを作成しましょう。H2コンソールの画面上部に、SQLの入力欄があります。customer.sqlをテキストエディタで開き、全選択してコピーして、入力欄に貼り付けてください。

入力欄の左上にある「実行」ボタンを選択して、SQLスクリプトを実行します。これで顧客テーブルを作成できました。

Fig | SQLスクリプトの実行

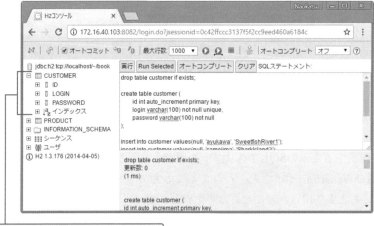

SQL文を実行するとcustomerテーブルが作成される

顧客情報を格納するBean

customerテーブルから取得した顧客情報を格納するために、顧客Bean（Customerクラス）を作成しましょう。次のプログラムを入力し、book¥WEB-INF¥src¥beanフォルダにCustomer.javaとして保存してください。

このファイルを作成

List | 24-02 Customer.java

```java
package bean;

public class Customer implements java.io.Serializable {

    private int id;
    private String login;
    private String password;

    public int getId() {
        return id;
    }
    public String getLogin() {
        return login;
    }
    public String getPassword() {
        return password;
    }

    public void setId(int id) {
        this.id=id;
    }
    public void setLogin(String login) {
        this.login=login;
    }
    public void setPassword(String password) {
        this.password=password;
    }
}
```

このBeanでは、customerテーブルのid、login、passward列にあたるフィールドと、それらの内容を操作するためのセッタとゲッタ（→P.227）を宣言してあります。

■ CustomerDAOのプログラム

次にcustomerテーブルを操作する
CustomerDAOクラスを作成しましょ
う。次のプログラムを入力し、book
¥WEB-INF¥src¥daoフォルダに
CustomerDAO.javaとして保存して
ください。

src
 └ dao
   └ CustomerDAO.java ◀········· このファイルを作成

List | 24-03 CustomerDAO.java

```java
package dao;

import bean.Customer;
import java.sql.Connection;
import java.sql.PreparedStatement;
import java.sql.ResultSet;

public class CustomerDAO extends DAO {
    public Customer search(String login, String password) ·········· ❶
        throws Exception {
        Customer customer=null;

        Connection con=getConnection();

        PreparedStatement st;
        st=con.prepareStatement(
            "select * from customer where login=? and password=?");
        st.setString(1, login);                                      ❷
        st.setString(2, password);
        ResultSet rs=st.executeQuery();

        while (rs.next()) {
            customer=new Customer();
            customer.setId(rs.getInt("id"));
            customer.setLogin(rs.getString("login"));                ❸
            customer.setPassword(rs.getString("password"));
        }

        st.close();
        con.close();
        return customer;
    }
}
```

ProductDAOクラスでは、productテーブルから商品を検索するためのsearchメソッドと、商品を追加するためのinsertメソッドを宣言しました。このCustomerDAOクラスでは、customerテーブルから顧客を検索するためのsearchメソッド（**1**）のみを宣言します。

searchメソッドは、指定したログイン名とパスワードの顧客をcustomerテーブルから検索し、見つかった場合には顧客Bean（Customerオブジェクト）を返します。見つからなかった場合には、nullを返します。

2で実行しているSQLは、次のようなselect文（→P.188）です。?の部分には引数として渡されたログイン名とパスワードが入ります。

```
select * from customer where login=? and password=?
```

3では検索結果を顧客Bean（Customerオブジェクト）に保存します。検索結果は最大で1件なので、while文による繰り返しではなく、if文による条件分岐でも処理できます。ここでは説明を簡単にするために、ProductDAOの場合と同様にwhile文を使いました。

24-02 | ログイン機能の作成

作成した顧客Bean（Customerクラス）と顧客DAO（CustomerDAOクラス）を使って、ログイン機能を作成しましょう。ログインは次のような手順で操作することにします。

Fig | サンプルの実行画面

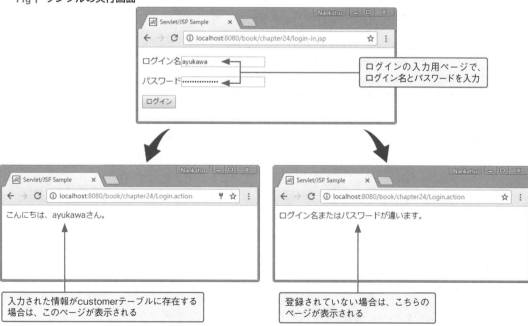

ログインに成功した場合には、顧客情報(顧客Bean)がセッション属性に保存されます。ログアウトしない限り、あるいはセッションが期限切れにならない限り、ログインした状態が続きます。

■ JSPファイルの作成

　まず、次の3つのJSPファイルを作成します。

login-in.jsp ················· ログイン名とパスワードを入力するJSPファイル
login-out.jsp ············· ログイン成功時のJSPファイル
login-error.jsp ·········· ログイン失敗時のJSPファイル

　webapps¥bookフォルダの中にchapter24フォルダを作成し、上記3つのJSPファイルを作成してください。

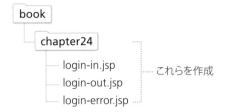

```
book
 └ chapter24
      ├ login-in.jsp
      ├ login-out.jsp      ···· これらを作成
      └ login-error.jsp
```

List | 24-04 login-in.jsp

```
<%@page contentType="text/html; charset=UTF-8" %>
<%@include file="../header.html" %>

<form action="Login.action" method="post">                          ──1
<p>ログイン名<input type="text" name="login"></p>                     ┐
<p>パスワード<input type="password" name="password"></p>              ┘ 2
<p><input type="submit" value="ログイン"></p>
</form>

<%@include file="../footer.html" %>
```

　<form>タグのaction属性には、後で作成するログインのアクションを指定します(1)。
　ログイン名とパスワードのリクエストパラメータ名はloginとpasswordです。パスワードに関しては、type属性をpasswordにすることによって、非表示にします(2)。

List | 24-05 login-out.jsp

```
<%@page contentType="text/html; charset=UTF-8" %>
<%@include file="../header.html" %>
```

```
こんにちは、${customer.login}さん。 ━━━━━━━━━━━━━━━ 1

<%@include file="../footer.html" %>
```

1ではセッション属性から顧客Bean（属性名customer、ログインアクション内で登録）を取得し、loginプロパティを出力しています。これによりログイン名が表示されます。

List | 24-06 login-error.jsp

```
<%@page contentType="text/html; charset=UTF-8" %>
<%@include file="../header.html" %>

ログイン名またはパスワードが違います。

<%@include file="../footer.html" %>
```

「ログイン名またはパスワードが違います」というメッセージを表示するだけです。

■ ログインアクションの作成

ログインの処理を行うアクションを作成しましょう。ログインの処理は、次のような手順で行います。

① セッションを開始します。
② リクエストパラメータからログイン名とパスワードを取得します。
③ 顧客テーブルから、指定されたログイン名とパスワードの顧客を検索します。
④ 顧客が取得できたらログイン成功です。顧客Beanをセッションに設定し、ログイン成功ページにフォワードします。
⑤ 顧客が取得できなかったらログイン失敗です。ログイン失敗ページにフォワードします。

このアクションも、Chapter23で作成したActionクラス（→P.364）を継承して作成します。また、FrontControllerクラスを使って、JSPファイルへフォワードします。

book¥WEB-INF¥srcフォルダの中にchapter24フォルダを作成し、次のような内容のLoginAction.javaを作成してください。

343

List | 24-07 LoginAction.java

```java
package chapter24;

import bean.Customer;
import dao.CustomerDAO;
import tool.Action;
import jakarta.servlet.http.*;

public class LoginAction extends Action {
    public String execute(
        HttpServletRequest request, HttpServletResponse response
    ) throws Exception {

        HttpSession session=request.getSession();                    ┄┄ ①

        String login=request.getParameter("login");
        String password=request.getParameter("password");
        CustomerDAO dao=new CustomerDAO();                           ② 
        Customer customer=dao.search(login, password);

        if (customer!=null) {
            session.setAttribute("customer", customer);
            return "login-out.jsp";                                  ③ 
        }

        return "login-error.jsp";                                    ┄┄ ④
    }
}
```

①ではgetSessionメソッドにより、セッションを開始しています。

リクエストパラメータからログイン名とパスワードを取得したら、CustomerDAOのsearch メソッド (→P.380) を使って、指定したログイン名とパスワードの顧客をデータベースから検索します (②)。

③はログイン成功時の処理です。②でログイン名とパスワードに合致する顧客が見つかった場合は、customerに見つかった顧客Beanが代入されていますので、これをセッション属性に属性名customerで登録します。そしてlogin-out.jspをフォワード先に指定します。

④はログイン失敗時の処理です。login-error.jspをフォワード先に指定します。

■ コンパイルと実行

① 「compile」ウィンドウでソースファイルをコンパイルします。これでbean¥Customer.javaと
dao¥CustomerDAO.javaもコンパイルされます。

compile chapter24¥LoginAction.java

② 「tomcat」ウィンドウでTomcatを再起動してから、以下のURLをブラウザで開きます。

http://localhost:8080/book/chapter24/login-in.jsp

③ 存在する顧客情報（たとえばログイン名「ayukawa」、パスワード「SweetfishRiver1」）と、存在しない
顧客情報を入力して、動作が変わることを確認してください。

24-03 | ログアウト処理

　ログイン機能と対になる、ログアウト機能を作成しましょう。ログアウトは次のような手順
で操作することにします。

Fig | サンプルの実行画面

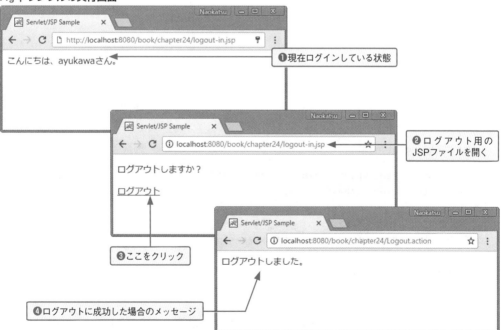

　また、ログアウト済みやセッションタイムアウトの状態で、「ログアウト」のリンクをクリッ
クした場合は、次のようなメッセージが表示されます。

Fig｜ログアウト済みの場合のメッセージ

JSPファイルの作成

ここでは、次の3つのJSPファイルを作成します。

logout-in.jsp ·············· ログアウトのリンクを表示するJSPファイル
logout-out.jsp ··········· ログアウト成功時のJSPファイル
logout-error.jsp ········ ログアウト失敗時のJSPファイル

上記3つのJSPファイルをbook¥chapter24フォ
ルダの中に作成してください。

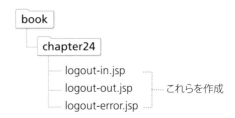

List｜24-08 logout-in.jsp

```
<%@page contentType="text/html; charset=UTF-8" %>
<%@include file="../header.html" %>

<p>ログアウトしますか？</p>
<p><a href="Logout.action">ログアウト</a></p> ·············1

<%@include file="../footer.html" %>
```

1はログアウトを実行するリンクです。リンク先は後で作成するLogout.actionです。リン
クを選択すると、ログアウトの処理を行うアクションが実行されます。

List | 24-09 logout-out.jsp

```jsp
<%@page contentType="text/html; charset=UTF-8" %>
<%@include file="../header.html" %>

ログアウトしました。

<%@include file="../footer.html" %>
```

List | 24-10 logout-error.jsp

```jsp
<%@page contentType="text/html; charset=UTF-8" %>
<%@include file="../header.html" %>

すでにログアウトしています。

<%@include file="../footer.html" %>
```

これらは、それぞれログアウト時のメッセージを表示しているだけです。

■ ログアウトアクションの作成

ログアウトの処理は、次のような手順で行います。

① セッションを取得します。
② セッション属性として設定された顧客Beanを取得します。
③ ログインしている場合は、顧客Beanが取得できます。セッション属性から顧客Beanを削除した後に、ログアウト成功ページにフォワードします。
④ ログインしていない場合は、顧客Beanが取得できません。ログアウト失敗ページにフォワードします。

③について、セッション属性からBeanを削除するには、removeAttributeメソッドを使う方法と、invalidateメソッドを使う方法があることをすでに学びました（→P.269）。どちらを使ってもログアウト機能は実現できますが、ショッピングカート機能をあわせて提供する場合には、両者に違いが生じます。ログインの情報だけではなく、ショッピングカートの情報も、セッション属性に保存するためです。

removeAttributeを使ったログアウトでは、ログインの状態が解除されるだけで、ショッピングカートは保存されます。invalidateを使ったログアウトでは、ショッピングカートも削除されます。ユーザがうっかりログアウトしたときに、ショッピングカートが消えるとユーザに負担を与えるという点を考慮すると、removeAttributeを使うのがよさそうです。

次のプログラムを入力し、book¥
WEB-INF¥src¥chapter24フォルダに
LogoutAction.javaとして保存してくだ
さい。

List | 24-11 LogoutAction.java

```java
package chapter24;

import tool.Action;
import jakarta.servlet.http.*;

public class LogoutAction extends Action {
    public String execute(
        HttpServletRequest request, HttpServletResponse response
    ) throws Exception {

        HttpSession session=request.getSession();

if (session.getAttribute("customer")!=null) {
    session.invalidate();
    return "logout-out.jsp";                              ①
}

        return "logout-error.jsp";                        ②
    }
}
```

①はログインしている場合の処理です。セッション属性から顧客Beanが取得できた場合に
は、ログインしていると判定します。removeAttributeメソッドを使って、セッション属性か
ら顧客Beanを削除します。そして、logout-out.jspをフォワード先に指定します。

前述のとおり、ここではremoveAttributeメソッドを使っていますが、セッションごと破棄
したい場合は、次のようにinvalidateメソッドを使います。

```java
if (session.getAttribute("customer")!=null) {
    session.invalidate();
    return "logout-out.jsp";
}
```

ログインしていない場合は、logout-error.jspをフォワード先に指定します（②）。

■ コンパイルと実行

① 「compile」ウィンドウでソースファイルをコンパイルします。

compile chapter24¥LogoutAction.java

② 「tomcat」ウィンドウでTomcatを再起動してから、以下のURLをブラウザで開きます。

http://localhost:8080/book/chapter24/login-in.jsp

③ ログイン名「ayukawa」、パスワード「SweetfishRiver1」を入力して、ログインしてください。「こんにちは、ayukawaさん。」と表示されます

④ ブラウザで、以下のURLを開きます

http://localhost:8080/book/chapter24/logout-in.jsp

⑤ 「ログアウト」のリンクをクリックすると、「ログアウトしました。」と表示されます。

⑥ ブラウザの「戻る」ボタンで1つ前のページに戻り、再び「ログアウト」のリンクをクリックします。「すでにログアウトしています。」と表示されるはずです。

Column　パスワードの形式を確認する

　ログイン機能に関連して、パスワードの登録や変更の機能を作成する場合には、パスワードの形式が適切かどうかを確認する必要があります。たとえば「英小文字/英大文字/数字を全て含み8文字以上」という形式かどうかは、正規表現を使って確認することができます。java.util.regex.Patternクラスを使います。パスワードは変数passwordに格納されているとします。

```
Pattern.matches("(?=.*[a-z])(?=.*[A-Z])(?=.*[0-9])[a-zA-Z0-9]{8,}", password)
```

　「(?=.*[a-z])」は英小文字を含むかどうかを調べます。英大文字と数字についても同様です。「[a-zA-Z0-9]{8,}」は8文字以上の英字か数字から構成されているという意味です。

▶ まとめ

　本章では今までに学んだ知識を使って、ログインとログアウトの機能を作成しました。作成した処理の要点は次のとおりです。

・ データベースを使って、ログイン名とパスワードの組み合わせが正しいかどうかを確認します。
・ ログインに成功したら、ユーザの情報をセッション属性に保存します。
・ ログアウトしたら、ユーザの情報をセッション属性から削除します。
・ セッション属性にユーザの情報が保存されているかどうかで、ログインの状態を判別します。

　次章では引き続き、実践的なWebアプリケーションの開発例として、ショッピングサイトを作成します。本章で作成したログイン機能も連携させることができます。

25 Webアプリケーション開発の実践（ショッピングサイト）

　本章では、実践的なWebアプリケーション開発の例として、簡単なショッピングサイトを作成します。これまでに本書で学んだいろいろな知識を活用しますので、ぜひ理解を深めながら読み進めてください。

25-01 | ショッピングサイトの構築

　Webを使って商品を販売するショッピングサイトは、非常に広く利用されているWebアプリケーションの1つです。Webアプリケーション開発の研修などで、ショッピングサイトの作成が題材になることもあります。そこで本書でも、実践的なWebアプリケーションの例として、ショッピングサイトを取り上げることにしました。

　ショッピングサイトを開発するには、これまでに学んだ次のような知識が必要です。

- ・サーブレットの作成
- ・JSPの作成
- ・サーブレットとJSPの連携
- ・データベースの操作
- ・セッションの利用
- ・JavaBeansによるデータの管理
- ・JSPにおけるELやJSTLの利用
- ・デザインパターンの適用（DAO、MVC、Front Controllerなど）

　ショッピングサイトが開発できるようになれば、その技術を応用して、他のいろいろな種類のWebアプリケーションを構築することも可能になります。たとえばSNSのようなWebアプリケーションも、上記の技術を応用して開発できます。

　本章で作成するショッピングサイトの主な機能は次のとおりです。

■ 商品検索

　指定した検索キーワードを商品名に含む、商品の一覧を表示する機能です。検索キーワードを指定しない場合には、全商品の一覧を表示することにします。この機能は23-03で作成した商品検索（→P.368）と同様に実現できます。

ショッピングカート

実世界のスーパーマーケットなどで、購入する商品を入れてレジまで運ぶためのカート（手押し車）を使ったことがあるかと思います。ショッピングサイトにおけるカート（ショッピングカート）は、実世界のカートと同じように、購入する商品を一時的に保持するための仕組みです。ショッピングサイトによっては、実世界の買い物カゴを模して、カートの代わりにカゴという言葉を使う場合もあります。

▶ カートに商品を追加する

購入を検討している商品を、カートに追加する機能です。カートに商品を追加することを、「カートに入れる」と表現することもあります。カートに追加しただけでは購入したことにはならず、後述する購入手続きを行うと、購入が完了します。

▶ カートから商品を削除する

カートに追加した商品の中から、購入を取りやめたい商品を削除する機能です。実世界のカートでは、カートから棚に商品を戻すことに相当します。本章ではカートから商品を削除する機能を、最後の練習問題で作成することにします。

▶ 購入手続き

カート内の商品を購入する機能です。実世界では、レジで支払いをすることに相当します。一般にショッピングサイトの場合には、購入手続きを行った商品をデータベースに登録します。その後、サイトのスタッフがデータベースを確認して、郵便や宅配便などで商品を配送します。

プログラムの構造はChapter23と同様に、MVCパターン（→P.358）とFront Controllerパターン（→P.361）を適用します。リクエストなどの処理を担当するアクションクラスと、ユーザからの入力や結果の出力を担当するJSPファイルを作成することによって、各機能を実現します。また、必要なBeanやDAOのプログラムも作成します。

このWebアプリケーションのファイル構成

本章では多くのファイルを作成するとともに、以前作成したクラスやJSPファイルも使用します。Webアプリケーション全体の構成がわかりやすいように、以下に使用するファイルの一覧を示します。これらのファイル以外に、データベースのテーブルも作成します。

Fig | ファイル／フォルダー覧

	説明
book	
chapter24	
login-in.jsp	ログインの入力画面（作成済みのものを修正）
login-out.jsp	ログインの出力画面（作成済みのものを修正）
login-error.jsp	ログインのエラー画面（作成済みのものを修正）
logout-in.jsp	ログアウトの入力画面（作成済みのものを修正）
logout-out.jsp	ログアウトの出力画面（作成済みのものを修正）
logout-error.jsp	ログアウトのエラー画面（作成済みのものを修正）
chapter25	
menu.jsp	メニュー
index.jsp	ウェルカムファイル
product.jsp	商品検索画面
cart.jsp	カート画面
preview-error-login.jsp	購入前のエラー画面（未ログイン）
preview-error-cart.jsp	購入前のエラー画面（カートが空）
purchase-in.jsp	購入画面
purchase-out.jsp	購入結果画面
purchase-error-empty.jsp	購入エラー画面（入力の不備）
purchase-error-insert.jsp	購入エラー画面（データベース処理）
image	
1.jpg~17.jpg	画像ファイル
WEB-INF	
src	
tool	
EncodingFilter.java	文字エンコーディングを設定するフィルタ（作成済み）
FrontController.java	フロントコントローラ（作成済み）
Action.java	アクション（作成済み）
bean	
Product.java	商品Bean（作成済み）
Cutomer.java	顧客Bean（作成済み）
Item.java	項目Bean（カート内の項目を表す）
dao	
ProductDAO.java	商品テーブルの操作（作成済み）
CustomerDAO.java	顧客テーブルの操作（作成済み）
PurchaseDAO.java	購入テーブルの操作
chapter24	
LoginAction.java	ログインのアクション（作成済み）
LogoutAction.java	ログアウトのアクション（作成済み）
chapter25	
ProductAction.java	商品を検索するアクション
CartAddAction.java	カートに追加するアクション
CartRemoveAction.java	カートから削除するアクション
PreviewAction.java	購入手続きを準備するアクション
PurchaseAction.java	購入手続きのアクション

Part
03

実践編

25-02 | 購入テーブルの作成

　このショッピングサイトでは、Chapter13で作成した商品テーブル（product）、Chapter24で作成した顧客テーブル（customer）のほかに、商品の購入情報を保存するための購入テーブル（purchase）を使用しますので、これを新規に作成しましょう。

■ 作成するテーブルの構造

　列の構成は次のとおりです。

Table | 購入テーブルの列構成

列名	型	制約	内容
id	int	auto_increment primary key	購入番号
product_id	int	not null	商品番号
product_name	varchar(100)	not null	商品名
product_price	int	not null	価格
product_count	int	not null	個数
customer_name	varchar(100)	not null	顧客名
customer_address	varchar(100)	not null	住所

　データベースとプログラムを簡単にするために、上記の購入テーブルには、購入に関する情報をまとめて格納します。購入手続きの際には、購入テーブルに対してデータを追加するだけで済むので、プログラムが簡単になります。

　実際のショッピングサイトでは、複数のテーブルを組み合わせることが一般的でしょう。たとえば、商品番号/商品名/価格といった商品に関する情報は、購入テーブルに直接格納するのではなく、商品テーブルを組み合わせることによって表現します。同様に、顧客名/住所といった顧客に関する情報は、顧客テーブルを組み合わせることによって表現します。

　このように複数のテーブルを組み合わせることにより、データベースから冗長性を取り除くことができます。結果として、データベースのサイズが小さくなったり、メンテナンス性が向上したりといった利点が得られます。しかし、データベースを操作するためのSQL文やJavaプログラムは複雑になります。

　本書ではサーブレット/JSPについて学ぶことが主目的なので、サンプルを簡単にすることを優先して、購入情報を購入テーブルにまとめて格納することにしました。本書を終えた後に、データベースに関してより詳しく学ぶ機会があったら、複数のテーブルを組み合わせる方法にもぜひ挑戦してみてください。

■ テーブルを作成するSQLスクリプト

他のテーブルと同様に、購入テーブルを作成するためのSQLスクリプトを用意しました。SQLスクリプトのファイルはwork¥sample¥sql¥purchase.sqlです。

List | 25-01 purchase.sql

```
drop table purchase if exists;

create table purchase (
    id int auto_increment primary key,
    product_id int not null,
    product_name varchar(100) not null,
    product_price int not null,
    product_count int not null,
    customer_name varchar(100) not null,
    customer_address varchar(100) not null
);
```

上記のSQLスクリプトは、これまでに紹介したSQLスクリプトとは違って、テーブルを作成しているだけです。行の追加は、これから作成するプログラムによって行います。

purchase.sqlをテキストエディタで開き、全選択してコピーして、H2コンソールの入力欄に貼り付けてください。「実行」ボタンをクリックすると、購入テーブルが作成されます。

Fig | SQLスクリプトの実行

Part 03 実践編

394

25-03 | サイトの入口を作る

このWebアプリケーションでは、コンテキストルートにウェルカムファイル（index.jsp）を置いて、以下のURLからアクセスするものとします。

```
http://localhost:8080/book/chapter25/
```

Fig | ウェルカムファイルの表示

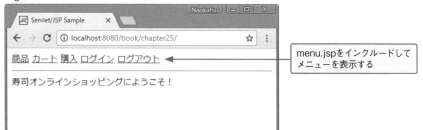

多くのショッピングサイトでは、各ページの上部にメニューを表示して、商品検索やカート表示といった機能を簡単に呼び出せるようにしています。本章で作成するショッピングサイトでも、メニュー部分をmenu.jspとして分離してインクルードするものとします。こうしておくことで、他のページでもmenu.jspをインクルードするだけで、メニューが表示されます。

■ JSPファイルの作成

ウェルカムファイルとメニューのJSPファイルを作成しましょう。bookフォルダ内にchapter25フォルダを作成し、2つのJSPファイルを作成してください。

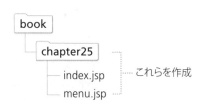

List | 25-02 index.jsp

```
<%@page contentType="text/html; charset=UTF-8" %>
<%@include file="../header.html" %>
<%@include file="menu.jsp" %> ─────────────────────────────1

寿司オンラインショッピングにようこそ！

<%@include file="../footer.html" %>
```

1ではincludeディレクティブにより、menu.jspをインクルードしています。

メッセージは、お好みにあわせて変更してみてください。おすすめ商品の画像などを表示すると、より実際のショッピングサイトに近い雰囲気になるでしょう。

List | 25-03 menu.jsp

```
<%@page pageEncoding="UTF-8" %>                                              1

<a href="../chapter25/Product.action">商品</a>
<a href="../chapter25/cart.jsp">カート</a>
<a href="../chapter25/Preview.action">購入</a>                                 2
<a href="../chapter24/login-in.jsp">ログイン</a>
<a href="../chapter24/logout-in.jsp">ログアウト</a>
<hr>
```

1ではpageディレクティブのpageEncoding属性（→P.316）を使って、JSPファイルの文字エンコーディングをUTF-8に指定します。これを記述しないと文字化けが発生します。

2は各機能へのリンクです。「商品」は商品検索、「カート」はカート表示、「購入」は購入手続きです。それぞれの機能はこれから実装していきます。

「ログイン」と「ログアウト」は、Chapter24で作成した機能を呼び出します。本章で作成するサンプルは、実際のショッピングサイトを模して、購入をする際にログインを求めます。未ログインの場合にはログインを促し、ログイン済みの場合には購入手続きに進みます。ログインの状態に応じてサンプルの動作が変化することを確認できるように、ログインとログアウトの機能をメニューから呼び出せるようにしておきました。

■ **JSPファイルの実行**

① ブラウザで以下のURLを開いてください。

http://localhost:8080/book/chapter25/

25-04 | 商品検索機能を作る

多くのショッピングサイトでは、商品の一覧や検索結果から、購入したい商品を選ぶという方式を採用しています。そこで、商品の一覧を表示したり、指定した検索キーワードを含む商品の一覧を表示したりする機能を実現しましょう。最初にメニューの「商品」を選択すると、全商品を表示します。

Fig | 全商品の表示

最初に「商品」のリンクをクリックすると、全商品が表示される

　上記の画面で検索キーワードを入力し、検索ボタンを選択すると、商品名に検索キーワードを含む商品が表示されます。以下は「いくら」を検索した例です。たとえば「巻」を検索すると、「ねぎとろ巻」と「アボガド巻」が表示されるので、試してみてください。

Fig | 商品の検索

❶検索キーワードを入力して「検索」をクリック

❷商品名にキーワードを含む商品が表示される

　商品を検索する処理は、Chapter14以降、プログラムの記法を変えながら何回か記述してきました。本章で作成するプログラムは、Chapter23で作成した商品検索のプログラム（→P.370）に近いものです。

■ 商品検索アクションの作成

　商品検索の処理を行うアクションを作成しましょう。これまでに作成してきたアクションと同様に、Actionクラス（→P.364）を継承し、FrontControllerクラスを使ってJSPファイルへフォワードします。

WEB-INF¥srcフォルダにchapter25フォルダを作成し、その中に次のProductAction. javaを作成してください。

これらを作成する

src
chapter25
ProductAction.java

List | 25-04 ProductAction.java

```java
package chapter25;

import bean.Product;
import dao.ProductDAO;
import tool.Action;
import jakarta.servlet.http.*;
import java.util.List;

public class ProductAction extends Action {
    public String execute(
        HttpServletRequest request, HttpServletResponse response
    ) throws Exception {

        HttpSession session=request.getSession();                          ■1

        String keyword=request.getParameter("keyword");                    ■2
        if (keyword==null) keyword="";

        ProductDAO dao=new ProductDAO();                                   ■3
        List<Product> list=dao.search(keyword);

        session.setAttribute("list", list);                                ■4

        return "product.jsp";                                              ■5
    }
}
```

　このProductActionクラスは、Chapter23で作成したSearchActionクラスに近い内容ですが、異なる点があります。相違点は、検索結果の商品リストをリクエスト属性ではなく、セッション属性に設定することです。セッション属性に設定するのは、後ほどカートに商品を追加する際に、商品リストを利用するためです。

　■1でセッションを取得した後、■2ではリクエストパラメータから検索キーワードを取得します。リクエストパラメータが指定されていない場合、getParameterメソッドはnullを返します。nullの場合は検索キーワードを空文字列("")とし、すべての商品を検索します。

　■3は検索の実行です。ProductDAOクラスのsearchメソッドを使って、検索キーワードを商品名に含む商品のリストを取得します。検索キーワードが空文字列の場合には、全商品のリス

トを取得します。

4では商品リストをセッション属性に設定します。属性名はlistです。

5ではフォワード先をproduct.jspに指定します。

■ 商品一覧を表示するJSPファイル

ProductActionからフォワードされて、商品一覧を表示するJSPファイルを作成しましょう。このJSPファイルは、検索キーワードの入力画面も兼ねています。

次のJSPファイルを入力し、chapter25フォルダにproduct.jspとして保存してください。

List | 25-05 product.jsp

```
<%@page contentType="text/html; charset=UTF-8" %>
<%@taglib prefix="c" uri="jakarta.tags.core" %>                    1
<%@include file="../header.html" %>
<%@include file="menu.jsp" %>                                     2


<p>検索キーワードを入力してください。</p>
<form action="Product.action" method="post">
<input type="text" name="keyword">                               3
<input type="submit" value="検索">
</form>
<hr>

<table style="border-collapse:separate;border-spacing:10px;">    4
<c:forEach var="product" items="${list}">                        5
    <tr>
    <td>商品${product.id}</td>
    <td><img src="image/${product.id}.jpg" height="64"></td>      6
    <td>${product.name}</td>
    <td>${product.price}円</td>
    <td><a href="CartAdd.action?id=${product.id}">カートに追加</a></td>  7
    </tr>
</c:forEach>
</table>

<%@include file="../footer.html" %>
```

このJSPファイルではJSTLを使用するので、taglibディレクティブを記述します（**1**）。また、このページでもメニューを表示するので、menu.jspをインクルードします（**2**）。

右側の縦書き：

3は検索キーワードを入力するためのフォームです。「検索」ボタンを選択すると、Product
.actionにリクエストが送信されます。

▶ <table>タグによる表の出力

5では、**4**の<table>タグに含まれる<tr>タグ（行）や<td>タグ（列）を、JSTLの<c:forEach>
タグ（→P.337）で繰り返し出力しています。繰り返す回数は、ProductActionクラスによって
セッション属性に保存されたリストに含まれる、Productオブジェクトの数です。

出力される行や列とプログラムの関係は、次のようになります。

Fig | 表の行と列

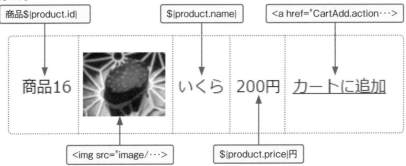

▶ 画像ファイル名について

本章では商品画像をimageフォルダに配置します。book¥chapter25¥imageフォルダを作成し、
work¥sample¥book¥chapter25¥imageフォルダの内容をコピーしてください。商品の画像ファ
イル名は、次のように「商品番号.jpg」という形式にしてあります。たとえば「まぐろ」の画像
は「1.jpg」です。

Fig | imageフォルダ内の商品画像

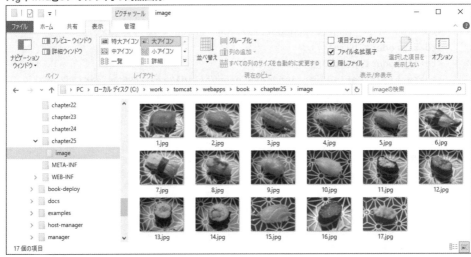

商品番号はProductオブジェクトのidプロパティから取得できます。このサンプルのように、Productオブジェクトが変数productに代入されている場合、商品画像を表示するための<img>タグは、EL式を使って次のように記述できます（**6**）。実際のJSPファイルには、画像の高さを指定するheight属性も記述しました。

```
<img src="image/${product.id}.jpg">
```

▶ リンクとリクエストパラメータ

7はカートに商品を追加するためのリンクです。リンクを選択すると、後で作成するCartAdd.actionにリクエストが送信されます。ここではリンク先のURLにリクエストパラメータを付加して、商品番号を渡しています。

```
<a href="CartAdd.action?id=${product.id}">
```

たとえば、商品番号1の「まぐろ」の右側にある「カートに追加」のリンクは、次のようになります。

```
<a href="CartAdd.action?id=1">
```

■ コンパイルと実行

① 「compile」ウィンドウでソースファイルをコンパイルします。
　compile chapter25¥ProductAction.java
② 「tomcat」ウィンドウでTomcatを再起動してから、以下のURLをブラウザで開きます。
　http://localhost:8080/book/chapter25/
③ メニューの「商品」をクリックし、商品検索が機能することを確認してください。

25-05 | カートの項目を表すBean

商品情報を扱うために、本書では次のような商品Bean（Productクラス）を使用しています。

商品Beanのプロパティ
　・商品番号（id）
　・商品名（name）
　・価格（price）

しかし、カートに商品を格納する際には、商品Beanが持つ情報に加えて、個数の情報が必要です。個数を記録するには、次のようにいくつかの方法が考えられます。

① 商品Beanと個数をプロパティに持つ、新しいBeanを作成する

本章ではこの方法を採用して、項目Bean（Itemクラス）を作成することにします。

② 商品Beanに個数のプロパティを追加する

新しくクラスを作成しないで済ます方法です。本書の場合は、商品テーブルと商品Beanの構成を一致させることで、サンプルや説明を簡単にしたかったので、この方法は採用しませんでした。このような事情がなければ、採用してもよい方法です。

③ 商品Beanのサブクラスとして、個数のプロパティを持つクラスを宣言する

項目Beanを商品Beanのサブクラスにする方法もあります。しかし、Javaは単一継承なので、特に強い必要があるときだけスーパークラスとサブクラスの関係を使いたいと考え、この方法は採用しませんでした。

④ 商品Beanのリストとは別に、個数のリストを用意する

新しくクラスを宣言しなくても済む方法ですが、リストが複数になります。複数のリストを管理するのは煩雑で、クラスを宣言した方が簡単になるので、採用しませんでした。

ここで作成する項目Beanには、次のようなプロパティを用意します。productプロパティにProductオブジェクトを保持することで、結果的に商品番号、商品名、価格もプロパティとして扱うことができるようになります。

項目Beanのプロパティ
- 商品情報（product）─┬─ 商品番号（id）
　　　　　　　　　　　　├─ 商品名（name）
　　　　　　　　　　　　└─ 価格（price）
- 個数（count）

▐ 項目Beanの作成

項目Beanのクラスを作成しましょう。次のプログラムを入力し、book¥WEB-INF¥src¥beanフォルダにItem.javaとして保存してください。

src
└ bean
　　└ Item.java ◀┈┈┈┈ このファイルを作成

List | 25-06 Item.java

```java
package bean;

public class Item implements java.io.Serializable {

    private Product product; ..................................... ❶
    private int count;

    public Product getProduct() {
        return product;
    }
    public int getCount() {
        return count;
    }

    public void setProduct(Product product) {
        this.product=product;
    }
    public void setCount(int count) {
        this.count=count;
    }
}
```

前述のとおり、この項目BeanはProductオブジェクトをプロパティとして持ちます（❶）。ゲッタやセッタの仕組みは、これまでに作成したBeanと同様です。

Column ## ショッピングサイトにおける工夫(1)

実際のサイトを使ってみると、使いやすさや安全性を高めるための工夫があることに気づきます。そのような工夫をいくつか紹介します。

一部のサイトは、一度ログインしておけば、長い時間が経過してもずっとログイン済みのまま使い続けることができます。セッションの有効期間が長めに設定されていると思われます。使うたびにログインしなくて済むので便利なのですが、たとえば会社/学校/ネットカフェなどにある共用のPCでログアウトを忘れると、他人に操作されてしまう危険があります。

そのためこれらのサイトには、ログインから一定時間が経過した場合には、重要な操作（購入、購入履歴の閲覧、送付先の編集など）を行う前に、再ログインを求める工夫があります。

25-06 | カートに商品を追加する

次はカートに商品を追加する機能を作成しましょう。まずは、カートに商品を追加する手順を確認します。

Fig | カートに追加

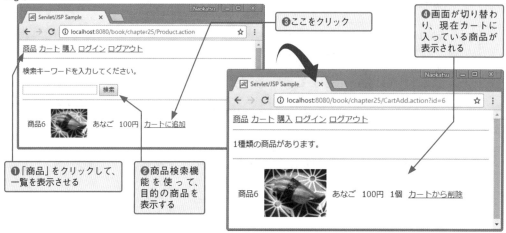

商品検索機能を使うかどうかは任意です。さらに追加する場合は、上記の手順を繰り返します。

Fig | 2種類の商品が追加されたカート

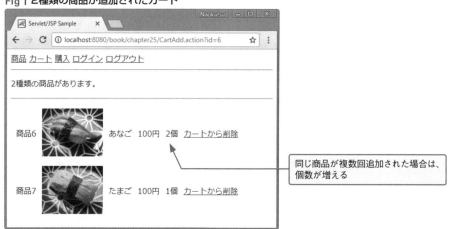

■ カートに商品を追加する処理

カートは項目Beanのリストで表現します。顧客が買い物をしている間、カートが保存されている必要があるので、項目Beanのリストはセッション属性に設定します。

カートに商品を追加するには、リストに項目Beanを追加します。たとえば、以下は「あなご」を追加したカートの状態です。

カート（項目Beanのリスト）

　[項目Bean]　商品番号：6　商品名：あなご　価格：100　個数：1個

　カートに項目を追加する際には、追加しようとしている項目の商品番号が、Beanのリストにすでに存在するかどうかを調べます。存在しないときには、新規に項目Beanを追加します。たとえば、上記のカートに対して「たまご」を追加すると、次のような状態になります。

カート（項目Beanのリスト）

　[項目Bean]　商品番号：6　商品名：あなご　価格：100　個数：1個
　[項目Bean]　商品番号：7　商品名：たまご　価格：100　個数：1個

　追加しようとしている項目の商品番号が、項目Beanのリストに存在していたら、既存の項目Beanについて個数を変更します。たとえば、上記の状態に対して「あなご」を追加すると、次のような状態になります。

カート（項目Beanのリスト）

　[項目Bean]　商品番号：6　商品名：あなご　価格：100　個数：2個
　[項目Bean]　商品番号：7　商品名：たまご　価格：100　個数：1個

カートに追加するアクションの作成

　カートに商品を追加するアクションを作成しましょう。次のプログラムを入力し、book¥WEB-INF¥src¥chapter25フォルダにCartAddAction.javaとして保存してください。

```
src
  └ chapter25
      └ CartAddAction.java ◀········· このファイルを作成
```

List | 25-07 CartAddAction.java

```java
package chapter25;

import bean.Item;
import bean.Product;
import tool.Action;
import jakarta.servlet.http.*;
import java.util.ArrayList;
import java.util.List;

public class CartAddAction extends Action {
```

```
@SuppressWarnings("unchecked")                                               ■1
public String execute(
    HttpServletRequest request, HttpServletResponse response
) throws Exception {

    HttpSession session=request.getSession();

    int id=Integer.parseInt(request.getParameter("id"));                     ■2

    List<Item> cart=(List<Item>)session.getAttribute("cart");                ■3
    if (cart==null) {
        cart=new ArrayList<Item>();
        session.setAttribute("cart", cart);                                  ■4
    }

    for (Item i : cart) {
        if (i.getProduct().getId()==id) {
            i.setCount(i.getCount()+1);
            return "cart.jsp";                                               ■5
        }
    }

    List<Product> list=(List<Product>)session.getAttribute("list");          ■6
    for (Product p : list) {
        if (p.getId()==id) {
            Item i=new Item();
            i.setProduct(p);
            i.setCount(1);                                                   ■7
            cart.add(i);
        }
    }
    return "cart.jsp";
}
}
```

■1では、executeメソッドにSuppressWarningsアノテーションを付加します（→P.266）。これは■3や■6の処理に対するコンパイラの警告を抑制します。

■2はリクエストパラメータから、カートに追加する商品番号を取得する処理です。この値は後でProductオブジェクトのidプロパティ（int型）と比較するため、String型からint型に変換してあります。

■3はセッション属性からカート（項目Beanのリスト）を取得します。nullを取得した場合には、カートが未生成なので、カートを生成してセッション属性に設定します（■4）。

5では、商品番号(id)を使って、これから追加する商品がカート内に存在するかどうかを調べます。前述のとおり、項目Beanはプロパティとして商品Bean(Productオブジェクト)を保持しているので、ゲッタを2重に使用して、商品Beanのidプロパティを取得しています。

商品がカート内に存在する場合には、カート内の項目Beanについて、個数を加算します。そして、cart.jspをフォワード先に指定します。

6以下は、これから追加する商品がカート内に存在しない場合の処理です。まず、セッション属性から商品のリストを取得します。

7では、これから追加する商品のBean(Productオブジェクト)を、商品番号を使って商品リストから探します。商品Beanが見つかったら、項目Bean(Itemオブジェクト)を作成して、この商品Beanをproductプロパティに設定します。さらに、個数を1に設定してから、カートに項目Beanを追加します。

■ カートの内容を表示するJSP

フォワード先のJSPファイルを作成しましょう。カート内の項目リストを表示する方法は、商品検索において商品リストを表示する方法に似ています。

次のJSPファイルを入力し、book¥chapter25フォルダにcart.jspとして保存してください。

book
└ chapter25
　　└ cart.jsp ◀········· このファイルを作成

List | 25-08 cart.jsp

```jsp
<%@page contentType="text/html; charset=UTF-8" %>
<%@taglib prefix="c" uri="jakarta.tags.sql" %>
<%@include file="../header.html" %>
<%@include file="menu.jsp" %>

<c:choose>
    <c:when test="${cart.size()>0}">
        <p>${cart.size()}種類の商品があります。</p>
        <hr>
    </c:when>                                                                  ◀━ 1
    <c:otherwise>
        <p>カートに商品がありません。</p>
    </c:otherwise>
</c:choose>

<table style="border-collapse:separate;border-spacing:10px;">            ◀━ 2
<c:forEach var="item" items="${cart}">
    <tr>
    <td>商品${item.product.id}</td>                                            ◀━ 3
```

```
        <td><img src="image/${item.product.id}.jpg" height="96"></td>
        <td>${item.product.name}</td>
        <td>${item.product.price}円</td>
        <td>${item.count}個</td>
        <td><a href="CartRemove.action?id=${item.product.id}">  ........................ 4
            カートから削除</a></td>
        </tr>
    </c:forEach>
    </table>

    <%@include file="../footer.html" %>
```

■1では、カート内にある商品の種類数を表示します。カート（cart）に対してsizeメソッド（java.util.Listインタフェース）を呼び出すことによって、カート内の要素数を取得し、表示します。カートに商品がない場合には、「カートに商品がありません。」というメッセージを表示します。商品があるかどうかの条件分岐には、JSTLの<c:choose>タグを使います（→P.345）。

　多くのショッピングカートでは、商品の合計個数や合計価格を表示します。合計個数や合計価格を表示するには、アクションやJSPに、合計を計算する処理が必要です。本書ではプログラムを簡単にするために、簡単に取得できる種類数を表示することにしました。

■2の<table>タグでは、セッション属性に保存されたカートの内容を表示します。product.jspの場合と同様に、JSTLの<c:forEach>タグ（→P.337）を使って繰り返しを行いますが、今回は処理対象が商品Beanではなく項目Beanなので、少し勝手が違います。

　項目Beanは、商品Beanをproductプロパティとして保持しています。項目Beanをitemで表すと、商品Beanを取得するためのEL式は、次のように記述します。

```
${item.product}
```

　ここでproductプロパティが保持する商品Beanのプロパティにアクセスするためには、P.319で解説したように、.演算子を重ねて使います。以下は商品Beanのidプロパティの値を取得する場合のEL式です（■3）。

```
${item.product.id}
```

■4はカート内の項目を削除するためのリンクです。リンク先はCartRemove.actionです。リクエストパラメータ名をidとして、削除する商品の商品番号を渡します。

■ コンパイルと実行

① 「compile」ウィンドウでソースファイルをコンパイルします。

compile chapter25¥CartAddAction.java

② 「tomcat」ウィンドウでTomcatを再起動してから、以下のURLをブラウザで開きます。

http://localhost:8080/book/chapter25/

③ P.404の画面を参考に、商品がカートに追加されることを確認してください。

　なお、現在はまだカートから商品を削除する処理は実装していないので、「カートから削除」のリンクをクリックしてもエラーになります。

25-07 | 購入画面の作成

　多くのショッピングサイトでは、購入手続きの際に、サイトにログインしていることや、カートに商品が入っていることを確認します。このようなサイトを参考に、以下の事柄を確認するプログラムを作成してみましょう。

① ログインしていること

　Chapter24で作成したログイン機能を使います。ログインしていない場合には、ログインを促すメッセージを表示します。

② カートに商品が入っていること（カートが空ではないこと）

　カートに商品が入っていない場合には、カートが空であるというメッセージを表示します。

　①②が確認できた場合には、購入画面を表示します。購入画面には、カートの内容と、名前や住所の入力欄を表示することにしましょう。

Fig｜購入画面の動作

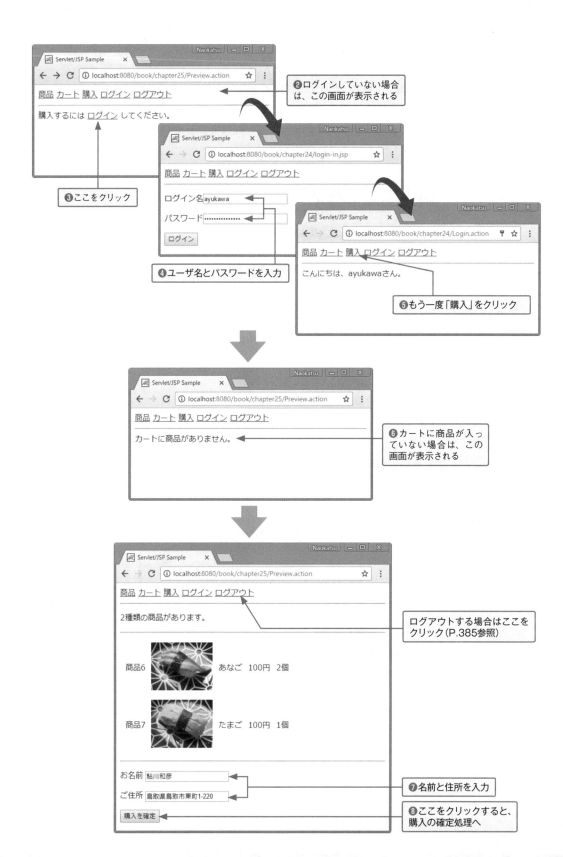

②ログインしていない場合
は、この画面が表示される

③ここをクリック

④ユーザ名とパスワードを入力

⑤もう一度「購入」をクリック

⑥カートに商品が入っ
ていない場合は、この
画面が表示される

ログアウトする場合はここを
クリック（P.385参照）

⑦名前と住所を入力

⑧ここをクリックすると、
購入の確定処理へ

■ ログイン機能に対するメニューの追加

Chapter24で作成したログインとログアウトの機能を、ショッピングサイトと連携させるために、book¥chapter24フォルダにある以下のファイルを変更してください。

login-in.jsp   logout-in.jsp

login-out.jsp   logout-out.jsp

login-error.jsp   logout-error.jsp

各ファイルの2行目にある、header.htmlをインクルードしているコードの次に、

```
<%@include file="../chapter25/menu.jsp" %>
```

という行を挿入してください。たとえばlogin-in.jspは次のように変更します。

List | 25-09 login-in.jsp

```
<%@page contentType="text/html; charset=UTF-8" %>
<%@include file="../header.html" %>
<%@include file="../chapter25/menu.jsp" %>

<form action="Login.action" method="post">
<p>ログイン名<input type="text" name="login"></p>
<p>パスワード<input type="password" name="password"></p>
<p><input type="submit" value="ログイン"></p>
</form>

<%@include file="../footer.html" %>
```

これで、ログインとログアウトに関する各ページの上部に、ショッピングサイトのメニューが表示されます。他のファイルも同様に修正してください。

■ 購入前の確認アクションの作成

購入前にログインしているかどうかの確認を行うアクションを作成しましょう。次のプログラムを入力し、book¥WEB-INF¥src¥chapter25フォルダにPreviewAction.javaとして保存してください。

src
　└ chapter25
　　　└ PreviewAction.java ◀······· このファイルを作成

```
package chapter25;

import bean.Item;
import tool.Action;
import jakarta.servlet.http.*;
import java.util.List;

public class PreviewAction extends Action {
    @SuppressWarnings("unchecked")
    public String execute(
        HttpServletRequest request, HttpServletResponse response
    ) throws Exception {

        HttpSession session=request.getSession();

        if (session.getAttribute("customer")==null) {
            return "preview-error-login.jsp";                          ■1
        }

        List<Item> cart=(List<Item>)session.getAttribute("cart");
        if (cart==null || cart.size()==0) {
            return "preview-error-cart.jsp";                           ■2
        }

        return "purchase-in.jsp";                                     ■3
    }
}
```

■1ではセッション属性から顧客情報を取得します。Chapter24のログインアクション（LoginAction.java）は、ログインに成功すると、属性名customerに顧客情報（顧客Bean）を設定します。したがって、属性に顧客情報が設定されていないときには、未ログインということです。そこで■1では、属性から取得した値がnullであるときは未ログインと判定して、ログインを促すページ（preview-error-login.jsp）をフォワード先に指定します。

■2ではセッション属性からカートを取得します。カートが存在しないか空の場合には、カートに関するメッセージのページ（preview-error-cart.jsp）をフォワード先に指定します。

■3では、ログイン済みでカートが空ではない場合に、購入画面（purchase-in.jsp）をフォワード先に指定します。

■ 未ログインの場合のJSPファイル

未ログインの場合のメッセージを表示するJSPファイルを作成しましょう。次のJSPファイルを入力し、book¥chapter25フォルダにpreview-error-login.jspとして保存してください。

List | 25-11 preview-error-login.jsp

```
<%@page contentType="text/html; charset=UTF-8" %>
<%@include file="../header.html" %>
<%@include file="menu.jsp" %>

購入するには
<a href="../chapter24/login-in.jsp">ログイン</a> ············1
してください。

<%@include file="../footer.html" %>
```

1はChapter24で作成したログイン画面へのリンクです。

■ カートが空の場合のJSPファイル

カートが空の場合は、「カートに商品がありません。」というメッセージを表示します。次のJSPファイルを入力し、book¥chapter25フォルダにpreview-error-cart.jspとして保存してください。

book
└ chapter25
　　└ preview-error-cart.jsp ◄·········· このファイルを作成

List | 25-12 preview-error-cart.jsp

```
<%@page contentType="text/html; charset=UTF-8" %>
<%@include file="../header.html" %>
<%@include file="menu.jsp" %>

カートに商品がありません。

<%@include file="../footer.html" %>
```

■ 購入画面を表示するJSPファイル

購入画面を表示するJSPファイルを作成しましょう。次のJSPファイルを入力し、book¥chapter25フォルダにpurchase-in.jspとして保存してください。

List | 25-13 purchase-in.jsp

```jsp
<%@page contentType="text/html; charset=UTF-8" %>
<%@taglib prefix="c" uri="jakarta.tags.sql" %>
<%@include file="../header.html" %>
<%@include file="menu.jsp" %>

<p>${cart.size()}種類の商品があります。</p> ················ ■
<hr>

<table style="border-collapse:separate;border-spacing:10px;">
<c:forEach var="item" items="${cart}">
    <tr>
    <td>商品${item.product.id}</td>
    <td><img src="image/${item.product.id}.jpg" height="96"></td>
    <td>${item.product.name}</td>                                      ■
    <td>${item.product.price}円</td>
    <td>${item.count}個</td>
    </tr>
</c:forEach>
</table>
<hr>

<form action="Purchase.action" method="post">
<p>お名前 <input type="text" name="name"></p>
<p>ご住所 <input type="text" name="address"></p>          ■
<p><input type="submit" value="購入を確定"></p>
</form>

<%@include file="../footer.html" %>
```

■はカート内にある商品の種類数を表示する処理ですが、cart.jsp（→P.407）とは違って、カートに何も入っていない場合は考慮する必要がありません。

カートの中身を表示する処理は、cart.jspとほとんど同じですが、「カートから削除」のリンクは設置しません（■）。JSTLの<c:forEach>タグを使って、繰り返しを行います。

■は名前と住所を入力するためのフォームです。「購入を確定」ボタンを配置します。

■ **コンパイルと実行**

① 「compile」ウィンドウでソースファイルをコンパイルします。

compile chapter25¥PreviewAction.java

② 「tomcat」ウィンドウでTomcatを再起動してから、以下のURLをブラウザで開きます。

http://localhost:8080/book/chapter25/

③ カートに商品を追加して、メニューから「購入」をクリックします。以降はP.410のような動作が行われるかどうかを確認してください。

25-08 | 購入処理の実装

　購入処理を実現するために、購入テーブル (purchase) に対して必要なデータを登録するための、購入DAO (PurchaseDAOクラス) を作成します。購入DAOには、購入情報を登録する処理 (insertメソッド) を設けます。

▐ 購入情報の登録

　購入情報は購入テーブルに登録します。たとえば、カート内に次のような2種類の商品があるとします。

商品番号：6 商品名：あなご　価格：100　個数：2個
商品番号：7 商品名：たまご　価格：100　個数：1個

　名前と住所を次のように入力したとします。

名前：鮎川和彦
住所：鳥取県鳥取市東町1-220

　購入テーブルには、次のような情報を登録します。

購入番号：1 商品番号：6　商品名：あなご　価格：100　個数：2個
　　　　　　顧客名：鮎川和彦　住所：鳥取県鳥取市東町1-220
購入番号：2 商品番号：7　商品名：たまご　価格：100　個数：1個
　　　　　　顧客名：鮎川和彦　住所：鳥取県鳥取市東町1-220

　購入番号は自動的に採番されます。カートにあるすべての商品について、名前と住所を付加

して登録します。複数の商品に対して同じ名前と住所を登録するのは冗長ですが、購入テーブルだけで購入情報を管理できるという、簡単さを優先しました。

PurchaseDAOの作成

PurchaseDAOクラスのプログラムを作成しましょう。次のプログラムを入力し、book¥WEB-INF¥src¥daoフォルダにPurchaseDAO.javaとして保存してください。

List | 25-14 PurchaseDAO.java

```java
package dao;

import bean.Item;
import bean.Product;
import java.sql.Connection;
import java.sql.PreparedStatement;
import java.util.List;

public class PurchaseDAO extends DAO {
    public boolean insert(
        List<Item> cart, String name, String address
    ) throws Exception {
        Connection con=getConnection();
        con.setAutoCommit(false);                                    ①

        for (Item item : cart) {                                     ②
            PreparedStatement st=con.prepareStatement(
                "insert into purchase(product_id, product_name, "+
                "product_price, product_count, customer_name, "+
                "customer_address) values(?, ?, ?, ?, ?, ?)");
            Product p=item.getProduct();
            st.setInt(1, p.getId());                                 ③
            st.setString(2, p.getName());
            st.setInt(3, p.getPrice());
            st.setInt(4, item.getCount());
            st.setString(5, name);
            st.setString(6, address);
            int line=st.executeUpdate();                             ④
            st.close();
```

```
            if (line!=1) {
                con.rollback();
                con.setAutoCommit(true);
                con.close();
                return false;
            }
        }

        con.commit();
        con.setAutoCommit(true);
        con.close();
        return true;
    }
}
```

⑤

⑥

　PurchaseDAOでは、購入テーブルに複数の行を追加するために、SQL文（insert文）を複数回実行します。いずれかのSQL文の実行に失敗した場合、中途半端に購入情報が登録された状態になってしまうのは不都合です。そこで、トランザクション（→P.213）の機能を使います。すべてのSQL文の実行に成功した場合には、コミットを行い、変更を反映します。途中でSQL文の実行に失敗した場合には、ロールバックを行い、すべての変更を取り消します。

　1は自動コミットモードの設定です。自動コミットモードを無効にして、コミットやロールバックを手動で行えるようにします。

　2の拡張for文は、現在カートに入っている商品の種類数だけinsert文を実行して、purchaseテーブルに行を追加します。

　3はinsert文の作成です。SQL文のプレースホルダには、項目Bean（Itemオブジェクト）や商品Bean（Productオブジェクト）のプロパティと、insertメソッドの引数である名前（name）および住所（address）を設定します。

　insert文を発行するexecuteUpdateメソッドは、変更した行数を返します。正常に更新すると行数は1、失敗すると行数は0になります（**4**）。

　5は繰り返し実行されるinsert文のいずれかが失敗した場合の処理です。ロールバックを行い、自動コミットモードを有効に戻して、falseを返します。

　6はすべてのSQL文の実行に成功した場合の処理です。コミットを行い、自動コミットモードを有効に戻して、trueを返します。

25-09 | 購入の確定

　購入するには、購入画面において名前と住所を入力した後に、「購入を確定」を選択します。購入が確定すると、Webアプリケーションはデータベースに購入情報を登録して、購入が完了したというメッセージを表示します。

Fig | 購入画面の確定処理

名前や住所の入力を忘れていた場合には、次のようなメッセージを表示します。

Fig | 購入失敗時のメッセージ（名前や住所の未入力）

　また、データベースへの登録処理の途中で問題が起きた場合には、次のようなエラーメッセージを表示します。実際のショッピングサイトでは、利用者が非常に多くて混雑しているときなどに、このようなエラーが発生することがあります。

Fig | 購入失敗時のメッセージ（データベース登録）

　このサンプルでは、データベースとの接続が切れるなどの問題が起きた場合には、発生した例外の内容をそのまま表示しています。これはプログラムのデバッグを容易にすることを優先したためです。より実際のショッピングサイトに近くするには、例外を利用者にそのまま提示するのではなく、利用者にとってわかりやすいメッセージ（たとえば、時間をおいて再度の操作を求めるメッセージなど）を表示するとよいでしょう。

　購入テーブルに登録された購入情報は、H2コンソールで確認することができます。H2コンソールで、次のようなSQL文を実行してください。

```
select * from purchase;
```

　次のように購入テーブルの内容が表示されます。

Fig | 購入テーブルの確認

購入アクションの作成

　購入を確定するアクションを作成しましょう。次のプログラムを入力し、book¥WEB-INF¥src¥chapter25フォルダにPurchaseAction.javaとして保存してください。

List | 25-15 PurchaseAction.java

```
package chapter25;

import bean.Item;
import dao.PurchaseDAO;
import tool.Action;
```

```
import jakarta.servlet.http.*;
import java.util.List;

public class PurchaseAction extends Action {
    @SuppressWarnings("unchecked")
    public String execute(
        HttpServletRequest request, HttpServletResponse response
    ) throws Exception {

        HttpSession session=request.getSession();

        String name=request.getParameter("name");
        String address=request.getParameter("address");
        if (name.isEmpty() || address.isEmpty()) {       ┐
            return "purchase-error-empty.jsp";            │──1
        }                                                 ┘

        PurchaseDAO dao=new PurchaseDAO();
        List<Item> cart=(List<Item>)session.getAttribute("cart");
        if (cart==null || !dao.insert(cart, name, address)) {  ┐
            return "purchase-error-insert.jsp";            │──2
        }                                                 ┘

        session.removeAttribute("cart");                  ┐──3
        return "purchase-out.jsp";                        ┘
    }
}
```

1では、フォームから送られた名前と住所を、リクエストパラメータから取得します。名前または住所が空の場合には、purchase-error-empty.jspをフォワード先に指定して、エラーメッセージを表示します。

2は購入情報の登録です。セッション属性からカートを取得し、名前や住所とあわせて、PurchaseDAOのinsertメソッドに渡します。カートの取得やデータベース処理に失敗した場合には、purchase-error-insert.jspをフォワード先に指定して、エラーメッセージを表示します。

3は登録に成功した場合です。購入済みのカートを削除するために、removeAttributeメソッドを使って、セッション属性からカートを削除します。最後にpurchase-out.jspをフォワード先に指定して、購入が成功したというメッセージを表示します。

■ 各メッセージのJSPファイル

購入成功時と購入失敗時のメッセージを表示するJSPファイルを作成しましょう。次の3つのJSPファイルを入力し、book¥chapter25フォルダに保存してください。

```
book
  chapter25
    purchase-out.jsp          ◀┈┈┈┈┈┈┈┈┈┈  購入成功時のメッセージ
    purchase-error-empty.jsp  ◀┈┈┈┈  名前や住所が未入力の際のエラーメッセージ
    purchase-error-insert.jsp ◀┈┈┈┈  データベース登録時のエラーメッセージ
```

List | 25-16 purchase-out.jsp

```
<%@page contentType="text/html; charset=UTF-8" %>
<%@include file="../header.html" %>
<%@include file="menu.jsp" %>

購入手続きが完了しました。

<%@include file="../footer.html" %>
```

List | 25-17 purchase-error-empty.jsp

```
<%@page contentType="text/html; charset=UTF-8" %>
<%@include file="../header.html" %>
<%@include file="menu.jsp" %>

名前と住所を正しく入力してください。

<%@include file="../footer.html" %>
```

List | 25-18 purchase-error-insert.jsp

```
<%@page contentType="text/html; charset=UTF-8" %>
<%@include file="../header.html" %>
<%@include file="menu.jsp" %>

購入手続き中にエラーが発生しました。

<%@include file="../footer.html" %>
```

■ コンパイルと実行

① 「compile」ウィンドウでソースファイルをコンパイルします。

compile chapter25¥PurchaseAction.java

② 「tomcat」ウィンドウでTomcatを再起動してから、以下のURLをブラウザで開きます。

http://localhost:8080/book/chapter25/

③ ログインした状態でカートに商品を追加して、メニューから「購入」をクリックします。

④ 名前と住所を入力して、「購入を確定」ボタンをクリックします。

 Column ショッピングサイトにおける工夫(2)

　多くのサイトでは、カートに商品を入れたときに、「カートに商品を入れました」というページに移動します。しかし利用者としては、関連する商品も続けてカートに入れたい場合がよくあります。たとえば、マンガのある巻をカートに入れた後に、次の巻もまとめてカートに入れたいような場合です。

　販売を促進するには、カートに商品を入れた後のページから、入れる前のページにスムーズに戻るための工夫が必要です。実際のサイトには、たとえば次のような工夫が見られます。

・ カートに入れた後のページで「ショッピングを続ける」というリンクを選択すると、商品の詳細ページに戻る。

・ 商品の詳細ページがブラウザの新規タブで開くようになっているので、商品をカートに入れた後にタブを閉じれば、商品の一覧ページに戻る。

・ カートに商品を入れても元のページから移動せずに、ポップアップなどで「カートに商品を入れました」というメッセージを表示し、一定時間で自動的にポップアップを消す。

▶ まとめ

　本章では今までに学んだ知識を使って、次のようなプログラムを開発し、簡単なショッピングサイトを作成しました。

・ 商品を検索する機能

・ カートに商品を追加する機能

・ カート内の商品を表示する機能

・ カート内の商品を購入する機能

　このショッピングサイトには、次のような機能を追加することができます。プログラムを簡単にするために、これらの機能は作成しませんでしたが、必要な知識は本書で解説しています。興味を持ったら、ぜひ開発してみてください。

商品の個数を指定する機能

　商品をカートに追加する際に、個数をセレクトボックスなどで選択する機能です。カー

ト内の商品について個数を変更する機能も、同様に実現できます。

合計個数や合計金額を表示する機能

カート画面や購入画面において、カート内の商品の合計個数や合計金額を表示する機能です。合計個数や合計金額は、アクションなどで計算して属性に登録し、JSPで取得して表示する方法と、JSPで計算する方法があります。

次章では、作成したWebアプリケーションをWARファイルにまとめる方法や、WARファイルをアプリケーションサーバ上で公開する方法を学びます。

練習問題　カート画面で表示される「カートから削除」のリンクから起動する機能は、まだ実装されていません。カート内の商品を削除するアクション（CartRemoveActionクラス）を作成してください。

●削除機能の流れ

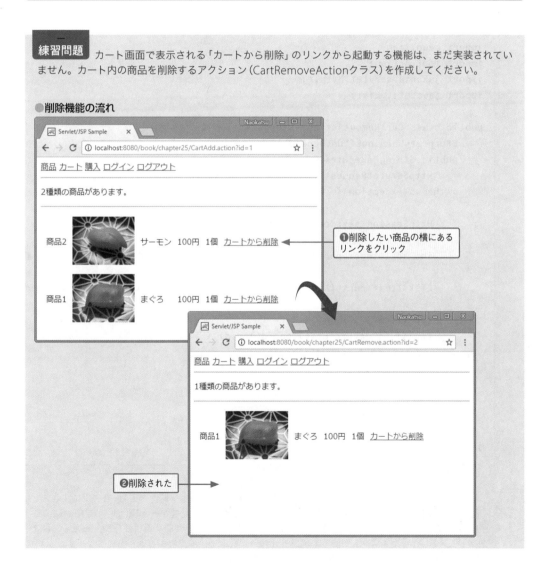

❶削除したい商品の横にあるリンクをクリック

❷削除された

「カートから削除」リンクは、cart.jsp（→P.407）において、次のような<a>タグで記述されています。

```
<a href="CartRemove.action?id=${item.product.id}">
```

リクエストパラメータ名idに、削除する商品番号が設定されます。この商品番号を利用して、カートから商品を削除します。ソースファイルはWEB-INF¥src¥chapter25フォルダに作成してください。

解答例

List | CartRemoveAction.java

```java
package chapter25;

import bean.Item;
import tool.Action;
import jakarta.servlet.http.*;
import java.util.List;

public class CartRemoveAction extends Action {
    @SuppressWarnings("unchecked")
    public String execute(
        HttpServletRequest request, HttpServletResponse response
    ) throws Exception {

        HttpSession session=request.getSession();

        int id=Integer.parseInt(request.getParameter("id")); ┄┄┄1

        List<Item> cart=(List<Item>)session.getAttribute("cart"); ┄┄┄2

        for (Item i : cart) {
            if (i.getProduct().getId()==id) {
                cart.remove(i);
                break;
            }
        } ┄┄┄3
        return "cart.jsp"; ┄┄┄4
    }
}
```

1でリクエストパラメータから商品番号を取得し、2ではセッション属性からカートを取得します。

3では、指定された商品番号の項目Beanをカートから検索し、見つかった項目Beanを削除します。拡張for文を使って、カート内の項目Beanを順に調べます。指定された商品番号が見つかったら、Listインタフェースのremoveメソッドを使って項目Beanを削除し、break文で繰り返しを終了します。

4では、再びカートを表示するために、フォワード先をcart.jspに指定します。

Chapter
26 Webアプリケーションの公開

本章ではWebアプリケーションの公開方法について学びます。このためには、作成したWebアプリケーションを1つのファイルにまとめるためのWARファイルと、これをアプリケーションサーバ上にインストールするデプロイについて知る必要があります。

26-01 | WARファイルとは

WARはWeb application ARchiveの略で、Webアプリケーションをファイルに圧縮してまとめるための形式です。Webアプリケーションを構成する多数のファイルを、1つのWARファイルにまとめることができます。WARファイルにまとめることで、Webアプリケーションの配布やインストールが簡単になります。

Webアプリケーションをアプリケーションサーバにインストールすることを、デプロイ(deploy)と呼びます。デプロイというのは、軍隊などを配備することを表す言葉です。WAR(戦争)という言葉に引っかけて、デプロイ(配備)という言葉を選んだと思われます。Webアプリケーションのインストールに関しては、「デプロイする」または「配備する」という表現を使います。

■ 標準のデプロイ手順

Jakarta EEでは、Webアプリケーションを作成して実行するまでの、標準の方法を定めています。

① Webアプリケーションを構成するクラスファイルやJSPファイルなどを作成します。
② ファイルを指定の構成に配置した上で、WARファイルにまとめます。
③ WARファイルをアプリケーションサーバにデプロイします。

Webアプリケーションの開発中は、ファイルを頻繁に作成したり変更したりします。そのたびにファイル一式をWARファイルにまとめた上で、アプリケーションサーバ上でデプロイを行うのでは、開発作業の効率が低下します。

そのためアプリケーションサーバの多くは、標準の方法以外に、開発に向いた簡単なデプロイの方法を用意しています。たとえばTomcatの場合には、webappsフォルダ以下にWebアプリケーションのフォルダを作成し、ファイルを指定の構成に配置すれば、WARファイルを作成しなくてもWebアプリケーションを実行できます。今まで本書でWebアプリケーションを開発し実行するためには、この簡易的な方法を使ってきました。

標準の方法が役に立つのは、Webアプリケーションをリリース（公開）するときです。関連ファイルの一式をWARファイルにまとめれば、配布やインストールが簡単になります。Tomcatで開発したWebアプリケーションを、他のアプリケーションサーバにインストールする際にも、WARファイルが役立ちます。

WARファイルの作成

　本章の作業を行う前に、今までに作成してきたbookアプリケーションをバックアップしておいてください。操作を誤ると、bookアプリケーションを削除してしまう危険性があるためです。簡単なバックアップの方法は、bookフォルダをコピーして、他の場所に貼り付けることです。

　WARファイルを作成するには、JDKに付属するjarコマンドを使います。jarコマンドは、Javaにおける標準的な圧縮ファイルの形式である、JAR（Java ARchive）を扱うためのツールです。WARファイルを作成するためのコマンドは、次のとおりです。

書式　WARファイルの作成

jar cvf WARファイル名 -C フォルダ 圧縮するファイルやフォルダ

　jarコマンドのオプションであるcはアーカイブの作成、vは詳細な出力、fはWARファイル名の指定を意味します。

　「-C フォルダ」は指定したフォルダを一時的にカレントフォルダにします。WARファイルを作成する場合、圧縮したいファイルがあるフォルダ（多くの場合はWebアプリケーションのコンテキストルートに対応するフォルダ）に移動する必要があるので、このオプションを使います。別の方法としては、jarコマンドの実行前にcdコマンドでカレントフォルダを変更する方法もあります。本書では、WARファイルの作成後に再びコンパイルの作業に戻ることを想定して、-Cオプションを使いました。

　「圧縮するファイルやフォルダ」には、WARファイルに格納するファイルを指定します。「.」を指定すると、カレントフォルダ以下（サブフォルダを含む）のすべてのファイルを格納します

　本書で作成したbookアプリケーション（c:¥work¥tomcat¥webapps¥bookフォルダ）を、c:¥work¥book-deploy.warというWARファイルにまとめてみましょう。「compile」ウィンドウで次のコマンドを実行してください。

```
jar cvf c:¥work¥book-deploy.war -C c:¥work¥tomcat¥webapps¥book .
```

　実行に成功すると、c:¥workフォルダにbook-deploy.warファイルが作成されます。ファイルが作成されたことを、エクスプローラで確認してください。

Fig｜作成されたWARファイル

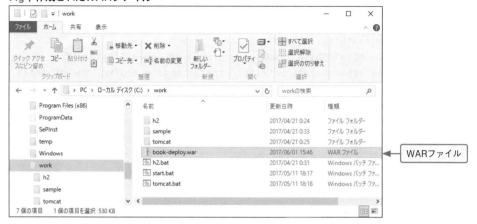

26-02 ｜ デプロイ

Webアプリケーションをアプリケーションサーバにインストールすることを、デプロイと呼びます。デプロイの方法はアプリケーションサーバによって異なります。本書ではTomcatを使って、デプロイの作業を行ってみましょう。

Tomcatの場合には、Tomcatに同梱されているManagerというWebアプリケーションを使って、デプロイの作業を行います。デプロイの作業自体は簡単ですが、Managerを使うために少しだけ準備が必要です。

■ ユーザの作成

Managerを使うためには、Tomcat上でユーザを作成する必要があります。本書の環境では、あらかじめユーザを作成してあるので、以下の設定作業は不要です。本書以外の環境を使用する場合には、以下の手順に沿って、設定作業を行ってください。本書の環境については、設定ファイルを開いて、設定内容を確認してみてください。

ユーザを作成するには、tomcat¥conf¥tomcat-users.xmlファイルを、テキストエディタで開きます。

ユーザに関する設定は、tomcat-users要素の中に、次のような形式のuser要素を記述することで行います。

```
<user username="ユーザ名" password="パスワード" roles="権限"/>
```

権限にはユーザが使用する機能を指定します。本書ではGUI版のManagerを使用するので、「manager-gui」と記述します。権限の種類はほかにもありますが、本書では扱いません。

たとえば、ユーザ名をuser、パスワードをpassとする場合には、次のように記述します。

List | 26-01 tomcat-users.xml

```xml
<?xml version="1.0" encoding="UTF-8"?>
<tomcat-users xmlns="http://tomcat.apache.org/xml"
              xmlns:xsi="http://www.w3.org/2001/XMLSchema-instance"
              xsi:schemaLocation="http://tomcat.apache.org/xml tomcat-users.xsd"
              version="1.0">
...
<user username="user" password="pass" roles="manager-gui"/>
</tomcat-users>
```

ユーザを追加した後は、Tomcatを再起動する必要があります。

Managerの起動

ユーザを作成したら、Managerを起動することができます。最初に以下のURLをブラウザで開いて、Tomcatのトップ画面を表示します。

```
http://localhost:8080/
```

トップ画面の右上にある「Manager App」ボタンを選択します。最初にManagerを起動する際には、ログイン用のダイアログが表示されますので、tomcat-users.xmlファイルに追加したユーザのユーザ名とパスワードを入力して、「ログイン」ボタンを押します。本書の環境を使用する場合、ユーザ名は「user」、パスワードは「pass」を入力してください。

Fig | Managerへログイン

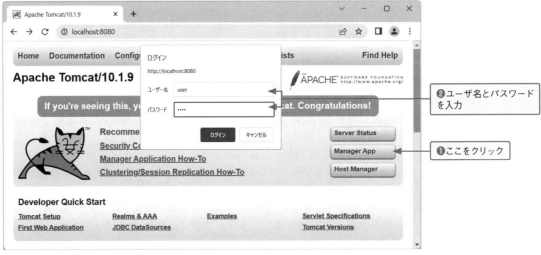

　以下のURLをブラウザで開くと、トップ画面を経由せずに、直接Managerを起動することができます。Managerを頻繁に使う場合には、このURLをブックマークに登録しておくとよいでしょう。

```
http://localhost:8080/manager/html
```

■ ManagerによるWebアプリケーションの操作

　Managerは、Tomcat上で稼働しているWebアプリケーションの一覧を表示します。本書で作成したbookアプリケーションも、Managerの画面に表示されています。各アプリケーションの横には、アプリケーションに対して適用できるコマンドのボタンがあります。

Fig | Managerの画面

Table | Managerのボタン

ボタン	解説
起動／停止	Tomcatのデフォルトでは、起動時にwebappフォルダ内にあるすべてのアプリケーションが起動されますが、Managerを使えばアプリケーションごとに起動と停止ができます
再ロード	アプリケーションをリロードします。自動リロード（→P.42）では、新たなソースファイルをコンパイルしたときはリロードされませんが、このボタンを使えば強制的にリロードでき、結果的にTomcatを再起動するのと同じ効果があります
配備解除	アプリケーションを削除します

配備解除については、特に注意して使用してください。配備解除を行うと、アプリケーションのフォルダが削除されます。本書で作成したbookアプリケーションは、決して配備解除しないでください。作成したソースファイルなどが失われてしまいます。

WARファイルの配備

Managerの画面の下方に「WARファイルの配備」という欄があります。「アップロードするWARファイルの選択」の右にある「ファイルを選択」ボタンを実行すると、ファイルダイアログが表示されるので、先ほど作成したc:¥work¥book-deploy.warを選択してください。最後に「配備」ボタンをクリックします。

Fig | WARファイルの配備

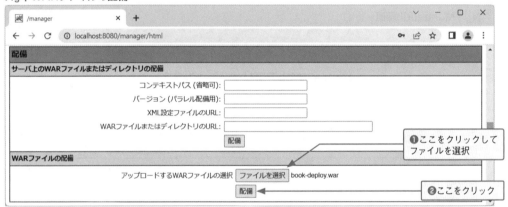

book-deployアプリケーションが配備されて、アプリケーションの一覧に表示されます。

Fig | 配備されたWebアプリケーション

　Managerを使ってWARファイルを配備する場合、WARファイル名から拡張子.warを除いた名前が、配備されたWebアプリケーションの名前になります。ここではbook-deploy.warを配備したので、Webアプリケーション名はbook-deployになりました。WARファイル名を変更しておけば、Webアプリケーション名を変更することができます。

　book-deployアプリケーションが正しく配備されたかどうかを、実行して確かめましょう。ブラウザで以下のURLを開きます。

```
http://localhost:8080/book-deploy/chapter4/hello2
```

　これはChapter04で作成したサーブレットです。

Fig | Webアプリケーションの動作確認

　他のサーブレットやJSPも同様に実行できます。今までにURLでbookと記述していた部分を、book-deployに変更して、ブラウザで開いてみてください。

Column EARファイル

　EAR (Enterprise Application aRchive) は、WARとともにJakarta EEで用いるファイル形式です。WARと同様に、Javaにおける標準の圧縮形式であるJAR (Java ARchive) に基づいており、jarコマンドで作成することができます。EARファイルの拡張子は.earです。

　EARファイルには複数のWARファイルやJARファイルを含めることができます。JARファイルにはEJB (Jakarta Enterprise Beans、以前はEnterprise JavaBeans) のクラスファイルを含めます。EJBはJakarta EE (以前はJava EE) が定める仕様の1つで、永続化/トランザクション/セキュリティなどの機能を提供することが特徴です。

　EARファイルにはapplication.xmlという設定ファイルも含める必要があります。このファイルには、EARファイルに含まれる各WARファイルのコンテキストルートの設定や、アプリケーション全体の名前/アイコン/説明などを記述します。

配備解除

　配備解除も実際に操作してみましょう。重ねての注意になりますが、bookアプリケーションは決して配備解除しないでください。Managerの画面で、book-deployアプリケーションの

右にある「配備解除」ボタンを実行します。配備解除に成功すると、画面の上部に「OK - コンテキストパス /book-deploy のアプリケーションを配備解除しました」というメッセージが表示されます。アプリケーションの一覧から、book-deployアプリケーションが削除されます。

Fig | 配備解除後の画面

Tomcat上で多数のWebアプリケーションが稼働していると、処理速度が低下する可能性があります。不要なWebアプリケーションについては配備解除を行うと、負荷を減らすことができます。配備解除により、Webアプリケーションのフォルダが削除されるので、必要なWebアプリケーションを配備解除しないように注意してください。特にTomcat上で開発中のWebアプリケーションについては、配備や配備解除の操作を行う前に、バックアップをしておくことをおすすめします。

▶ まとめ

　本章ではWARファイルとデプロイについて学びました。Webアプリケーションの開発中は、WARファイルやデプロイは使わずに、アプリケーションサーバが用意した簡易的な方法を使うことが多いでしょう。WARファイルやデプロイの知識は、完成したWebアプリケーションを公開する際などに役立ちます。

　本書をここまで読み進めていただくことで、Webアプリケーションの開発から公開までの方法を、一通り学んでいただきました。この後の付録では、Eclipseを使ってWebアプリケーションを開発する方法や、エラーが起きたときの対処方法などを紹介しています。必要に応じて、付録をご活用いただければ幸いです。

Appendix

付　録

01 Eclipseの利用

EclipseはJavaによる開発のほか、他の多くのプログラミング言語による開発に対応しています。JavaによるWebアプリケーションの開発にも、Eclipseはよく使われています。本書では、最も基本的な開発環境であるJDKとコマンドプロンプトを使って開発を進めてきましたが、業務や研修などでEclipseをお使いになる場合も少なくないでしょう。

A1-01 | Eclipseの導入

EclipseはIBMが開発した統合開発環境で、現在はEclipse Foundation (https://www.eclipse.org/)が開発しています。Eclipseはオープンソースソフトウェアで、Javaで開発されています。

本稿では、EclipseでWebアプリケーションを開発するための基本的な知識を解説します。また、本書で作成したサンプルプログラムをEclipseに取り込んだり、Eclipse上で実行する方法についても説明します。

■ Pleiades All in Oneとは

Pleiades All in One (以下Pleiades) は、Eclipse本体に加えて、日本語化を行うためのプラグインと、各種プログラミング言語向けのプラグインをまとめたパッケージです。プラグインとは、Eclipseの機能を拡張するためのソフトウェアです。Eclipseを使った開発では、開発に必要なプラグインをプログラマが揃える必要がありますが、典型的な目的別にあらかじめプラグインを揃えてあるのがPleiadesです。導入がとても簡単なので、本書ではPleiadesを用いることにします。

なお、Eclipseとは日食や月食のことで、Pleiadesとはプレアデス星団 (日本語では「すばる」) のことです。Eclipse関連の名前には、宇宙に関係する名前が多く使われています。Eclipseの各バージョンにも、木星の衛星名などが使われてきました。

■ Pleiadesの入手

Pleiadesは以下のWebサイトから入手できます。

MergeDoc Project

https://mergedoc.osdn.jp/

Fig | PleiadesのWebサイト

本書では改訂時の最新版であるPleiades All in One Eclipse 2023を使用します。上記のWebサイトで、入手したいPleiadesのバージョンを選択すると、ダウンロードページが開きます。

Fig | Pleiadesのダウンロードページ

Pleiadesには多くのパッケージがありますが、Javaによる開発に必要なのは「Java」のパッケージです。あるいは、すべての言語に対応した「Ultimate」のパッケージを使用します。本書では「Java」を利用することにします。

各パッケージにはFull EditionとStandard Editionがあります。Full EditionはStandard Editionに対して、言語処理系（プログラムのコンパイルや実行に必要なソフトウェア）を同梱したものです。容量はFull Editionの方が大きいのですが、言語処理系のバージョン違いなどに起因する問題が発生しにくいので、Full Editionの使用をおすすめします。

以上のパッケージが、Windows x64（64bit）とMac向けに提供されています。本書ではJava、Full Edition、Windows x64を使用することにします。該当欄のDownloadを選択すると、ダウンロードが始まります。1GB程度の容量があります。

▌ Pleiadesの導入

Pleiadesの導入はとても簡単です。ダウンロードしたEXEファイルを実行し、ファイルの解凍先を指定して解凍すれば、インストールは完了です。

解凍先は任意ですが、本書ではC:¥work¥pleiadesフォルダに解凍することにします。他の解凍先を指定した場合は、以後の説明におけるC:¥work¥pleiadesフォルダを、指定したフォルダに読み替えてください。

A1-02 │ Eclipseの起動

Pleiadesに収録されているEclipseを起動してみましょう。起動する前には、Tomcat用のコマンドプロンプト（→P.21）において、Tomcatを終了させておいてください。Tomcatが動作していると、EclipseからTomcatを起動することができず、開発作業に支障があります。

Eclipseを起動するには、C:¥work¥pleiades¥eclipseフォルダにあるeclipse.exeを、エクスプローラでダブルクリックして実行します。頻繁にEclipseを使う場合には、eclipse.exeを右クリックしたときのメニューから、スタートメニューやタスクバーにピン留めしておくとよいでしょう。

▌ ワークスペース

Eclipseによる作業を行うためのフォルダのことを、ワークスペースと呼びます。Eclipseで作成した各種のファイルは、ワークスペースに保存されます。Eclipseを起動すると、ワークスペースを選択するためのダイアログが表示されます。

Fig | ワークスペースの選択

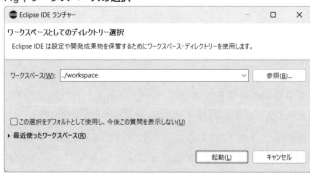

　デフォルトのワークスペースは../workspaceです。これは現在のフォルダ（Eclipseのフォルダ）から、1つ上のフォルダ（..）以下の、workspaceフォルダという意味です。ワークスペースは自由に選んで構わないのですが、本書ではデフォルトのワークスペースを使うことにします。EclipseのフォルダはC:¥work¥pleiades¥eclipseなので、ワークスペースはC:¥work¥pleiades¥workspaceになります。

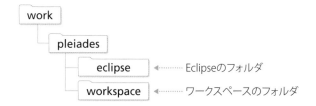

　ダイアログの「起動」ボタンをクリックすれば、ワークスペースの選択は完了です。Eclipseの本体が起動します。

Fig | Eclipse本体の起動画面

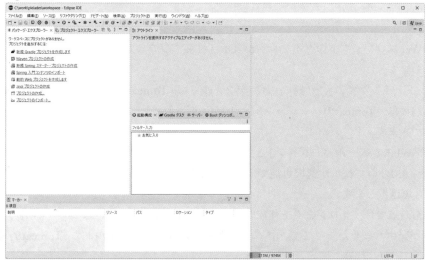

Eclipseを終了するには、通常のアプリケーションと同様に、ウィンドウの右上にある「×」ボタンを使います。

■ プロジェクト

プロジェクトとは、Eclipse上の開発案件を管理する単位です。Eclipse上でWebアプリケーションを開発する際には、最初にプロジェクトを作成する必要があります。

本書ではbookという名前のプロジェクトを作成することにします。Eclipseのメニューで、【ファイル】→【新規】→【プロジェクト】を選択すると、新規プロジェクトのダイアログが表示されます。

ここには、Eclipseで作成できるプロジェクトの種類が表示されています。Webアプリケーションを作成するためのプロジェクトは、動的Webプロジェクトです。「Web」→「動的Webプロジェクト」を選択して、「次へ」ボタンを実行してください。

Fig | 新規プロジェクト

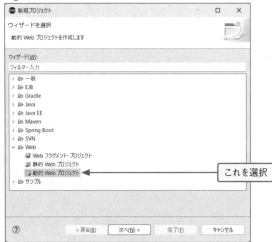

新規動的Webプロジェクトのダイアログが表示されますので、以下のように設定して「完了」をクリックします。

「ターゲット・ランタイム」と「構成」は、デフォルトの「Tomcat9 (Java17)」を選択します。Eclipse 2023には、Tomcatのバージョン8 〜 10が同梱されていて、プロジェクトごとに選択することができます。

また「動的webモジュールバージョン」とは、サーブレットAPIのバージョンのことです。こちらも2.2 〜 6.0のいずれかが選択可能です。ここでは「Tomcat9 (Java17)」に対するデフォルトの「4.0」を選択します。

本書の改訂時点では、プロジェクト作成時に「Tomcat10」を選択すると、コンパイルや実行の際に問題が発生しました。そこで、プロジェクト作成時にはデフォルトの「Tomcat9」を選

択し、作成後に「Tomcat10」を選択し直す、という方法で問題を回避しました。Eclipseのバージョンが異なる場合には、この問題は発生せず、作成時から「Tomcat10」を選択できる可能性があります。

Fig｜新規動的Webプロジェクト

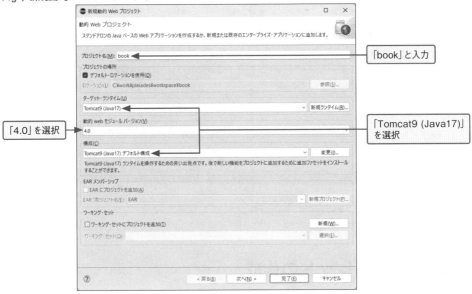

項目を入力したら、「完了」ボタンを実行します。プロジェクトが作成されて、Eclipse本体のウィンドウに戻ります。

画面左上のパッケージエクスプローラを見ると、bookというプロジェクト名が表示されています。bookを開くと、プロジェクトを構成するフォルダやファイルが表示されます。

Fig｜作成されたプロジェクト

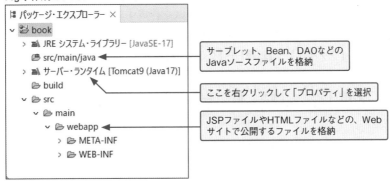

パッケージエクスプローラで「サーバー・ランタイム［Tomcat9（Java17）］」を右クリックし、メニューから「プロパティ」を選択してください。以下のダイアログでは、使用するTomcatの

バージョンを切り替えることができます。ここでは「Tomcat10 (Java17)」を選択し、「適用して閉じる」を実行してください。パッケージエクスプローラの表示が「サーバー・ランタイム [Tomcat10 (Java17)]」に変化したら成功です。

Fig | 作成されたプロジェクト

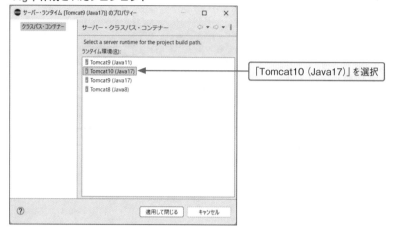

A1-03 | サーブレットの作成

Eclipseを使って、簡単なサーブレットを作成してみましょう。例題はChapter03のhelloサーブレットです。作成を通じて、ソースファイルの作成方法、コンパイル方法、実行方法を学びます。

ソースファイルの作成

サーブレットのソースファイルを新規に作成します。Eclipseでソースファイルを作成する方法はいくつかありますが、ここでは新規にJavaのクラスを作成する方法を使います。この方法は、BeanやDAOなどのクラスを作成する際にも使えます。

Eclipseのメニューで、【ファイル】→【新規】→【クラス】を選択します。「新規Javaクラス」ダイアログが表示されます。

ダイアログでは以下の項目を入力します。他の項目はデフォルトで大丈夫です。

Fig | 新規Javaクラス

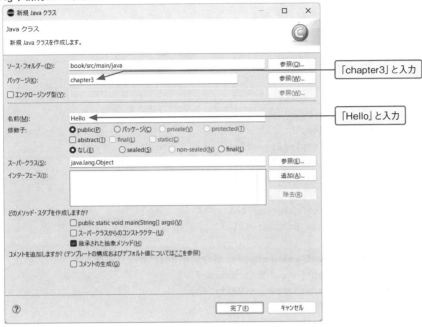

項目を入力したら、「完了」ボタンを実行してください。Eclipse本体のウィンドウに戻り、作成されたソースファイル（Hello.java）が表示されます。

Fig | 作成されたソースファイル

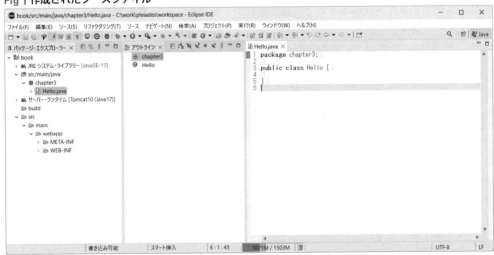

ソースファイルを次のように編集します。このソースファイルはbook¥WEB-INF¥src¥chapter3¥Hello.java（→P.39）と同じ内容なので、すでに作成してある場合には、内容をコピー

してもよいでしょう。なお、Eclipseは必要なimport文を自動的に記述してくれるので、import文の入力は省略することもできます。

List | Hello.java

```
package chapter3;

import java.io.IOException;
import java.io.PrintWriter;
import jakarta.servlet.ServletException;
import jakarta.servlet.http.*;
import jakarta.servlet.annotation.WebServlet;

@WebServlet(urlPatterns={"/chapter3/hello"})
public class Hello extends HttpServlet {
    public void doGet (
        HttpServletRequest request, HttpServletResponse response
    ) throws ServletException, IOException {
        PrintWriter out=response.getWriter();
        out.println("Hello!");
        out.println(new java.util.Date());
    }
}
```

ソースファイルの編集に並行して、Eclipseはソースファイルを自動的にコンパイルします。ソースファイルに誤りがある場合、Eclipseは誤りの箇所に赤い波線を表示して、プログラマに修正を促します。

ソースファイルを編集したら、Ctrl+Sキーを入力して、上書き保存してください。

■ サーブレットの実行

Eclipseはソースファイルを自動的にコンパイルするので、コンパイルの作業は不要です。サーブレットを実行するには、サーブレットのソースファイル(Hello.java)を開いた状態で、Eclipseのメニューから【実行】→【実行】→【サーバーで実行】を選択します。「サーバーで実行」ダイアログが表示されますので、次のように設定します。

Fig | サーバーで実行

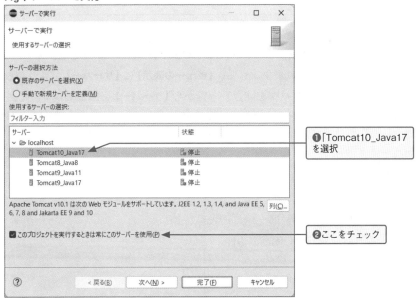

　項目を入力したら、ダイアログの「完了」ボタンを選択します。この後、「Windowsセキュリティの重要な警告」ダイアログが出現して、「このアプリの機能のいくつかがWindows Defenderファイアウォールでブロックされています」と表示されることがあります。eclipse.exeと、OpenJDK Platform binaryについて、それぞれダイアログが出現します。どちらも「アクセスを許可する」ボタンを選択して、ブロックを解除してください。

　Tomcatが起動し、サーブレットが起動すると、ブラウザに実行結果が表示されます。

Fig | サーブレットの実行結果

　Tomcatの起動後は、Eclipseからではなく、ブラウザからサーブレットを実行することもできます。Chapter03と同様に、ブラウザでhttp://localhost:8080/book/chapter3/helloを開くと、サーブレットを実行できます。

■ サーバーの表示

　Webアプリケーションを開発する際には、Eclipse上にサーバ（Tomcat）を表示しておくと便利です。Eclipseのメニューで、【ウィンドウ】→【ビューの表示】→【サーバー】を選択すると、ウィンドウに「サーバー」タブが追加されます。もし、【ビューの表示】に【サーバー】が見つからない場合は、【その他】を選択してダイアログを開き、一覧から【サーバー】を探してみてください。

　Eclipse本体のウィンドウに戻ると、ウィンドウの左下に「サーバー」タブが増えています。

Fig ｜ サーバの表示

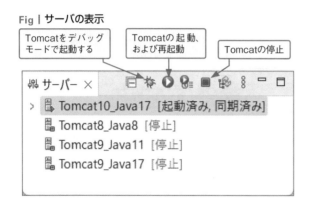

　「サーバー」タブには、先ほどサーブレットの実行に使ったTomcat10（Java17）が表示されています。「サーバー」タブの右上にあるボタンを使って、サーバーの起動、再起動、停止が可能です。Eclipseによる開発中に、Tomcatがうまく起動しなくなるなどの問題が起きたら、サーバを停止したり、再起動したりしてみることがおすすめです。

■ プロジェクトのクリーン

　Eclipseでプログラムを開発していると、プログラムに対して変更を加えたにもかかわらず、実行結果に反映されないといった問題が生ずることがあります。このような場合には、メニューの【プロジェクト】→【クリーン】を実行すると、コンパイルされたクラスファイルなどを消去して、再びコンパイルし直します。この操作によって状況が改善されることがよくあります。

A1-04 | JSPファイルの作成

今度はEclipseを使って、簡単なJSPファイルを作成してみましょう。

■ フォルダの作成

JSPファイルやHTMLファイルは、bookプロジェクトのsrc/main/webappフォルダ以下に作成します。ファイルを配置するフォルダを作成する場合には、パッケージエクスプローラでwebappフォルダを右クリックして、メニューから【新規】→【フォルダー】を選択します。「新規フォルダー」ダイアログが表示されます。

フォルダ名に「chapter7」と入力し、「完了」ボタンを実行してください。パッケージエクスプローラを見ると、chapter7フォルダが作成されたことが確認できます。

Fig | 新規フォルダの作成

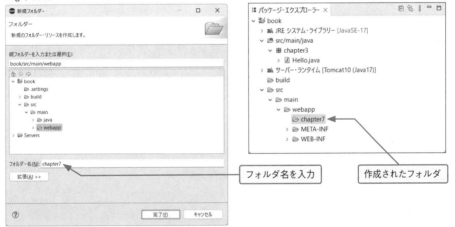

■ JSPファイルの作成

JSPファイルを作成しましょう。ここで紹介する方法は、JSPファイルを作成する場合のほかに、HTMLファイルなどを作成する場合にも使えます。

ここではchapter7フォルダにhello.jspを作成します。パッケージエクスプローラでchapter7フォルダを右クリックして、メニューから【新規】→【ファイル】を選択してください。「新規ファイル」ダイアログが表示されます。

Fig | JSPファイルの作成

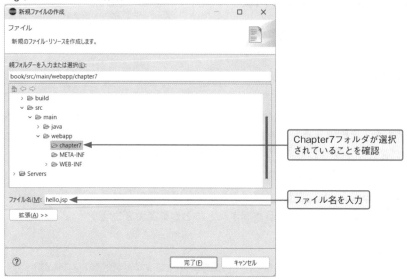

ファイル名に「hello.jsp」と入力し、「完了」ボタンを実行します。作成されたhello.jspが開くので、次のように編集します。このJSPファイルは、Chapter07のhello3.jsp（→P.109）から、includeディレクティブを省略したものです。includeディレクティブを使うには、header.htmlとfooter.htmlをあわせて作成する必要があるので、ここでは簡略化するために省略しました。

List | hello.jsp

```
<%@page contentType="text/html; charset=UTF-8" %>

<p>Hello!</p>
<p>こんにちは！</p>
<p><% out.println(new java.util.Date()); %></p>
```

■ JSPファイルの実行

JSPファイルの実行方法は、サーブレットの実行方法と同じです。JSPファイル（hello.jsp）を開いた状態で、Eclipseのメニューから【実行】→【実行】→【サーバーで実行】を選択します。サーブレットを実行する際に、「サーバーで実行」ダイアログの設定を完了していれば、ダイアログは表示されません。もしダイアログが表示された場合には、サーブレットを実行する際と同様に（→P.442）、サーバの設定を行ってください。

もしサーバの起動に失敗する場合には、画面左下にある「サーバー」タブ（→P.444）のボタンを使って、一度Tomcatを停止してください。そして再び、JSPファイルを実行してみてください。

JSPファイルの実行結果は、サーブレットの実行結果と同様に、ブラウザに表示されます。

Fig｜JSPファイルの実行結果

　Tomcatの起動後は、Eclipseからではなく、ブラウザからJSPファイルを実行することもできます。サーブレットの場合と同様に、ブラウザでhttp://localhost:8080/book/chapter7/hello.jspを開くと、JSPファイルを実行できます。

A1-05 ｜ Eclipseの便利な使い方

　Eclipseには開発作業を効率化するためのいろいろな機能があります。これらの機能の中から、コンテンツアシスト、クイックフィックス、デバッガについて紹介します。

■ コンテンツアシスト

　コンテンツアシストとは、クラス名やメソッド名などを補完して、入力を支援する機能です。ここではHello.javaの中にある、次の行を入力する場合を考えます。

```
PrintWriter out=response.getWriter();
```

　「Pr」まで入力し、Ctrl+Space キーを入力すると、「Pr」から始まるクラス名などの一覧が、ポップアップウィンドウに表示されます。このポップアップウィンドウでは、上下のカーソルキーを使って入力の候補を選択し、Enter キーでソースファイルに入力することができます。選択中のクラス名などについて、説明文も表示されます。

Fig | コンテンツアシストを使う

①「Pr」まで入力して、Ctrl + Space

②選択肢が表示されるので、目的のクラスを選択

　メソッド名を入力する場合についても紹介しましょう。続けてコードを入力していき、「response.」まで入力すると、Ctrl + Space キーを入力しなくても、呼び出せるメソッド名の一覧が表示されます。

　今回入力したいgetWriterはいちばん上にありますが、表示されるメソッドが多すぎる場合は、メソッド名の先頭を何文字か入力してください。さらに候補を絞り込むことができます。

Fig | メソッド名の入力

①「response.」まで入力

②選択肢が表示されるので、目的のメソッドを選択

■ クイックフィックス

　ソースファイルに問題がある場合に、修正方法の候補を表示してくれる機能です。たとえば、out.printlnという呼び出しを行うべきところを、out.printlnnのように、最後に余分なnを入力してしまった場合を考えます。

　この場合、Eclipseはソースファイルを自動的にコンパイルして、この箇所にエラーを発見し、赤い波線を表示します。コンパイルエラーがある赤い波線の部分に、カーソルを合わせてCtrl + 1 キーを入力すると、次のように修正候補が表示されるので、適切なものを選択します。

App

付

録

448

Fig｜クイックフィックスの利用

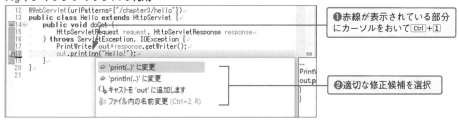

❶赤線が表示されている部分
にカーソルをおいて Ctrl ＋ 1

❷適切な修正候補を選択

■ デバッガ

　デバッガとは、バグ（プログラムの誤り）の発見や修正を支援するツールです。多くの統合開発環境はデバッガを備えています。Eclipseにもデバッガがあります。

　デバッガの主要な機能の1つが、ブレークポイントの設定です。プログラムの指定した行にブレークポイントを設定しておくと、その行を実行したときに、実行中のプログラムが一時的に停止します。停止したプログラムに対しては、変数の値を閲覧したり、1行ずつ実行を進めたり、元のとおりに実行を再開したりすることができます。

　Eclipseでは、編集中のソースファイルについて、行の左端の空欄をダブルクリックすると、その行にブレークポイントを設定することができます。ブレークポイントを設定すると、行の左端に丸いマークが表示されます。ブレークポイントが設定してある行を再びダブルクリックすると、ブレークポイントを解除することができます。

Fig｜ブレークポイントの設定

```
Hello.java ✕    http://localhost:8080/book/chapter3/hello    このページは表示できません
 1   package chapter3;
 2
 3⊕ import java.io.IOException;
11
12   @WebServlet(urlPatterns={"/chapter3/hello"})
13
14   public class Hello extends HttpServlet {
15       public void doGet (
16           HttpServletRequest request, HttpServletResponse response
17       ) throws ServletException, IOException {
18           PrintWriter out=response.getWriter();
19           out.println("Hello!");
20           out.println(new java.util.Date());
21       }
22   }
23  |
```

ブレークポイントを設定
した場合に表示される

　デバッガを使うには、プログラムをデバッグモードで実行する必要があります。Eclipseのメニューから、【実行】→【デバッグ】→【サーバーでデバッグ】を選択します。サーバが起動している場合には、再起動の確認をするダイアログが表示されることがあるので、サーバを再起動してください。

　実行がブレークポイントに到達すると、プログラムの実行が停止します。このとき、「パースペクティブ切り替えの確認」ダイアログが表示されることがあります。パースペクティブ

（perspective）とは、物の考え方や見方、絵の画法などを表す言葉です。Eclipseにおけるパースペクティブとは、プログラミングやデバッグといった作業別に、作業に合ったツールを切り替えて表示する機能です。

Fig｜パースペクティブの切り替え

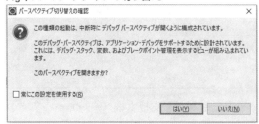

　デバッグの際にパースペクティブの切り替えを許可すると、デバッグパースペクティブに切り替わります。またEclipseのメニューから、**【ウィンドウ】→【パースペクティブ】→【パースペクティブを開く】→【デバッグ】**を選択しても、デバッグパースペクティブを表示できます。

　デバッグパースペクティブには、メソッドの呼び出し階層、変数の値、ブレークポイントの一覧といった、デバッグ用の情報が表示されます。デバッグパースペクティブから、今までのパースペクティブ（Javaパースペクティブ）に戻すには、Eclipseのウィンドウの右上にある「Java」ボタンを選択します。

Fig｜デバッグパースペクティブ

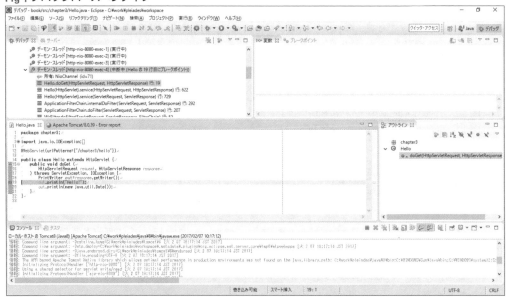

　ブレークポイントで停止しているプログラムに対しては、次のような操作を行うことができます。

▶ 変数値の確認

ソースプログラム内の変数にマウスカーソルを合わせると、実行中の変数値が表示されます。変数値が想定した値になっているかどうかを確認できるので、デバッグの大きな助けになります。

Fig｜変数値を表示する

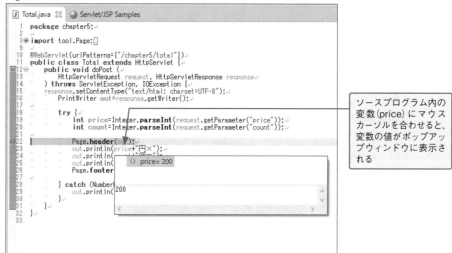

ソースプログラム内の変数（price）にマウスカーソルを合わせると、変数の値がポップアップウィンドウに表示される

▶ ステップ実行

メニューの【実行】→【ステップオーバー】を選択するか、F6 キーを入力すると、プログラムを1行ずつ実行することができます。バグの原因と思われる箇所を、詳細に検討する際に使います。類似の操作としては、メソッド呼び出しの際にメソッドの内部に入って実行する「ステップイン」と、メソッド呼び出しから戻るところまでを実行する「ステップリターン」があります。

Fig｜ステップオーバー

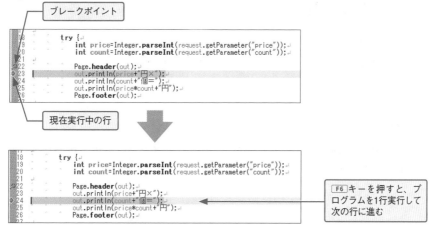

ブレークポイント

現在実行中の行

F6 キーを押すと、プログラムを1行実行して次の行に進む

▶再開

メニューの【実行】→【再開】を選択するか、 F8 キーを入力すると、プログラムの実行を再開することができます。再びブレークポイントに到達した場合には、プログラムは停止します。不具合が発生するまでプログラムの実行を先に進める場合などに使う操作です。

Fig | 実行の再開

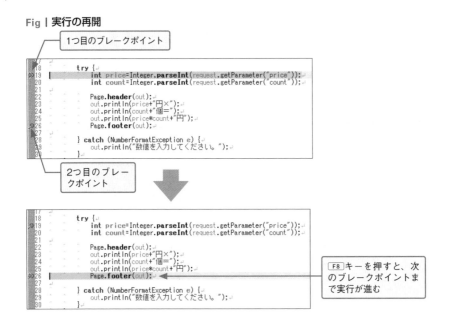

▶終了

メニューの【実行】→【終了】を選択するか、 Ctrl + F2 キーを入力すると、プログラムの実行を終了することができます。バグの原因が判明したときなどには、プログラムを終了してバグを修正し、再びデバッグまたは通常実行する、という操作をよく行います。

A1-06 | サンプルの導入

本書のサンプルをEclipse上に導入する方法を説明します。JDKとコマンドプロンプトで作成したサンプルをEclipse上に移行する場合や、作成済みのサンプルをEclipse上に導入して動作を確認したい場合などに、お使いください。

▶Javaソースファイル

work¥tomcat¥webapps¥book¥WEB-INF¥srcフォルダの中身を、work¥pleiades¥workspace¥book¥src¥main¥javaフォルダにコピーします。

▶ JSPファイルなど

work¥tomcat¥webapps¥bookフォルダの中身を、work¥pleiades¥workspace¥book¥src¥main¥webappフォルダにコピーします。一緒にコピーされるbook¥WEB-INF¥srcフォルダは不要なので、削除することができますが、残しておいても問題はありません。

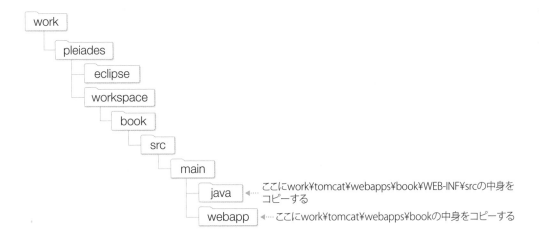

ファイルをコピーした後に、Eclipseのパッケージエクスプローラを右クリックして、メニューから【リフレッシュ】を実行すると、導入したファイルがEclipse上に表示されます。なお、Chapter14以降のデータベース関連のサンプルを使う場合には、H2データベースが起動している必要があるので、H2コンソール（→P.183）を開いておいてください。

本書で主に使用している、JDKとコマンドプロンプトを使った開発方法は、シンプルで軽量なことが魅力です。一方で、業務や研修でEclipseを使う場合や、Eclipseの機能に興味を持った場合には、本付録を参考にEclipseを活用してみてください。

02 トラブルシューティング

本書を使用してプログラミングを進める中で、発生する可能性があるトラブルの例を挙げて、具体的な対処方法を紹介します。特に、想定していないHTTPステータスが表示される、ページが表示されない、データベースにアクセスできないといった、Webアプリケーションでよく起こるトラブルについて紹介します。もし開発中にトラブルが起きたら、トラブルの症状に合った項目を参照して、対処方法を実施してみてください。

いずれのトラブルにも共通して有効なことが多い方法は、Webアプリケーションの実行環境を再起動することです。特にTomcatの再起動は、簡単に行える上に有効なことが多いので、トラブルの際には最初に試してみてください。

① Tomcatを再起動します。Tomcat用のコマンドプロンプトで、[ctrl]＋[C]キーを入力してTomcatを停止します。再びtomcatコマンドを実行して、Tomcatを起動します。

② H2 Databaseを再起動します。H2のコマンドプロンプトを閉じた後に、再びwork¥h2.batコマンドを実行します。

■「このサイトにアクセスできません」と表示される

ブラウザで目的のページを開こうとしたときに、「このサイトにアクセスできません」と表示されることがあります。メッセージはブラウザごとに異なるので、ブラウザによっては「サーバが見つかりません」のように、異なるメッセージが表示されることもあります。この問題には次のように対処します。

▶① Tomcatの起動を確認する

ブラウザでTomcatのトップページ（http://localhost:8080/）を開きます。Tomcatのトップページが開けば、Tomcatは動作しているので、(2)に進みます。トップページが開かずに、「このサイトにアクセスできません」などと表示される場合には、Tomcatを起動してください。

▶② URLを確認する

目的のページのURLが正しいかどうかを確認して、再びブラウザで開きます。

▶③ ファイアウォールを確認する

Windowsのファイアウォール機能、あるいはサードパーティのセキュリティソフトウェアのために、通信が制限されている場合があります。JDK、Tomcat、H2 Database、Eclipseに

よる通信を許可するように、ファイアウォールやセキュリティソフトウェアの設定を修正してください。

HTTPステータス404が表示される

404「Not Found」はHTTPステータスコードの1つです。ブラウザがリクエストしたファイルなどを、サーバが見つけられないときに発生します。Tomcatは「HTTPステータス 404 - /book/chapter3/hello」などと表示します。この問題には次のように対処します。

▶ ① URLを確認する

ブラウザに入力したURLが正しいかどうかを確認し、誤っている場合には修正します。

▶ ② ファイルの配置を確認する

JSPファイルやHTMLファイルの場合には、ファイルが正しいフォルダに配置されているかどうかを確認します。また、開こうとしているファイル以外のファイルを開くことによって、開こうとしているファイルだけに問題があるのか、Webアプリケーション全体に問題があるのかを切り分けます。

▶ ③ サーブレットが作成済みかどうかを確認する

サーブレットの場合には、ソースファイルが作成済みで、コンパイル済みかどうかを確認します。さらに、コンパイルした後にTomcatを再起動してあることを確認します。

▶ ④ WebServletアノテーションを確認する

サーブレットの場合には、サーブレットを呼び出すURLを@WebServletアノテーションで指定するので、@WebServletアノテーションで指定したURLが正しいかどうかを確認します。URLを修正した場合には、プログラムをコンパイルし、Tomcatを再起動してから（またはTomcatがサーブレットを自動リロードするのを待ってから）、再びブラウザでページを開きます。

▶ ⑤ web.xmlを確認する

web.xmlを記述している場合には、サーブレットのURLパターンなどが正しいかどうかを確認します。

なお、web.xmlが存在する場合には、@WebServletアノテーションによる設定よりも、web.xmlによる設定が優先されます。@WebServletアノテーションを設定しているのに、サーブレットが開けない場合には、web.xmlを削除してから（必要ならばweb.xmlをバックアップしておいてください）、再びサーブレットを開いてみてください。

■ HTTPステータス405が表示される

405「Method Not Allowed」はHTTPステータスコードの1つです。GETやPOSTといったリクエストの種類のうち、想定されていないものが使用されたときに発生します。Tomcatは「HTTPステータス 405 - HTTPのGETメソッドは、このURLではサポートされていません。」などと表示します。この問題には次のように対処します。

▶① サーブレットが対応するリクエストを使う

doGetメソッドを記述したサーブレットは、GETリクエストに対応しています。サーブレットのURLをブラウザで入力するか、リンクを使ってサーブレットのURLを開くかします。

doPostメソッドを記述したサーブレットは、POSTリクエストに対応しています。サーブレットのURLをブラウザで直接入力するのではなく、JSPファイルなどを開いてフォームを送信することにより、サーブレットにリクエストを送信します。

▶② サーブレットのdoGet/doPostメソッドを確認する

サーブレットにおいて、doGetメソッドを記述するべきなのにdoPostメソッドにしていないか、逆にdoPostメソッドを記述するべきなのにdoGetメソッドにしていないか、確認して修正します。

▶③ フォームのmethod属性を確認する

サーブレットにリクエストを送信するフォームにおいて、<form>タグのmethod属性に、サーブレットが対応するリクエストの種類を正しく指定していることを確認します。doGetメソッドを記述したサーブレットの場合には、method属性をGETにします。doPostメソッドを記述したサーブレットの場合には、method属性をPOSTにします。本書のほとんどのプログラムは、method属性にPOSTを記述します。

■ HTTPステータス500が表示される

500「Internal Server Error」はHTTPステータスコードの1つです。サーバで実行しているサーブレットなどのプログラムが、問題を起こしたときに発生します。この問題には次のように対処します。

▶① 例外メッセージにしたがってプログラムを修正する

多くの場合には、プログラムで発生した例外のエラーメッセージが表示されています。例外の種類やスタックトレースを参考に（→P.110）、プログラムから例外の原因となった箇所を見つけて、問題を修正します。

JSPの場合にも、例外が発生することがあります。呼び出しの階層が深く、長大なスタック

トレースが表示されることがありますが、自分が記述したファイルに関するメッセージを見つけて、該当ファイルを修正します。

▶ ② プログラム以外の問題を解決する

プログラムが正しくても、実行環境などに問題があるために、例外が発生する場合があります。たとえば、データベースの操作に関する例外が発生している場合には、データベースが起動していなかったり、データベースの構築に問題があったりすることもあります。このような場合には、プログラムの周囲にある環境が正しく動作しているかどうかを確認します。

■ 空白のページが表示される

目的のページを開くと、ページの内容が何も表示されずに、空白のページになることがあります。この問題には次のように対処します。

▶ ① ページのソースを表示する

多くのブラウザは、ページのソース (HTML) を表示する機能を備えています。たとえばChromeの場合には、ページを右クリックしてメニューから「ページのソースを表示する」を選択するか、[Ctrl]+[U]キーを入力すると、ページのHTMLを表示することができます。

空白のページが表示された場合には、ページのソースを表示してみてください。ソースが空ならば、プログラムが何も出力していないか、結果が正しく受信できていないと思われます。ソースが空ではなく、画面に表示される部分 (メッセージなど) が欠けている場合には、該当部分を出力する処理を修正します。

▶ ② プログラムから段階的に出力する

プログラムから正しい出力が得られるように、段階的にプログラムを修正します。最初に、プログラムの処理をすべてコメントアウトして、「Hello!」のようなメッセージだけを出力するプログラムに変更します。プログラムを実行して、正しくメッセージが表示されたら、コメントアウトの一部を解除して、実行する範囲を広げます。どこまで動作したのかを確認するためのメッセージを表示しながら、少しずつ実行の範囲を広げていけば、問題の箇所を特定することができます。

■ データベースからデータを取得できない

データベースを使ったプログラムにおいて、データベースから取得するデータが表示されなかったり、データの追加や更新に失敗したりといった問題が起きることがあります。この問題には次のように対処します。

▶ ① データベースを起動する

データベースを使うプログラムを実行する際には、データベースを起動しておく必要があります。本書の場合には、work¥h2.batを実行して、H2のコマンドプロンプトを表示しておきます。

▶ ② データベースのコンソールを使う

Javaプログラムからデータベースを操作する前に、データベースに付属するコンソールから、データベースが正しく操作できることを確認します。本書の場合には、work¥h2.batを実行すると、コマンドプロンプトが開くとともに、ブラウザでH2コンソール（H2 Databaseを操作するためのコンソール）のログイン画面が開きます。H2コンソールにログインして、簡単なSQL文（たとえばselect * from product;のようなもの）を実行してみてください。正しく実行できない場合には、データベースを構築するためのSQLスクリプトを実行して、データベースを再構築してから、もう一度SQLの実行を試してみてください。

▶ ③ プログラム内のSQL文を確認する

Javaプログラムに記述されたSQL文が、正しいかどうかを確認します。SQL文をコピーして、コンソールで実行してみてください。正しく動作しない場合には、コンソール上で正しく動くようにSQL文を修正してから、JavaプログラムにSQL文を書き戻します。

▶ ④ プログラムがSQL文を発行していることを確認する

SQL文を実行するexecuteQueryメソッドやexecuteUpdateメソッドの呼び出しまで、プログラムの実行が到達しているかどうかを確認します。簡単な方法としては、これらのメソッドを呼び出した直後に、たとえば「execute SQL」のようなメッセージを表示する方法があります。メッセージが表示されたら、SQL文の発行まで到達していると考えられます。Eclipseの場合には、デバッガのブレークポイントやステップ実行を使って、SQL文を発行する行が実行されているかどうかを確認することもできます。

▶ ⑤ プログラムがSQL文の結果を取得して出力していることを確認する

SQL文の実行結果（ResultSet）を、プログラムが正しく取得し、出力していることを確認します。実行結果を取得するプログラムが動作していることを確認するには、メッセージを表示したり、Eclipseのデバッガを使ったりする方法があります。また、実行結果をテーブルなどに整形して表示している場合には、取得した値を簡潔な形式で表示するプログラムに一時的に書き換えてみてください。データを取得する段階で失敗しているのか、表示の段階で失敗しているのかを、切り分けることができます。

Appenddix

03 macOS/Linuxにおける本書の利用

macOS/Linuxでも本書をお使いいただけるように、開発環境の構築方法と、サンプルの使用方法を説明します。サンプルの使用方法については、macOS/Linuxに共通です。

A3-01 | macOSにおける開発環境の構築

macOSをお使いの場合は、以下のサイトからmacOS用のOpenJDKを入手してください。以下は本書で利用しているOpenJDK 21のダウンロードページです。他のバージョンについては、ページ左上の「GA Releases」にリンクが掲載されています。

OpenJDKのダウンロード
https://jdk.java.net/21

Fig | OpenJDKのダウンロードページ

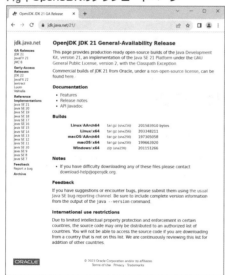

macOS用のOpenJDKを入手するには、「Builds」の「macOS/AArch64」(Appleシリコン用)または「macOS/x64」(Intelプロセッサ用)から、お使いのMacに合う方の「tar.gz」をクリックします。「openjdk….tar.gz」(…の部分はバージョン番号など)というファイルがダウンロードされるので、ホームフォルダに保存してください。

以後の作業はターミナルで行います。ターミナルを起動し、以下のコマンドを実行してくだ

さい。ダウンロードしたファイルを展開します。「openjdk….tar.gz」の部分は、ダウンロード
したファイル名に合わせる必要がありますが、ファイル名の補完機能を利用するのがおすすめ
です。「openjdk」と入力して[Tab]キーを押すと、ファイル名が自動的に補完されます。

```
tar xvf openjdk….tar.gz
```

　展開に成功すると、「jdk….jdk」(…の部分はバージョン番号など)のようなフォルダが作成
されます。次は、展開したJDKをインストールするために、以下を実行してください。「jdk
….jdk」の部分は、ファイル名の補完機能を利用して入力します。もしパスワードの入力を求
められたら、macOSのパスワードを入力してください。

```
sudo mv jdk….jdk /Library/Java/JavaVirtualMachines
```

　最後に、インストールしたJDKの動作を確認します。以下を実行し、javaコマンドとjavacコ
マンドのバージョンを表示してください。インストールしたJDKと同じバージョンが表示され
れば成功です。

```
java -version
javac -version
```

　これでJDKのインストールは完了です。サンプルの展開に進んでください。

A3-02 | Linuxにおける開発環境の構築

　Linuxの場合は、ディストリビューション(配布形態)によって開発環境の構築方法が異なり
ます。以下ではUbuntu用の方法を説明します。動作確認にはUbuntu on WSL2 (WSLは
Windows Subsystem for Linuxの略)を使いました。
　作業はターミナルで行います。ターミナルを起動し、以下のコマンドを実行してください。
インストール可能なパッケージの一覧をアップデートします。もしパスワードの入力を求めら
れたら、Linuxのパスワードを入力してください。

```
sudo apt update
```

　次に、以下のコマンドを実行し、インストール済みのパッケージを更新します。この作業に
は時間がかかることがあります。

```
sudo apt upgrade -y
```

　続いて、以下のコマンドを実行し、OpenJDKをインストールします。利用可能なOpenJDKのバージョンは、Ubuntuのバージョンによって異なります。以下はOpenJDK 19をインストールする場合です。

```
sudo apt install -y openjdk-19-jdk
```

　他のバージョンをインストールする場合は、上記の「openjdk-19-jdk」の「19」を変更してください。利用可能なOpenJDKのバージョンを表示するには、以下のコマンドを実行します。

```
sudo apt search --names-only 'openjdk-.*-jdk$'
```

　最後に、インストールしたJDKの動作を確認します。以下を実行して、javaコマンドとjavacコマンドのバージョンを表示してください。インストールしたJDKと同じバージョンが表示されれば成功です。

```
java -version
javac -version
```

　これでJDKのインストールは完了です。サンプルの展開に進んでください。

A3-03 ｜ サンプルの展開

　以下の手順はmacOS/Linuxに共通です。作業はターミナルで行います。
　本書のダウンロードファイル（download.zip）を入手し、ホームフォルダ（ホームディレクトリ）に保存します。
　ターミナルを起動し、以下のコマンドを実行してください。ダウンロードファイルを展開します。展開に成功すると、downloadフォルダが作成されます。

```
unzip download.zip
```

　続いて、以下のコマンドを実行してください。サンプルに含まれるシェルスクリプト（拡張子.shのファイル、Windowsにおけるバッチファイルに相当）のパーミッション（アクセス権限）を、実行可能に設定します。

```
find download -name '*.sh' -exec chmod +x {} ';'
```

これでサンプルの展開は完了です。サンプルはdownload/workフォルダ以下に展開されています。

A3-04 | サンプルの実行

以下の手順はmacOS/Linuxに共通です。作業はターミナルで行います。

最初に、3個のターミナルを起動してください。これらのターミナルは、コンパイル用、Tomcat用、H2 Database用です。各ターミナルは以下のように使います。

Table | コンパイル用のターミナル

コマンド	内容
download/work/src.sh	最初にこのコマンドを実行してください。ソースファイルのフォルダ（src）に移動します
./compile.sh ファイル名	指定したソースファイルをコンパイルします
./compile_all.sh	全てのソースファイルをコンパイルします
./clean.sh	全てのクラスファイルを削除します

Table | Tomcat用のターミナル

コマンド	内容
download/work/tomcat.sh	Tomcatを起動します
Ctrl+C キー	Tomcatを終了します

Table | H2 Database用のターミナル

コマンド	内容
download/work/h2.sh	H2 Databaseを起動します。H2コンソールが自動的に開かない場合は、ブラウザで「http://localhost:8082」を開いてください
Ctrl+C キー	H2 Databaseを終了します

macOS/Linuxでは、サンプルのコンパイルや実行に、上記のターミナルをお使いください。

Index

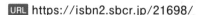

基礎からのサーブレット/JSP 第5版

URL https://isbn2.sbcr.jp/21698/

○本書をお読みいただいたご感想、ご意見を上記 URL にお寄せください。

○本書に関する正誤情報など、本書に関する情報も掲載予定ですので、あわせてご利用ください。

基礎からのサーブレット/ JSP 第5版

2023年 11月10日　　　　　初版第1刷発行

著　者	松浦健一郎、司 ゆき
発行者	小川 淳
発行所	SBクリエイティブ株式会社
	〒106-0032 東京都港区六本木2-4-5 六本木Dスクエアビル
	TEL 03-5549-1201 (営業)
	https://www.sbcr.jp/
印　刷	株式会社シナノ

装　丁	渡辺 縁
組　版	クニメディア株式会社
編　集	河野 太一
カバーイラスト	VikiVector/shutterstock.com

落丁本、乱丁本は小社営業部にてお取替えいたします。

定価はカバーに記載されております。

Printed in Japan　　　　ISBN978-4-8156-2169-8